Der Exportvertrag

Der Exportvertrag

mit praxisnahen Erläuterungen zu Vertragsklauseln Deutsch – Englisch

- Vorteile nutzen
- Risiken vermeiden
- Abschluss sichern

3. Auflage

Herausgegeben von
Prof. Dr. Graf von Bernstorff,
Rechtsanwalt, Ahlers & Vogel, Bremen und Professor für internationales Wirtschaftsrecht, Hochschule Bremen

Bundesanzeiger Verlag

Bibliografische Information Der Deutschen Bibliothek

Die Deutsche Nationalbibliothek verzeichnet diese Publikation in der Deutschen Nationalbibliografie; detaillierte bibliografische Daten sind im Internet über http://dnb.d-nb.de abrufbar.

Bundesanzeiger Verlag GmbH
Amsterdamer Straße 192
50735 Köln
www.bundesanzeiger-verlag.de

Weitere Informationen finden Sie auch in unserem Themenportal unter
www.aw-portal.de

Beratung und Bestellung:
Gerburg Brandt, Isa Güleryüz
Tel.: +49 221 97668-173/357
Fax: +49 221 97668-232
E-Mail: aussenwirtschaft@bundesanzeiger.de

ISBN (Print): 978-3-8462-0283-8
ISBN (E-Book): 978-3-8462-0284-5

Produktmanagement: Susanne Kinkel
Lektorat: Annett Mohnert
Herstellung: Günter Fabritius
Coverbild: © Fotosearch
Satz: Media Konzept Widdig GmbH, Köln
Druck und buchbinderische Verarbeitung: Medienhaus Plump, Rheinbreitbach

Printed in Germany

Vorwort

Geschäfte von Unternehmen sind meistens Kaufgeschäfte – Kaufverträge stehen dann im Zentrum der unternehmerischen Geschäftsbeziehung. Typischerweise finden sich deutsche Unternehmen bei internationalen Geschäften überdurchschnittlich häufig in der Position des Verkäufers wieder: Die Einstufung Deutschlands als langjähriger „Exportweltmeister" ist ein Beleg dafür.

Wer liefert, findet sich oft, aber nicht immer, in einer günstigen Verhandlungsposition, zumindest dann, wenn es einen Verkäufermarkt gibt, auf dem die Nachfrage nach Gütern größer ist als das Angebot. Der Verkäufer wird diese Position zu seinem Vorteil nutzen und die Bestandteile seiner Vertragsabsprachen in seinem Sinne durchsetzen wollen. Der *Exportvertrag*, bei dem der Verkäufer „die Bedingungen stellt", zu denen er zum Verkauf seiner Güter bereit ist, steht daher im Mittelpunkt des Interesses.

Dieses Buch stellt sich der Aufgabe, ein vollständiges Vertragsmuster für grenzüberschreitende Kaufverträge bereit zu stellen und dieses zu kommentieren. Dabei ist klar zu stellen, dass Kaufverträge mitunter sehr kurz abgefasst sein können und oft auch nur mündlich oder elektronisch geschlossen werden. Das Buch enthält daher ein Vertragsmuster, das die möglichen Bestandteile eines typischen Kaufvertrags im Exportgeschäft jeweils in verschiedenen (kommentierten) Textalternativen enthält, mit denen ein rechtssicherer Geschäftsabschluss getätigt werden kann.

Dieser Exportvertrag in englischer Sprache, dem eine Übersetzung in Deutsch gegenüber gestellt wird, ist auf alle denkbaren Gegebenheiten eines Exportgeschäfts hin ausgerichtet und enthält daher häufig auch Textvarianten, die ein Exportunternehmen *alternativ* und damit passend zu seiner Geschäftspraxis einsetzen kann. Der Umfang des Vertragsmusters soll also kein „Muss" für den Nutzer bedeuten, sondern stellt nur viele – thematisch gegliederte – Textvarianten für den Nutzer dar. Damit soll erreicht werden, dass möglichst viele Praxisfragen abgedeckt werden können. Da die englische Sprache typische Geschäftssprache des Wirtschaftslebens ist, soll der englische Text des Mustervertrags dazu verhelfen, in der Unternehmenspraxis die korrekte Terminologie zu verwenden. Da der Verwender von Vertragstexten und -mustern im Regelfall auch das *Sprachrisiko* trägt, könnte ein fehlerhaft genutzter fremdsprachlicher Begriff zu seinen Lasten gehen – ein Grund mehr, beim Einsatz englischsprachiger Vertragstexte Sorgfalt walten zu lassen.

An vielen Stellen der Mustertexte sind hochgestellte Ziffern angebracht. Diese verweisen auf die entsprechend nummerierten Kommentierungen im weiteren Verlauf des Buches.

Mit diesem nun in 3. Auflage herausgegebenen Buch findet die Außenhandelspraxis einen wichtigen Begleiter im unternehmerischen Alltag auf dem Stand vom 1. 1. 2014.

Bremen, im Februar 2014

Prof. Dr. Christoph Graf von Bernstorff

Inhaltsübersicht

	Vorwort	5
Teil 1:	**Vertragsmuster englisch – deutsch**	11
Teil 2:	**Vorbemerkungen zum Kaufvertrag**	25
	1. Kaufvertrag	25
	1.1 Vertrag	25
	1.2 Probleme beim Vertragsschluss	25
	1.3 Vertragssprache	27
	1.4 UN-Kaufrecht	28
	1.5 Vertragsangebot	32
	1.6 Vertragsannahme	34
	1.7 Vertragsschluss	35
	1.8 Dissens	35
	1.9 Form des Kaufvertrags	37
Teil 3:	**Die Klauseln des Kaufvertrags**	39
§ 1	**Präambel/Einleitung**	40
	1. Überschrift	41
	2. Die Vertragsparteien	41
	3. Vertreter der Vertragsparteien	41
§ 2	**Begriffe und Erläuterungen**	42
	4. Begriffsdefinitionen und Interpretation	43
§ 3	**Preisvereinbarungen**	45
	5. Kaufpreis	45
	6. Preisgleitklauseln:	46
§ 4	**Rügepflicht**	48
	7. Rügepflicht	48
§ 5	**Mängelhaftung**	50
	8. Mängelhaftung	51
	9. Mangelfreie Ware	51
	10. Sachmangel	52
	11. Ausschluss der Mängelhaftung	52
	12. Vertragsgemäßheit nach UN-Kaufrecht	54
	13. Prüfungspflicht	54
	14. Nacherfüllung	55
	15. Rücktritt	56

	16. Minderung	57
	17. Schadensersatzanspruch	57
	18. Rechtsbehelfe nach UN-Kaufrecht	59
§ 6	**Eigentumsvorbehalt**	61
	19. Eigentumsvorbehalt	62
	20. Probleme des Eigentumsvorbehalts	63
	21. Rechte des Vorbehaltsverkäufers	67
§ 7	**Gefahrtragung**	70
	22. Gefahrtragungsklausel	70
	23. Vertragliche Änderung des Gefahrübergangs	72
	24. Versendungskauf	73
§ 8	**Lieferbedingung**	77
	25. Lieferbedingung	77
	26. Incoterms	79
	27. FOB-Klausel	96
	28. CIF-Klausel	98
	29. Eigene Lieferbedingung	99
	30. Lieferbedingung gemäß UN-Kaufrecht	99
§ 9	**Zahlungsbedingung**	102
	31. Zahlungsbedingung (Grundsätzliches)	102
	32. Zahlungsbedingungen (Arten)	104
	33. Vereinbarung eines Zahlungsortes	111
	34. Dokumentäre Zahlungsbedingung	111
	35. Dokumente gegen Akzept	113
§ 10	**Rechtswahl**	116
	36. Festlegung der Geltung deutschen Rechts	116
	37. Ausschluss des UN-Kaufrechts	125
§ 11	**Gerichtsstand**	127
	38. Vereinbarung eines Gerichtsstands	127
§ 12	**Schiedsklausel**	131
	39. Schiedsklausel	131
Teil 4:	**Anhang**	135
	1. UN-Kaufgesetz	135
	2. Einführungsgesetz zum Bürgerlichen Gesetzbuch	163
	3. ROM-I-Verordnung	168
	4. Glossar	172
	5. Außenhandelsbegriffe deutsch-englisch	183

Sachregister 193

Teil 5: CD-ROM-Inhalt 197

Mustervertrag deutsch
Mustervertrag englisch
UN-Kaufrecht
EGBGB (Auszug)
BGB (Auszug)
ROM-I-Verordnung (Auszug)
HGB (Auszug)
ZPO (Auszug)
Glossar
Außenhandelsbegriffe deutsch-englisch
Adressen

Teil 1: Vertragsmuster englisch – deutsch

Auf den folgenden Seiten sind die deutschen und englischen Vertragsmuster zur besseren Übersicht jeweils auf der gegenüberliegenden Seite abgedruckt.

Export-Contract[1]

(English Sample)

- Please be aware that in some cases standard terms samples are offered *alternatively.* -

1. Agreement

This agreement is made

between

Messrs .. (Name of one party) whose registered office is at .... (address of party) -

- hereinafter called "*the seller*" of the one part[2] -

and

Messrs .... (Name of other party) whose registered office is at .... (address of other party) -

- hereinafter called "*the purchaser*" of the other part. –

References in this Agreement to the parties shall include their respective directors, employees, servants and agents[3].

The "Seller's Group" shall mean the group composed of the Seller, its Holding Company (if any) and all (wholly-owned) Subsidiary Companies of the Seller and of the Seller's Holding Company (if any).

2. General – Definitions and Interpretation of Terms[4]

The parties	Any reference in this agreement to a party shall mean either the Seller (Vendor), the Buyer (the Purchaser) or the guarantor, and any such reference to parties shall (as the case may be) mean all or any two of them. The expression "Seller" and "Buyer" shall include their respective successors and permitted assigns.
Seller	Seller means the ...... (name of company, or person) organised under .... law having its registered office at ..... (place, city, address), a paid capital of ..... (currency, amount), registered with the ..... (court or registry) of .... at .... under No.....
Buyer	means the ...... (name of company, or person) organised under .... law having its registered office at ..... (place, city, address), a paid capital of ..... (currency, amount), registered with the ..... (court or registry) of .... at .... under No.....
Subsidiary	A "Subsidiary" of a party hereto shall mean any corporation controlled by such party.

Muster eines Exportvertrags

(Deutsch)

- Bitte beachten Sie, dass einige Musterklauseln als Textalternativen angeboten werden. -

1. Vereinbarung

Diese Vereinbarung wird getroffen

zwischen

Fa..... (Firma der einen Vertragspartei) mit Sitz in ...... (Anschrift)

- im Folgenden „Verkäufer" genannt, auf der einen Seite,

und

Fa.... (Firma der anderen Vertragspartei) mit Sitz in .... (Anschrift)

- im Folgenden „Käufer" genannt, auf der anderen Seite.

Jegliche Bezugnahme auf die Vertragsparteien innerhalb dieser Vereinbarung soll auch verbindlich sein für ihre Führungskräfte, Mitarbeiter, Angestellte und sonstige (Stell-)Vertreter.

Die Verkäufergruppe bedeutet die Gesamtheit der Firmengruppe des Verkäufers, einschließlich etwaiger Besitzgesellschaften und Unternehmensbeteiligungen des Verkäufers oder seiner Besitzgesellschaft.

2. Allgemeines – Begriffsbestimmungen und Auslegung

Die Vertragsparteien	Jeglicher Hinweis auf eine Vertragspartei innerhalb dieser Vereinbarung ist entweder auf den Verkäufer, den Käufer oder den Bürgen gerichtet, und jeglicher Hinweis auf eine der Vertragsparteien meint (je nach Sinnzusammenhang) beliebige zwei von ihnen oder alle drei. Die Begriffe Verkäufer und Käufer umfassen dabei auch die rechtmäßigen Erben oder sonstige Rechtsnachfolger.
Verkäufer	Verkäufer bedeutet .... (Name des Unternehmens oder der Person), gegründet nach dem Recht des ..... (Name des Landes), mit Sitz in ... (Ort, Anschrift), mit dem Kapital in Höhe von .... (Währung, Betrag) und registriert beim .... (Gericht, Register) .... von ... unter .... (Ziffer).
Käufer	Käufer bedeutet .... (Name des Unternehmens oder der Person), gegründet nach dem Recht des ..... (Name des Landes), mit Sitz in ... (Ort, Anschrift), mit dem Kapital in Höhe von .... (Währung, Betrag) und registriert beim .... (Gericht, Register) .... von ... unter .... (Ziffer).
Tochtergesell-schaft	Tochtergesellschaft einer Vertragspartei bedeutet, dass das Unternehmen einer der Vertragsparteien mehrheitlich gehört.

Group	The "Group" of a party hereto shall mean the group composed of that party together with all of its Subsidiaries and Affiliates.
Day	Day shall mean a period of 24 hours ending at twelve midnight.
Month	Month shall mean calendar month.
Business day	Business day shall mean any day on which ordinary banks are open for business in .... (name of country).
Legislation	References to any statute or statutory provision shall be made with regard to any statutory instrument of the laws of .... (name of country).
Person	"Person" wherever used in the agreement shall mean an individual, corporation, government or agency or any other legal or commercial entity or undertaking.

3. Orders, Prices[5], Delivery

a) Our offers shall not be binding with reference to quantities, price and delivery time.

b) Any order issued by the buyer shall not be binding on us until it has been agreed upon and confirmed by us in writing.

c) Our prices do not include any VAT as it will be statutory at the date of delivery. They are binding on us for the period of the contract agreed upon. If, however, there is any change of any legal provision between the date of contractual agreement and the date of delivery and if this change of law is having any influence on the contractual obligation such as additional duties or any other charges, then the seller shall have the right to increase the purchase price accordingly.

d) The Seller reserves the right, by giving notice to the Buyer at any time before delivery, to increase the price[6] of the goods to reflect any increase in the cost to the Seller which is due to any factor beyond the control of the Seller (such as, without limitation, any foreign exchange fluctuation, currency regulation, alteration of duties, significant increase in the costs of labour, materials or other costs of manufacture), any change in delivery dates, quantities or specifications for the goods which is requested by the Buyer, or any delay caused by any instructions of the Buyer or failure of the Buyer to give the Seller adequate information or instructions.

e) The seller agrees to adhere to any specifications and shall not change any parts without any written approval of the buyer.

Unternehmens-gruppe	Unternehmensgruppe einer Vertragspartei bedeutet die gesamte Unternehmensgruppe der Vertragspartei, wie sie sich aus der Vertragspartei selber einschließlich ihrer Beteiligungen und Tochtergesellschaften zusammensetzt.
Tag	Tag bedeutet eine Zeitperiode von 24 Stunden, die um Mitternacht endet.
Monat	Monat bedeutet Kalendermonat.
Werktag	Werktag bedeutet jeder Tag, an dem Geschäftsbanken des Landes .... für Publikumsverkehr geöffnet sind.
Geltendes Recht	Jeglicher Hinweis innerhalb der Vereinbarung auf geltende Gesetzesgrundlagen verweisen auf das Recht des Landes ....
Person	Der Begriff „Person", wo auch immer in der Vereinbarung genutzt, bedeutet Einzelperson, Unternehmen, Behörde oder Vertretungsbefugter oder jede andere rechtliche oder wirtschaftliche Einheit.

3. Bestellungen, Preise, Lieferung

a) Unsere Angebote sind hinsichtlich Menge, Preis und Lieferzeit unverbindlich.

b) Jegliche Bestellung des Käufers ist so lange unverbindlich für uns, wie sie nicht übereinstimmend vereinbart und von uns schriftlich bestätigt worden ist.

c) Unsere Preise schließen die zum Zeitpunkt der Lieferung jeweils geltende gesetzliche Mehrwertsteuer nicht mit ein. Die Preise sind verbindlich für die gesamte Vertragslaufzeit. Sollte es jedoch zwischen Vertragsschluss und dem Datum der Erfüllung aufgrund gesetzlicher Änderungen zu erhöhten Kosten auf Seiten des Verkäufers, z.B. durch höhere Zölle oder andere Abgaben, kommen, ist der Verkäufer zu einer entsprechenden Anpassung des Kaufpreises berechtigt.

d) Der Verkäufer behält sich durch Mitteilung an den Käufer vor dem Zeitpunkt der Lieferung vor, den Kaufpreis anzuheben, sofern etwaige außerhalb des Verkäufereinflusses stehende Umstände (wie beispielsweise veränderte Wechselkurse, Währungsbestimmungen, Änderungen von Abgaben und Steuern, unerwartet angestiegenen Herstellungskosten), ferner veränderte Lieferdaten, Liefermengen oder Spezifizierungen der Ware, die der Käufer verursacht hat, oder aber Verzögerungen, die vom Käufer zu vertreten sind und die der Käufer dem Verkäufer nicht rechtzeitig genug mitgeteilt hat, den Verkäufer dazu zwingen.

e) Der Verkäufer verpflichtet sich, etwaige Spezifikationen einzuhalten und diese nicht ohne vorherige Zustimmung des Käufers zu ändern.

4. Duty to Inspection and Objection

1. Upon delivery the Buyer shall immediately check quantities, weight and packaging and record any objections thereto[7].

2. In case of a notice of a defect the Buyer shall immediately notify ...... The notice must clearly specify ....

5. Seller's warranties and Exclusion of Warranties[8]

a) The Seller warrants that all items delivered under this Agreement will be free from defects in material and workmanship, conform to applicable specifications, and, to the extent that detailed design have not been furnished by the buyer, will be free from design defects and suitable for the purposes intended by the buyer[9]. The buyer approval of designs furnished by the seller shall relieve the seller of his obligations under any provisions of this Agreement including the warranty[10].

The seller's warranties hereunder shall extend to any defect or non-conformity arising or manifesting itself within ... (days, weeks, months) after delivery. With respect to items not in accordance with any such warranties, the buyer, without waiving any rights or remedies provided by law and/or elsewhere under this Agreement, may require the seller

- to correct or replace such items at the seller's risk and expense, or
- to refund such portion of the price as is equitable under the circumstances.

b) The seller grants no warranties[11,12] relating to defects in the design workmanship or materials of the goods, and all other conditions, warranties, stipulations or other statements whatsoever, whether express or implied, relating to such defects in the goods, are hereby excluded. In Particular the seller grants no warranty regarding the fitness for purpose, performance, use, quality or merchantability of the goods.

c) Products delivered by the seller are subject to inspection and test by the buyer[13] and, in the event that during a period of ..... (days, months) from the date of delivery/installation to/at the buyer's premises any product is found to be defective in material or workmanship, or not in conformance with the relevant specifications, the buyer shall have the right to reject the same.

The buyer shall notify the seller and return such product with an attached report to the seller. The seller shall then use its best efforts to repair or replace[14], at the seller's option, and at the seller's sole expense, such product within .... days of receipt of such product, and to return the same within ..... days/weeks, at the seller's expense, to the buyer.

If the seller is unable to repair or replace such product in accordance with the requirements of the relevant specifications, the seller shall, upon the buyer's request, accept the return of such product, and refund in full any amounts paid by the buyer for therefore[15]. Instead of a rescission of the agreement the buyer shall have the right to claim a reduction in the purchase price[16].

4. Untersuchungs- und Rügeobliegenheit des Warenkäufers

1. Der Käufer ist verpflichtet, die Ware bei Anlieferung unverzüglich nach Stückzahl, Gewicht und Verpackung zu untersuchen und etwaige Beanstandungen zu vermerken.

2. Sollte Anlass zur Rüge etwaiger Mängel bestehen, muss der Käufer sofort benachrichtigen .... Die Rüge muss deutlich erkennbar machen, ...

5. Typische Vertragsklauseln zur Gewährleistung

a) Der Verkäufer gewährleistet, dass alle unter diesem Vertag gelieferten Gegenstände frei von Material- und Verarbeitungsfehlern sind, anwendbaren Spezifikationen entsprechen und, sofern seitens des Käufers keine Vorgaben gemacht wurden, frei von Ausstattungsfehlern sind sowie dem vom Käufer gewünschten Kaufzweck entsprechend geliefert werden. Stimmt der Käufer einer Ausstattung zu, die der Verkäufer wählt, entlässt dies den Verkäufer aus seinen Verkäuferpflichten, wie sie sich aus den vertraglichen Bestimmungen ergeben.

Die Gewährleistung des Verkäufers erstreckt sich auf jeglichen Defekt oder Mangel der Ware, die sich innerhalb von ..... (Tagen, Wochen, Monaten) nach Lieferung herausstellt. Unterliegen Gegenstände der Gewährleistung des Verkäufers, darf der Käufer, ohne damit auf sonstige gegebenenfalls bestehenden Rechte aus Gesetz oder diesem Vertrag vom Verkäufer wahlweise verlangen,

- die Ware auf Kosten und Verantwortung des Verkäufers zu reparieren oder zu ersetzen
- oder den Anteil des Kaufpreises zu erstatten, wie er unter den gegebenen Umständen angemessen ist.

b) Der Verkäufer übernimmt keinerlei Gewähr für die Fehlerfreiheit der Ware hinsichtlich Qualität und Verarbeitung. Jegliche Gewährleistung, etwaige Nebenpflicht oder sonstige Verpflichtung, ausdrücklich oder stillschweigend, bezogen auf eine Fehlerhaftigkeit der Ware, wird hiermit ausgeschlossen. Insbesondere tritt der Verkäufer nicht ein für die Eignung der Ware zu einem bestimmten Zweck, ihre Nutzungs- und Gebrauchseignung oder ihre Eignung für den Weiterverkauf.

c) Die vom Verkäufer gelieferte Ware wird vom Käufer auf Fehlerfreiheit untersucht. Sollte sich innerhalb einer Frist von ..... (Tagen, Monaten) ab Übergabe der Ware/Einbau bei .... /in den Räumen des Käufers jedoch ein Mangel in Material oder Verarbeitung herausstellen oder aber eine Nichtübereinstimmung mit einer zugesicherten Eigenschaft, darf der Käufer die Lieferung als mangelhaft ablehnen.

In diesem Fall muss der Käufer den Verkäufer benachrichtigen und das Produkt zurückgeben. Der Verkäufer wird sich auf seine Kosten und nach besten Kräften bemühen, je nach Wahl des Käufers, den Mangel zu beheben oder das fehlerhafte Produkt zu ersetzen, und zwar innerhalb von ..... Tagen ab Erhalt der bemängelten Sache, und danach auf seine Kosten dem Käufer eine fehlerfreie Ware innerhalb von ..... Tagen/Wochen liefern.

Sollte der Verkäufer die Ware nicht ersetzen oder reparieren und in den Stand versetzen können, der der vertraglichen Verabredung entspricht, muss der Verkäufer auf Wunsch des Käufers die Rückgabe der Ware als nicht vertragsgemäß zurücknehmen und dem Käufer den gesamten bis dahin bezahlten Kaufpreis zurückerstatten. Wahlweise hat der Käufer anstelle des Rücktritts einen Anspruch auf Minderung des Kaufpreises.

d) The buyer shall not be deprived of any right he may have to claim damages by exercising his right to other remedies[17, 18].

6. Retention of title [19, 20]

1. The ownership of the goods shall remain with the seller until payment in full for all the goods has been received by the seller[21].

2. We shall retain full title of the goods that have been delivered until the Buyer has discharged all claims arising from the business relationship.

3. Title in the goods shall not pass to the buyer but shall remain with the seller until the contract price has been paid to the seller in full by the buyer. Until such time as title in the goods has passed to the buyer:

- the seller shall have the absolute authority to retake, sell or otherwise deal with or dispose of all or any part of the goods in which title remains vested in the seller;
- for the purpose specified above, the seller or any of its agents or authorised representatives shall be entitled at any time and without notice to enter upon any premises in which the goods or any part thereof is installed, stored or kept, or is reasonably believed so to be.

The seller shall be entitled to seek court injunction to prevent the buyer from selling, transferring or otherwise disposing of the goods.

4. Notwithstanding the foregoing, risk in the goods shall pass on delivery of the same to the customer, and until such time as title in the goods has passed to the buyer, the buyer shall insure such goods to its replacement value and the buyer shall forthwith, upon request, provide the seller with a certificate or other evidence of such insurance.

5. The Buyer shall have the right to dispose of the goods delivered by us in the ordinary course of business. The Buyer shall also have the right to process the goods delivered subject to the limitations as set out below:

-
-
-

6. If the goods being delivered under retention of title shall be inseparably assembled or mixed with other goods being under property of any third party, then we shall acquire title in the newly assembled or mixed goods.

The proportion of title shall follow from the proportion of the invoice value of the goods delivered by us.

7. In the event of any third party action against the goods delivered by us under retention of title the Buyer shall inform such party of our property and shall inform us about such action.

8. If the Buyer shall be in breach of contract, in particular in payment default, he shall, upon on demand, immediately return to us all goods delivered under retention of title[21].

d) Der Käufer verliert das Recht, Schadensersatz zu verlangen nicht dadurch, dass er andere Rechtsbehelfe ausübt.

6. Eigentumsvorbehalt

1. Das Eigentum an der Ware verbleibt beim Verkäufer, bis der Verkäufer die vollständige Bezahlung des Kaufpreises erhalten hat.

Die von uns gelieferte Ware bleibt unser Eigentum, bis der Käufer sämtliche Forderungen aus der Geschäftsverbindung beglichen hat.

3. Das Eigentumsrecht an der Ware geht erst auf den Käufer über, wenn der Käufer dem Verkäufer den Kaufpreis vollständig bezahlt hat. Bis zum Moment des endgültigen Eigentumsübergangs auf den Käufer

- hat der Verkäufer das uneingeschränkte Recht, die Ware zurückzuholen, anderweitig zu verkaufen oder sonst wie über sie zu verfügen, und zwar bezüglich aller Teile oder der Gesamtheit der Ware, über die ihm ein Sicherungsrecht zusteht;

- darf der Verkäufer oder sein dazu bevollmächtigter Vertreter jederzeit und ohne Weiteres alle Einrichtungen des Käufers betreten, in denen Vorbehaltsware oder Teile davon sich befinden, gelagert werden oder von denen vermutet wird, dass sie sich an diesem Ort befinden.

Der Verkäufer ist berechtigt, vorläufigen Rechtsschutz von Gerichten in Anspruch zu nehmen, um zu verhindern, dass der Käufer die Ware weiter veräußert oder sonst wie über die Ware verfügt.

4. Ungeachtet der vorstehenden Klauseln geht die Sachgefahr auf den Käufer mit Übergabe der Ware an den Käufer auf den Käufer über. Bis zum Moment des endgültigen Eigentumsübergangs muss der Käufer die Vorbehaltsware versichert halten und dem Verkäufer auf dessen Verlangen einen Nachweis über die abgeschlossene Versicherung erbringen.

5. Der Käufer ist berechtigt, die von uns gelieferte Ware im ordnungsgemäßen Geschäftsgang zu veräußern. Der Käufer ist ebenfalls berechtigt, die gelieferte Ware – unter folgenden Einschränkungen – weiter zu verarbeiten:

-

-

6. Wenn unsere Vorbehaltsware mit in Fremdeigentum Dritter stehenden Waren verarbeitet oder vermischt wird, erwerben wir auch Eigentum an der neu verarbeiteten oder vermischten Sache.

Unser Anteil am Miteigentum an der neuen Ware ergibt sich aus dem Verhältnis des Rechnungswertes der von uns gelieferten Ware.

7. Bei Zwangsmaßnahmen Dritter, die sich auch gegen unsere Vorbehaltsware richten, muss der Käufer den Dritten auf unser Eigentumsvorbehaltsrecht hinweisen und uns unmittelbar von den Zwangsmaßnahmen informieren.

8. Falls der Käufer seine Vertragspflichten in erheblichem Maße verletzt, insbesondere durch Zahlungsverzug, hat er auf unser Anfordern hin die ihm gelieferte Vorbehaltsware an uns zurückzugeben.

7. Transfer of Risk

The goods shall be delivered at the risk of the buyer[22]. If the buyer requests any transport insurance this will be provided at the expense of the buyer.

Risk in the goods including all risks of loss or of damage to the goods shall pass to the buyer[23] at such time as they have been delivered. Delivery in this context means that the seller must place the goods at the disposal if the buyer at a named place of delivery (……. place), not loaded on any collecting vehicle on the date or within a period agreed or, if no such time is agreed, at the usual time for delivery of such goods. If no specific point has been agreed within the named place, and if there are several points available, the seller may select the point at the place of delivery which best suits his purpose.

If the contract of sale involves carriage of the goods at the buyer's request[24] and the Seller is not bound to hand them over at a particular place, the risk passes to the Buyer when the goods are handed over to the first carrier for transmission to the Buyer.

8. Terms of Delivery[25]

The purchase price shall be EUR 25.000, fob Bremen (Incoterms 2010)[26, 27].

The purchase price shall be EUR 25.000, cif Bremen (Incoterms 2010)[28].

The seller shall deliver the merchandise "ex works, Incoterms 2010". Any costs arising out of the delivery of the merchandise, i.e. costs for transport, insurance as well as any taxes and custom duties shall be at the seller's expense. The risk in the goods shall pass from the seller to the buyer upon delivery of the merchandise to the carrier or another person nominated by the buyer …[29].

The seller must deliver the goods, hand over any documents relating to them and transfer the property in the goods, as required by the contract. If the seller is not bound to deliver the goods at any other particular place, his obligation to deliver consists:

- if the contract of sale involves carriage of the goods – in handling the goods over to the first carrier for transmission to the buyer;
- in other cases – in placing the goods at the buyer's disposal at the place where the seller had his place of business at the time of the conclusion of the contract[30].

9. Terms of Payment[31, 32]

The purchase price has to be prepaid in full on … (date)/paid in full upon delivery of the merchandise/paid within …. days after delivery. Place of payment[33] shall be ….. (name of place).

The buyer agrees that he (or his bank) will accept a bill of exchange drawn on him in the amount of the purchase price, and that this bill be paid at sight within 30 days after delivery of the merchandise latest.

The buyer has to furnish the seller with an irrevocable letter of credit issued by the buyer's bank and securing the purchase price until delivery was made in full and accepted by the buyer[34].

The seller shall deliver the merchandise against acceptance of a draft only[35].

7. Gefahrübergang

Die Warenlieferung erfolgt auf Gefahr des Käufers. Wenn der Käufer eine Transportversicherung wünscht, wird eine solche auf seine Kosten abgeschlossen.

Der Gefahrübergang vom Verkäufer auf den Käufer einschließlich des Risikos des Verlusts oder der Beschädigung der Ware erfolgt im Zeitpunkt der Lieferung. Unter Lieferung ist zu verstehen, dass der Verkäufer dem Käufer die Ware an einem benannten Lieferort (.....Ort) zu dem vereinbarten Zeitpunkt oder innerhalb einer vereinbarten Frist oder, mangels Vereinbarung über die Zeit, zu der für die Lieferung solcher Waren üblichen Zeit zur Verfügung zu stellen hat, und zwar ohne Verladung auf das abholende Beförderungsmittel. Wurde keine bestimmte Stelle am benannten Ort vereinbart und kommen mehrere Stellen in Betracht, kann der Verkäufer die ihm am besten zusagende Stelle am Lieferort auswählen.

Erfordert der Kaufvertrag auf Verlangen des Käufers den Versand der Ware und ist der Verkäufer nicht verpflichtet, die Ware an einem bestimmten Ort zu übergeben, dann geht die Gefahr auf den Käufer über, sobald die Ware dem ersten Beförderer übergeben wird.

8. Lieferbedingung

Der Kaufpreis beträgt EUR 25.000, fob Bremen (Incoterms 2010).

Der Kaufpreis beträgt EUR 25.000, cif Bremen (Incoterms 2010).

Der Verkäufer liefert die Ware „ex works, Incoterms 2010". Alle mit der Warenlieferung zusammenhängenden Kosten, das heißt Kosten für den Transport, die Versicherung sowie für Steuern und sonstige (Zoll-)Abgaben sind vom Verkäufer zu tragen. Die Sachgefahr geht vom Verkäufer auf den Käufer mit Übergabe an den vom Käufer benannten Frachtführer über.

Der Verkäufer ist verpflichtet, die Ware zu liefern, die sie betreffenden Dokumente zu übergeben und das Eigentum an der Ware zu übertragen. Hat der Verkäufer die Ware nicht an einen bestimmten Ort zu liefern, so besteht die Lieferpflicht in Folgendem:
- Erfordert der Kaufvertrag eine Beförderung der Ware, muss der Verkäufer sie dem ersten Beförderer zur Weiterleitung an den Käufer übergeben;
- in allen anderen Fällen muss der Verkäufer dem Käufer die Ware an dem Ort zur Verfügung stellen, an dem der Verkäufer bei Vertragsschluss seine Niederlassung hatte.

9. Zahlungsbedingungen

Der Kaufpreis muss in voller Höhe am .... (Datum) vorausbezahlt/in voller Höhe bezahlt werden bei Warenlieferung/bezahlt werden innerhalb von .... Tagen nach Auslieferung. Als Zahlungsort wird ..... (Name des Ortes) vereinbart.

Der Käufer stimmt zu, dass er (oder seine Bank) einen in Höhe des Kaufpreises auf ihn gezogenen Wechsel akzeptieren wird und dass der Wechsel bei Vorlage innerhalb von 30 Tagen, gerechnet ab der Warenlieferung, bezahlt werden wird.

Der Käufer hat zugunsten des Verkäufers durch seine Bank ein unwiderrufliches Akkreditiv eröffnen zu lassen, dessen Geltung den Kaufpreis bis zum Empfang der vertragsgemäßen Ware absichern soll.

Der Verkäufer liefert die Ware nur an den Käufer aus, wenn dieser eine auf ihn gezogene Tratte akzeptiert.

10. Choice of Law[36]

This Agreement shall be governed by and construed in accordance with German law.

German law shall apply. The UN Convention on the International Sale of Goods (CISG) shall not apply[37].

11. Place of Jurisdiction[38]

Place of jurisdiction shall be Köln.

Alternatively: The parties agree to submit to the non-exclusive/exclusive jurisdiction of the courts in …… (place) as regards any claim or matter arising under this Agreement.

The courts of ….. (place) shall have jurisdiction over all disputes arising from the Agreement. However, we may also select a different place of jurisdiction as it may appear appropriate.

12. Arbitration[39]

Any dispute or claim arising out of this Agreement shall be finally settled by arbitration in ….. (place) pursuant to the rules of …… (e.g.: Arbitration Rules 2012) by which each party agrees to be bound.

Any dispute among the parties hereto in conjunction with the agreement of ….. (date) with regard to …. (item) shall be subject to the decision of an arbitration panel excluding ordinary court proceedings. The arbitration panel may decide with binding effect.

The arbitration panel shall be formed for each individual dispute/generally …. and shall consist of …. (number) arbitrators and one chairman. The chairman shall be …… (name).

Each Party hereto shall name one arbitrator; the arbitrators appointed shall appoint a chairman who shall be a qualified judge.

The arbitration panel shall decide on the proceedings in its reasonable discretion and in accordance with the provisions on arbitration proceedings as they are set out in the ICC Rules for Arbitration of ….. (date).

Date/Place/Signature of parties

10. Rechtswahl

Dieser Vertrag unterliegt in allen seinen Bestandteilen dem deutschen Recht.

Es gilt deutsches Recht; das UN-Kaufrecht (CISG) wird ausdrücklich ausgeschlossen.

11. Gerichtsstand

Gerichtsstand ist Köln.

Alternativ: Die Parteien vereinbaren, dass sie sich der nicht ausschließlichen/ausschließlichen Gerichtsbarkeit der Gerichte in .... (Ort) unterwerfen, soweit Ansprüche oder sonstige Gegenstände dieser Vereinbarung betroffen sind.

Die Gerichte in .... (Ort) sollen zur Entscheidung sämtlicher Streitigkeiten aus dieser Vereinbarung zuständig sein. Dennoch besteht das Recht, einen anderen Gerichtsstand zu bestimmen, sofern dieser sich als geeigneter erweist.

12. Schiedsklausel

Jeglicher Rechtsstreit oder Anspruch aus dieser Vereinbarung soll endgültig durch ein Schiedsgericht in .... (Ort) auf der Grundlage der Verfahrensordnung (z.B: ICC-Schiedsgerichtsordnung 2012), der sich die Parteien hiermit unterwerfen, entschieden werden.

Alle Streitigkeiten zwischen den Parteien im Zusammenhang mit dem Vertrag vom .... (Datum) und im Hinblick auf ..... (Vertragsgegenstand) werden unter Ausschluss der ordentlichen Gerichtsbarkeit durch ein Schiedsgericht entschieden. Das Schiedsgericht darf für die Parteien endgültig und verbindlich urteilen.

Das Schiedsgericht wird für jeden Streitfall gesondert/oder generell zusammengesetzt und soll aus ..... (Anzahl) Schiedsrichtern und einem Vorsitzenden gebildet werden.

Jede Partei benennt einen Schiedsrichter; die benannten Schiedsrichter ernennen einen Vorsitzenden, der die Befähigung zum Richteramt haben muss.

Das Schiedsgericht bestimmt das Verfahren nach freiem pflichtgemäßen Ermessen und in Übereinstimmung mit den prozessualen Regelungen der Verfahrensordnung, wie sie in der ICC-Schiedsverfahrensordnung .... (aus dem Jahr) niedergelegt sind.

Ort/Datum/Unterschriften der Vertragspartner

Teil 2: Vorbemerkungen zum Kaufvertrag

1. Kaufvertrag *Grundsätzliches:* Das umfangreiche Vertragsmuster versteht sich als eine Zusammenstellung verschiedener Textbausteine, die in vielen Fällen auch alternativ eingesetzt werden können. Die den jeweiligen Klauselblöcken vorangestellten Zwischenüberschriften zeigen an, welcher Themenbereich jeweils behandelt wird. Die Zwischenüberschriften geben auch bereits einen Anhalt für den Nutzer, der jeweils entscheiden kann, ob er in seinen Vertrag eine entsprechende Regelung überhaupt aufnehmen möchte. Ein Exportvertrag kann durchaus mit nur sehr wenigen Regelungen auskommen, da es allgemein für Kaufverträge völlig ausreichend ist, eine Einigung nur im Hinblick auf die Vertrag schließenden *Parteien*, den *Kaufgegenstand* und den *Kaufpreis* zu treffen. Diese Mindestbestandteile („Käufer A kauft von Verkäufer B die Ware x zum Preis y") stellen bereits einen Kaufvertrag dar, der bereits rechtswirksam ist. Der ausführlich ausformulierte Mustervertrag ist daher zu verstehen als eine Formulierungshilfe für Vertragsinhalte, die möglichst vielen Praxisfällen der international tätigen Unternehmen gerecht wird.

Kaufvertrag

1.1 Vertrag: Geschäftsabschlüsse für Unternehmen stellen sich im Regelfall als *Kaufverträge* dar, also als einen Leistungsaustausch „Ware gegen Geld". Der Exportvertrag ist also nichts anderes als ein internationaler Liefervertrag „Ware gegen Geld" *(sale of goods)*. Auch wenn es im internationalen Geschäft wichtig ist, einerseits die *Ware*nbeschreibung exakt vorzunehmen und zugleich zu regeln, welche Gewährleistung seitens des Verkäufers zu geben ist, damit er seiner vertraglichen Liefer- und Leistungspflicht ordnungsgemäß nachkommt, spielt es auf der anderen Seite eine wichtige Rolle, die Fragen ausreichend zu klären, die mit der Bezahlung zu tun haben: So ist also auch die *Zahlungsbedingung* entscheidend wie auch der gesamte Bereich der *Forderungssicherung* bis hin zur *Forderungsdurchsetzung*.

Vertrag

Bei der Durchführung des Geschäfts sowie bei den damit zusammenhängenden abschließenden Aktivitäten seitens der Geschäftspartner (Bezahlvorgang, gegebenenfalls auch Reklamation und Ersatzlieferung usw.) kommt es dann häufig zu Streit, weil die in diesem Moment wichtigen vertraglichen Absprachen entweder gar nicht oder aber nicht ausreichend getroffen worden wären.

1.2 Probleme beim Vertragsschluss: Es kommt sehr darauf an, Vertragsabschlüsse nicht einfach aufs Geratewohl hin zu tätigen, sondern schon bei den ersten Schritten möglichst präzise zu sein. Erfahrungsgemäß werden die größten Fehler im Moment des Geschäftsabschlusses gemacht (etwa

Probleme

bei der *Form* des Geschäftsabschlusses, beim Auseinanderfallen von Parteierklärungen [Dissens] oder bei einer nur vermuteten, tatsächlich aber gar nicht vorhandenen Einigung über wichtige Aspekte des Geschäfts).

Oft kommen erste Kontakte zum Abschluss von *Außenhandelsgeschäften* auf Messen, Reisen oder in ähnlichen Situationen zustande. Hier wird oft nur mündlich verhandelt, ohne dass es sogleich zum schriftlichen Fixieren des Vereinbarten kommt. Den Außenhandelspartnern verbleibt dann die Aufgabe, deutlich zu machen, dass sie sich noch in der *Vorbereitungsphase* eines Geschäftsabschlusses befinden, sodass daher alle Aussagen, Angaben etc. bis zum endgültigen Vertragsschluss unverbindlich abgegeben werden. Zudem müssen sie vor Abschluss eines konkreten Kaufvertrags zunächst einmal ihre jeweiligen Angebote und Annahmeerklärungen austauschen und diese bereits so detailliert vortragen, dass der Vertrag selber ohne weiteres geschlossen werden kann.

Dieser Punkt ist aus einem ganz bestimmten Grund von großer Bedeutung! Unternehmer, die im deutschen Inlandsgeschäft eine Menge praktischer Erfahrungen gesammelt haben, kennen aus dem Inlandsgeschäft folgendes Verfahren: mündlich (oder telefonisch) Abgesprochenes wird meist im Anschluss durch eine Geschäftspartei schriftlich bestätigt. Dieses sogenannte *kaufmännische Bestätigungsschreiben*, das im deutschen Recht ein anerkannter Handelsbrauch nach § 346 HGB ist, führt dazu, dass nicht mehr das mündlich Verabredete, sondern stattdessen das im Regelfall viel umfangreichere Schreiben („Auftragsbestätigung") als verbindliche Grundlage des Geschäftsabschlusses angesehen wird. Dies gilt selbst dann so, wenn der andere Vertragspartner nach Erhalt der Auftragsbestätigung nichts weiter unternimmt: Sein Schweigen bedeutet dann die *Annahme* des schriftlichen Textes.

Hier liegt ein großes Gefahrenpotenzial für deutsche Unternehmen. Wenn sie nämlich dieselbe Verfahrensweise im grenzüberschreitenden Geschäft anwenden, müssen sie beachten, dass es Modelle wie das „kaufmännische Bestätigungsschreiben" im Ausland nicht gibt. Der Vertragsschluss, egal ob mündlich, telefonisch oder in Form eines E-Mail-Wechsels wird immer dann verbindlich, wenn eine Einigung im Hinblick auf die Mindestbestandteile eines Geschäfts (Vertragspartner, Ware und Preis) erzielt wurde. Alles was danach noch hinzukommt, wird nicht mehr Vertragsinhalt. Vor allem ist das *Schweigen einer Vertragspartei immer als Ablehnung* zu verstehen! Dieses Prinzip ist von deutschen Unternehmern im Auslandsgeschäft zwingend zu beachten; der einem mündlichen Vertragsschluss folgende Versand einer schriftlichen Auftragsbestätigung hat daher keine rechtliche Verbindlichkeit, wenn das Vertragsverhältnis nach auslandsrechtlichen Kriterien zu beurteilen ist und der ausländische Geschäftspartner sich zur „Auftragsbestätigung" nicht weiter äußert.

Sprache

1.3 Vertragssprache: Dabei stellt sich von vornherein oft schon ein Sprachenproblem. Sinnvoll ist es in den meisten Fällen der internationalen Geschäfte, eine Vertragssprache zu nutzen, die von beiden Geschäftspartnern gleichermaßen verstanden wird. Das Sprachenproblem ist deshalb von Bedeutung, weil gerade die Rechtsbegriffe häufig eine überraschend andere Bedeutung in der Geschäftspraxis haben, als man es vom Alltag her gewohnt ist. Oft werden rechtlich relevante Begriffe von den Vertragsbeteiligten auch einfach nur unterschiedlich verstanden oder interpretiert. Die Geschäftspartner müssen wissen, dass die Partei, deren nationales Recht für den Vertrag zugrunde gelegt wird, auch das *Sprachrisiko* trägt. Die Sprache, die diese Vertragspartei dem Vertrag zugrunde legt, muss vom Geschäftspartner wenigstens verstanden werden. Außerdem kommt es beim Verstehen der Vertragssprache seitens des Geschäftspartners auf den „objektiven Empfängerhorizont" an; dem Partner muss es also in geeigneter Form ermöglicht werden, einen für ihn fremdsprachlichen Text in den vertragsrelevanten Bestandteilen richtig zu erfassen.

Im Regelfall wird man daher Englisch als Vertragssprache wählen, wenn die an einem internationalen Geschäft Beteiligten unterschiedliche Sprachen sprechen. Englisch als Vertragssprache bietet den Vorteil, dass es bei sehr vielen *Produkten* (z.B. den Rohstoffgeschäften) ohnehin zugrunde gelegt wird. Hinzu kommt, dass im Außenhandel wegen der weltweit wichtigen Nationen, in denen Englisch gesprochen wird (Australien, Neuseeland, USA, Kanada, England, Singapur, Hongkong usw.), Englisch automatisch Vertragssprache wird. Auch aus Sicht der Finanzierungsinstitute, die sich mit Finanzierungsprodukten des englischsprachigen Marktes befassen, ist Englisch als die grundlegende Sprache wichtig.

Die für den internationalen Handel bedeutenden standardisierten Richtlinien der UNO (insbesondere des für den internationalen Handel wichtigen Ausschusses *UNCITRAL*) sowie der Internationalen Handelskammer, Paris (ICC) mit den „Incoterms" sowie ferner den ICC Richtlinien für dokumentäre *Zahlungsabwicklungen* (Einheitliche Richtlinien für Dokumentenakkreditive und -inkassi) und für die Durchführung internationaler *Schiedsverfahren* werden fast immer in Englisch herausgegeben; die deutschen Fassungen sind oft unverbindliche Übersetzungen. Wenn Vertragsverhandlungen und Vertragsabschlüsse vorzugsweise in Englisch getätigt werden, ist der Einsatz der standardisierten Regelwerke im internationalen Geschäft noch einfacher.

UN-Kaufrecht

1.4 UN-Kaufrecht: Deutschland ist seit 1991 Vertragsstaat des UN-Übereinkommens für den internationalen Warenkauf (CISG = Convention for the International Sale of Goods). Damit ist das sogenannte UN-Kaufrecht, im Nachfolgenden immer mit „CISG“ abgekürzt, seither Bestandteil des deutschen Rechts. Das CISG gilt wie ein ganz normales deutsches Gesetz, allerdings nur für *internationale Warenkaufverträge*, und steht mithin als ein Spezial-Kaufgesetz neben den „allgemeinen“ Kaufrechtsregeln und Vertragsrechtsregeln des Bürgerlichen Gesetzbuches.

Dies ist für den Gang der Darstellung dieses Buches ein unbedingt zu beachtender Aspekt! Um einen wichtigen Aspekt sogleich vorwegzunehmen: sofern die Geschäftspartner für ihre Geschäftsabschlüsse „*... die Geltung des UN-Kaufrechts ausgeschlossen*“, aber grundsätzlich „*... die Geltung deutschen Rechts vereinbart...*“ haben, gelten die allgemeinen Bestimmungen des BGB.

Wird von den Geschäftspartnern nur verabredet, dass „*... für den Vertrag deutsches Recht gelten soll ...*“, ist der Vorrang des Spezialgesetzes, das das CISG darstellt, zu beachten: Die Regeln des CISG zum Warenkauf, zum Vertragsschluss, zu Schadensersatzbestimmungen und zur Gefahrtragung gehen dann den allgemeinen Bestimmungen des BGB vor!

Wird von den Vertragspartnern der Aspekt der *Rechtswahl überhaupt nicht geregelt*, fehlt es also an einer ausdrücklichen Absprache zum geltenden Recht, bestimmt es sich nach dem Schwerpunkt des Geschäfts, welches Recht zur Anwendung kommt. Im Regelfall wird dann das *Recht des Exporteurs* angewandt. Ist der deutsche Unternehmer also als Exporteur tätig und hat er keine ausdrückliche Rechtswahl getroffen, kommt nach dem genannten Grundsatz trotzdem seine Rechtsordnung zur Anwendung, mithin das CISG.

Auf diesen Aspekt wird weiter unten, beim Stichwort „Rechtswahl, Choice of Law“ nochmals genauer hingewiesen (siehe unten, Ziffer 36).

Das CISG muss daher im Gang der Darstellung dieses Buches ständig berücksichtigt werden: Das CISG ist nur dann unbeachtlich, wenn seine Geltung für das Exportgeschäft ausgeschlossen wurde.

Weltweit haben bereits 80 Staaten das Übereinkommen übernommen und in nationales Gesetzesrecht umgesetzt, zuletzt Bahrain mit Wirkung vom 1.1.2014. Es befinden sich auch viele wichtige Außenhandelspartner der Bundesrepublik Deutschland darunter (Überblick über die Vertragsstaaten mit *Stand 1.1.2014: Ägypten, Albanien, Argentinien, Armenien, Australien, Bahrain (1.1.2014), Belgien, Benin, Bosnien-Herzegowina, Brasilien (1.1.2014), Bulgarien, Burundi, Chile, VR China, Dänemark* (mit einigen Textvorbehalten), *Deutschland, Dominikanische Republik, Ecuador, El Salvador, Estland, Finnland, Frankreich, Gabun, Georgien, Griechenland, Guinea, Honduras, Irak, Island, Israel, Italien, Japan, Kanada, Kirgisistan, Kolumbien, Republik Korea,*

Kroatien, Kuba, Lesotho, Lettland, Libanon, Liberia, Litauen, Luxemburg ,Mauretanien, Mexiko, Moldawien, Mongolei, Montenegro, Neuseeland, Niederlande, Norwegen, Österreich, Paraguay, Peru, Polen, Rumänien, Russland, Sambia, St. Vincent und die Grenadinen, San Marino, Schweden, Schweiz, Serbien, Singapur, Slowakei, Slowenien, Spanien, Syrien, Tschechische Republik, Türkei, Uganda, Ukraine, Ungarn, Uruguay, USA, Usbekistan, Venezuela, Weißrussland und Zypern.

Das CISG liegt in sechs verbindlichen Originalsprachen vor, wobei die deutsche Sprache keine Originalsprache ist. Bei Streitigkeiten der Außenhandelspartner hinsichtlich der Interpretation des CISG wird in der Praxis meist auf die englische Textversion zurückgegriffen.

Inhaltlich regelt das CISG Warenlieferungsgeschäfte im grenzüberschreitenden Verkehr mit besonderem Bezug zu einem anderen CISG-Vertragsstaat. Das CSIG deckt allerdings nicht alle Rechtsfragen des Warenkaufs ab, sondern nur einige wichtige Problembereiche des internationalen Warenlieferungsgeschäfts. Dabei bleibt es den Geschäftspartnern durch Art. 6 CISG freigestellt zu vereinbaren, dass das CISG *nicht* (oder zumindest nur teilweise nicht) gelten soll, sodass insoweit dann die zurückgedrängten Kaufrechtsregeln des inländischen Kaufrechts (BGB) uneingeschränkt anwendbar sind (Beispiel: Durch eine Vertragsklausel *„der Kaufvertrag kommt nach den Prinzipien des BGB zustande …“* wird das CISG nicht gänzlich zugunsten des BGB ausgeschlossen, sondern nur, soweit die CISG-Regelungen zum Vertragsabschluss dem BGB entgegenstehen.).

Das UN-Kaufgesetz wird in der Praxis oft als eher käuferfreundlich charakterisiert, was den Exporteur dazu bewegen könnte, die Normen des Gesetzes grundsätzlich auszuschließen. Diese Aussage ist allerdings nicht korrekt. Vielmehr ist im Einzelfall zu prüfen, in welcher Weise das CISG die eine oder die andere Vertragspartei bevorzugt oder benachteiligt; eine generelle Besserstellung einer Partei erscheint jedenfalls bei genauer Betrachtung des CISG nicht augenfällig. Zudem ist seit der großen Schuldrechtsreform des deutschen Rechts im Jahre 2002 ein Großteil widersprüchlicher Gesetzesregelungen (von CISG und BGB) geändert worden, sodass das BGB-Kaufrecht vom CISG nicht mehr so deutlich abweicht wie zuvor.

PRAXISTIPP

Das UN-Kaufrecht (CISG) regelt nur Teilbereiche des Rechts zum internationalen Warenkauf, wie etwa das Zustandekommen des Vertrags, die Rechte und Pflichten der Vertragsparteien sowie die Rechtsfolgen bei Nichterfüllung dieser Pflichten. Stets ist ergänzend das jeweilige zur Anwendung berufene nationale Kaufrecht und Vertragsrecht heranzuziehen, also z.B. das BGB, falls das deutsche Recht für das Geschäft zugrunde gelegt wurde.

1. Anwendbarkeit: *Das CISG ist anwendbar auf Kaufverträge über Warenlieferungen, wenn die Vertragsparteien ihre Niederlassungen in verschiedenen Vertragsstaaten haben, oder wenn das Recht eines Vertragsstaates zur Anwendung gelangt, Art. 1-3. Die Vertragspartner dürfen die Geltung des CISG ganz oder teilweise ausschließen, Art.6 CISG.*

2. Vertragsabschluss: *Er erfolgt durch Angebot und Annahmeerklärung, Art. 14 – 24. Die Wirksamkeit der Einigung bestimmt sich nach dem nationalen Recht, das für den Vertrag gilt, Art. 4 S. 2 a CISG (z.B. also das BGB). Es gilt der Grundsatz der Formfreiheit.*

3. Vertragspflichten der Parteien: *Der Verkäufer muss die Ware liefern, die Dokumente übergeben und das Eigentum übertragen, Art. 30 bis 44 CISG. Der Käufer muss den Kaufpreis zahlen und die Ware abnehmen, Art. 53 bis 60. Besondere Bestimmungen zum „Eigentum" folgen dagegen wieder dem anwendbaren nationalen Recht!*

4. Folgen der Vertragsverletzung durch eine Partei: *Rechte des Käufers ergeben sich aus den Art. 45 bis 52 CISG, wenn der Verkäufer seine Pflichten verletzt, und umgekehrt aus den Art. 61 bis 65 CISG bei Pflichtverletzung durch den Käufer. Bei einer „wesentlichen" Vertragsverletzung kann die geschädigte Partei auch Schadensersatz – und sogar die Aufhebung des Vertrags – verlangen.*

Das CISG regelt nur den internationalen *Warenkauf*. Unter Waren sind dabei nur bewegliche Sachen zu verstehen, nicht also Grundstücke und Rechte sowie die grundsätzlich ausgeschlossenen Schiffe, Luftfahrzeuge, Wertpapiere, Zahlungsmittel oder elektrische Energie. Auch Veräußerungsgeschäfte aufgrund von Versteigerungen, Zwangsvollstreckungs- und anderen gerichtlichen Maßnahmen werden vom CISG nicht erfasst. Auch Kaufverträge mit werk- oder dienstvertraglichen Elementen werden vom CISG erfasst, sofern nicht der Besteller selbst einen wesentlichen Teil des Stoffes zur Verfügung stellt oder die Dienstleistungen den überwiegenden Teil der Pflichten der liefernden Partei darstellen (CISG, Art. 3).

CISG Art. 4 macht ausdrücklich klar, dass das CISG keine Fragen zum Eigentumsübergang oder solche zur Gültigkeit oder dem Fortbestand des Vertrags regelt. In diesen Fällen ist also mithilfe der Grundregeln des Internationalen Privatrechts zunächst das anwendbare Recht zu ermitteln und dann festzustellen, auf der Basis welchen nationalen Rechts die jeweiligen gewünschten Rechtsfolgen eintreten. Dies kann jedoch nur dort gelten, wo das CISG nicht selbst eine Regelung enthält, also etwa im Bereich der Geschäftsfähigkeit oder auch der Stellvertretung, wann dann nationales Recht zur Anwendung gelangt.

Sofern das Parteiverhalten oder Erklärungen von Parteien nicht eindeutig klar sind, ist CISG Art. 8 heranzuziehen. Für die Auslegung von Parteiverhalten und Parteierklärungen ist danach grundsätzlich der Empfängerhorizont maßgeblich, wobei nach CISG Art. 8 Abs. 3 insbesondere die Gepflogenheiten und Gebräuche zu beachten sind. Gebräuche, deren Geltung die Parteien nicht ausdrücklich vereinbart haben, sollen jedoch nur dann maßgeblich sein, wenn die Parteien sie kannten oder kennen mussten und sie im betreffenden Geschäftszweig internationale Geltung besitzen (z.B. das „kaufmännische Bestätigungsschreiben, dazu unten Ziff. 1.8., am Ende des Abschnitts).

Von Bedeutung ist schließlich bei den generellen Vorschriften noch Art. 11. In CISG Art. 11 ist das Prinzip der Formfreiheit der Kaufverträge festgehalten (dazu unten, Ziff. 1.9). Der Kaufvertrag braucht nicht schriftlich geschlossen oder nachgewiesen zu werden und unterliegt auch sonst keinen weiteren Formvorschriften. Sein Bestand kann auf jegliche Weise bewiesen werden, also auch beispielsweise durch Zeugen. Für den Handelsverkehr, in dem gelegentlich auch durch Telegramme, Fernschreiben oder Faxmitteilungen Willenserklärungen ausgetauscht werden, ist dies von Bedeutung, da diese genannten Telekommunikationsmittel auf jeden Fall dem Erfordernis von CISG Art. 11 genügen.

In den nachfolgenden Erläuterungen wird immer dann auf das CISG eingegangen, wenn dieses Gesetz spezifische Regelungen zum Kaufvertrag enthält. Im Übrigen werden zusätzlich die Regelungen des allgemeinen deutschen Vertragsrechts nach BGB dargestellt. Da es ja im Belieben der Geschäftspartner steht, das in fast allen deutschen Exportgeschäften an sich anwendbare CISG *auszuschließen* (Art. 6 CISG) oder es in manchen Konstellationen ohnehin nicht zur Anwendung gelangt (z.B. weil das *Recht eines Geschäftspartners vereinbart* wurde und der Staat, in dem der Geschäftspartner ansässig ist, nicht Vertragsstaat des CISG ist), muss in den folgenden Erläuterungen immer auch zusätzlich dargestellt werden, wie sich die Rechtslage beurteilt, falls das CISG nicht zur Anwendung gelangt. Dies wird bereits in der folgenden Ziffer 1.5. (Vertragsangebot) deutlich.

Angebot

1.5 Vertragsangebot: Der Vertragsschluss kann im Regelfall nach den Art. 14 ff. CISG erfolgen. Ein wirksames Vertragsangebot setzt nach Art. 14 und 15 CISG voraus, dass

- die Erklärung erkennbar mit dem Willen abgegeben wurde, dass für den Fall einer Annahme eine Bindung herbeigeführt wird;
- das Angebot inhaltlich hinreichend bestimmt ist. Anders als das deutsche BGB verlangt das CISG auch eine eindeutige Bestimmbarkeit im Hinblick auf den Kaufpreis, wobei ein Bezug auf Kataloge oder Preislisten ausreicht. Lässt sich der Preis nicht ermitteln, liegt kein wirksames Angebot vor;
- das Angebot dem Empfänger zugeht, also in seinen Verfügungsbereich gelangt, Art. 15 und 24 CISG.

PRAXISTIPP

***Vertragsschluss** nach dem CISG: Art. 14 bis 24 CISG entsprechen inhaltlich und in den Rechtsfolgen den §§ 145 BGB. Danach müssen – nach CISG wie nach BGB – jeweils eine Angebots- und eine Annahmeerklärung deckungsgleich vorliegen. UN-Kaufgesetz und BGB gehen vom Grundsatz der Formfreiheit bei Abschluss des Vertrags aus. Der Anbietende ist modifiziert an sein Angebot gebunden:*

- *nach Art. 15 Abs. 2 CISG kann er sein Angebot zurücknehmen bis zu dem Moment, in dem es dem Empfänger zugeht (dies entspricht der BGB-Regelung in § 130 Abs. 1 Satz 2);*
- *zusätzlich ist ein Widerruf solange möglich, wie der Empfänger seine Annahme noch nicht erklärt hat, Art. 16 Abs. 1 CISG.*

Ein Vertragsschluss im Wege des in Deutschland bekannten „kaufmännischen Bestätigungsschreibens“ ist dem UN-Kaufgesetz fremd.

Kommt das **CISG nicht** zur Anwendung, soll aber „deutsches Recht“ (mithin das BGB mit seinen §§ 145 ff.) gelten, ist für dieses Thema zu differenzieren.

Bei internationalen Kaufverträgen sollte zunächst ein möglichst klar formuliertes Angebot vorliegen. Es empfiehlt sich, diesem Angebot auch schon Warenmuster oder -proben hinzuzufügen, sofern diese verfügbar sind, oder aber seitens des Kaufinteressenten derartige Muster und Proben zur Ansicht anzufordern.

Zu beachten ist, dass die bloße *Aufforderung*, ein Angebot abzugeben (sogenannte invitatio ad offerendum) noch keine verbindliche Rechtshandlung ist. Die Aufforderung, ein Angebot abzugeben, ist aus Sicht des Auffordernden geradezu gewollt noch nicht rechtsverbindlich und nicht verpflichtend. Stattdessen soll es der angefragte Partner in der Hand haben, ein ihn verpflichtendes Angebot zu erstellen, das dann vom dazu Auffordernden angenommen werden kann.

Die Aufforderung, ein Angebot abzugeben, eröffnet dem Unternehmen zugleich die Möglichkeit, mit einer gewissen Berechtigung „nachzufassen", wenn auf einen Katalogversand oder das Absenden eines Angebots keine Antwort folgt. Da es in der Unternehmenspraxis oft schwierig ist, mit potenziellen Geschäftspartnern in Kontakt zu treten, ohne dabei lästig zu wirken, sollte diese Chance der Akquisition nicht vertan werden.

Das Vertragsangebot sollte bereits all diejenigen Bestandteile enthalten, die zu einem späteren, lückenlosen Kaufvertrag unbedingt erforderlich sind. Insofern ist es besonders ratsam, schon im Vertragsangebot die Vertragsklauseln aufzunehmen, die später notwendiger Bestandteil des Geschäftsabschlusses sein sollen. Gedacht ist dabei an die Klauseln, von deren Geltung und Bestand die Unternehmen ausgehen und die für die Beteiligten bei Abwicklung ihres Geschäfts Bedeutung haben, wie etwa Lieferbedingungen, Zahlungsbedingungen, Klauseln über das für den Vertrag geltende Recht sowie über den Gerichtsstand sowie den Hinweis auf zur Anwendung gebrachte Standard Terms and Conditions (Allgemeine Liefer- oder Einkaufsbedingungen).

Es kann allerdings vorkommen, dass zwischen Verkäufer und Käufer mehrfacher Schriftwechsel über die Ware, deren Beschreibung, Menge, Preis, Qualität usw. stattfindet. Dies ist solange unschädlich, wie der klar erkennbare Wille vorliegt, dass ein derartiger Austausch von grundlegenden Informationen nur unverbindlich ist und der Findung der endgültigen Vertragsbedingungen dienen soll.

Wird ein Vertragsangebot von einem ausländischen Interessenten – z.B. nach einem Vorgespräch z.B. während einer Messe oder nach einem Vertreterbesuch – angefordert, dann geht es ihm zunächst vor allem um das – noch *unverbindliche* – Kennen lernen der Bedingungen des Waren- und Liefergeschäfts. Es wird leicht übersehen, dass Mitteilungen oder sonstige Aussagen eines potenziellen Geschäftspartners bereits Rechtswirkung haben können, falls die Unverbindlichkeit nicht deutlich zum Ausdruck kommt. Es ist daher insbesondere darauf zu achten, dass die bloße *Abgabe eines Vertragsangebots Risiken* in sich bergen kann, weil wichtige Vertragsinhalte vergessen wurden und nicht mehr nachgeholt werden können.

Annahme

1.6 Vertragsannahme: Nach der spezialgesetzlichen Regelung des CISG kommt der Vertrag zustande, indem der Angebotsempfänger erkennbar macht, dass er das Angebot annehmen will. Dabei braucht die Annahmeerklärung nicht deutlich (mündlich oder schriftlich) formuliert zu werden, sondern es reicht nach Art. 18 Abs. 1 CISG auch aus, wenn die Zustimmung aufgrund schlüssigen Handelns (z.B. Versand der Ware) erkennbar wird. Bloßes Schweigen auf einen Antrag bedeutet immer Ablehnung, es sei denn, dass dem Schweigen eine rechtserhebliche Bedeutung zukommt: Das ist nur der Fall, wenn Schweigen ein fester Brauch innerhalb der Branche oder des Geschäftsbereiches ist und dort regelmäßig beachtet wird (vgl. dazu Art. 9 Abs. 2 CISG).

Nach allgemeinem deutschen Recht ist zu beachten, dass derjenige, der ein Vertragsangebot abgibt, an seine Erklärung gebunden ist, wenn er sich *verbindlich* verpflichten wollte und der Adressat des Angebots das Angebot als verbindlich auffassen durfte. Allerdings steht deutschen Kaufleuten eine weitere Vorschrift zur Seite: Danach muss der Empfänger des Angebots innerhalb einer bestimmten Frist seine Annahme des Angebots erklären, ansonsten wird der Anbieter von seiner Erklärung befreit (vgl. dazu die §§ 145 bis 150 BGB). Erfolgt die Annahme des Vertragspartners verspätet, dann gilt dies als neuer Antrag (nicht mehr als Annahme). Weicht die Annahmeerklärung sogar vom Angebot ab, dann gilt auch dies als neues Angebot. Bei gänzlichem Abweichen kommt also zunächst kein Vertrag zustande.

Die meisten ausländischen Rechtsordnungen kennen diese Prinzipien in etwas abgewandelter Form. So kann in den meisten Ländern der Welt (die auf *englischem* Recht aufbauen) ein Angebot jederzeit widerrufen werden, solange es vom Vertragspartner nicht angenommen wurde. Dies kann aus deutscher Sicht durchaus problematisch sein, wenn ein deutscher Importeur auf den Fortbestand eines ihm vorgelegten Angebots vertraut, bereits Vorkehrungen trifft und dann einen Widerruf des Angebots hinnehmen muss.

Hilfreich ist daher die Regelung aller Länder, die auf *französischem* Recht aufbauen: Zwar kann auch hier ein Vertragsangebot jederzeit widerrufen werden, doch ist der Widerrufende dem anderen Teil gegenüber zum Schadensersatz verpflichtet, wenn der Angebotsempfänger auf den Fortbestand des Angebots vertraut hat und der Widerruf bei ihm zu einem Schaden geführt hat.

Zum Ausräumen etwaiger Missverständnisse ist es bei der Vertragsannahme empfehlenswert, die wesentlichen oder auch alle Merkmale des Vertragsangebots zu wiederholen, um damit deutlich zu machen, dass alle Bestandteile der Vereinbarung ausdrücklich akzeptiert werden. Da hierbei noch einige Probleme auftauchen können, soll auf einige Besonderheiten besonders hingewiesen werden. Stets geht es darum, wann eine Annahmeerklärung rechtzeitig ist und den Vertrag damit zustande bringt.

Abschluss

1.7 Vertragsschluss: Werden Vertragsverhandlungen *telefonisch* zwischen den Partnern geführt und wird die Telefonverbindung (z.B. aus technischen Gründen) unterbrochen, gilt das nur teilweise übermittelte „Angebot" als erloschen. Unterbricht dagegen der Anbietende das Telefonat willkürlich, so gilt die Annahmeerklärung des Vertragspartners als rechtzeitig erfolgt, wenn in einer sofort wiederhergestellten Verbindung die Annahme erklärt wird.

Im deutschen Recht ist § 147 Abs. 2 BGB zu beachten. Die Frist dieser Vorschrift muss nach objektiven Maßstäben ermittelt werden. Es kommt danach nicht darauf an, wann der Anbietende den Eingang der Annahmeerklärung tatsächlich erwartet, sondern *wann* er die Annahmeerklärung nach *den üblichen Gepflogenheiten* und Gegebenheiten erwarten durfte. Wird z.B. ein Angebot per Telex oder Telefax abgegeben, weil es um den Verkauf einer leichtverderblichen Ware geht, dann sollte im Sinne der genannten Gesetzesvorschrift die Annahmeerklärung auf demselben schnellen Übermittlungswege erfolgen.

Nach deutschem Recht wird eine verspätete Annahmeerklärung als ein neues Vertragsangebot gewertet, § 150 BGB. Allerdings kann ein rechtzeitiges Absenden der Annahmeerklärung nach § 149 BGB noch ausreichend sein.

Dissens

1.8 Dissens: Ein Dissens wird nach CISG anders behandelt als dies nach allgemeinem deutschen Recht des BGB geschieht. Das CISG unterscheidet danach, ob die Abweichung zwischen Angebot und Annahme *wesentlich* ist oder nicht. Lediglich unwesentliche Änderungen führen zu einem wirksamen Vertragsschluss, wenn der Adressat die fehlende Übereinstimmung nicht (unverzüglich) beanstandet. Ist die Abweichung wesentlich, stellt die abweichende Erklärung – wie im BGB – ein Gegenangebot dar, das seinerseits wieder ausdrücklich oder durch schlüssiges Handeln angenommen werden muss. Art. 19 Abs. 3 CISG nennt – lediglich beispielhaft, also nicht abschließend – Umstände, die eine wesentliche Abweichung darstellen.

Auch nach allgemeinem deutschen (BGB-)Recht müssen Angebot und Annahmeerklärung inhaltlich übereinstimmen. Als Annahmeerklärung ist nur die Erklärung geeignet, die dem Angebot uneingeschränkt zustimmt. Weicht die Annahme vom Angebot aber ab, dann ist sie nach § 150 Abs. 2 BGB als neuer Antrag zu werten. Dies gilt nur dann nicht, wenn das Angebot eine abweichende Annahme ausdrücklich zulässt. Will ein deutscher Kaufmann Risiken bei seinen Geschäften vermeiden, sollte er daher stets auf eine Übereinstimmung der beiden Aussagen achten. Die größten Risiken treten dann auf, wenn es an einer für den Abschluss des Vertrags notwendigen *Einigung* – bewusst oder unbewusst – fehlt und eine der Parteien oder beide trotzdem Leistungen erbringen und sie später zurückfordern wollen.

Im deutschen Recht regelt § 154 BGB den Fall, dass die Partner (bewusst) einen Teil des Vertrags nicht geregelt haben. Jeder der Vertragspartner hat es in der Hand, den Vertrag noch scheitern zu lassen, was ein nicht geringes Risiko ist, falls diese Konsequenz vergessen werden sollte und einer der Vertragsparteien daraus ein Schaden entsteht. Die genannte Vorschrift kann aber vertraglich ausgeschlossen werden: Es steht den Partnern danach frei, die noch bestehenden Vertragslücken einer späteren Einigung vorzubehalten. Abbedingen kann man eine Einigung auch durch konkludentes Tun: Beginnen die Parteien mit der Ausführung des Vertrags, dann ist ihnen der Weg über § 154 BGB versperrt, und der Vertrag kann nicht mehr mangels Einigung zum Scheitern gebracht werden.

Größere Risiken bestehen dann, wenn die Parteien meinen, sie hätten alle wichtigen Aspekte des Vertrags berücksichtigt, obwohl in Wirklichkeit noch wichtige Vertragsinhalte ungeklärt geblieben sind und darüber keine Einigung erzielt wurde. Hier hilft die Vorschrift des § 155 BGB: Hätten die Parteien den Vertrag auch ohne die Vereinbarung über den fehlenden Vertragspunkt geschlossen, dann soll der Vertrag trotz des Einigungsmangels wirksam sein.

Denkbar ist auch, dass der Anbieter alsbald nach Absenden des Angebots entsprechend den Bestimmungen des Angebots mit seinen Leistungen beginnt, *ohne* dass der Vertragspartner seine ausdrückliche Annahme – im obigen Sinne – erklärt hat. Es ist zu prüfen, ob ein *Schweigen* wie eine Erklärung gewertet werden kann.

Dies ist für den gesamten Außenhandel strikt zu verneinen. Mit der einen, *nur* im deutschen Recht bekannten Ausnahme eines „Schweigens als Annahme" (nur beim sogenannten kaufmännischen Bestätigungsschreiben nach § 346 HGB möglich) ist grundsätzlich davon auszugehen, dass das bloße Schweigen auf ein unterbreitetes Angebot nicht ausreicht, um einen Vertrag wirksam werden zu lassen (*mehr dazu oben unter 1.1).*

Form

1.9 Form des Kaufvertrags: Grundsätzlich besteht für Kaufverträge über Waren Formfreiheit. Dies gilt so nach deutschem BGB wie auch nach CISG. Interessant ist aus Sicht des CISG, dass hier das englische Prinzip des streng formalen Vertrags (signed, sealed and delivered) und des formfreien Prinzips, das aber an die grundsätzliche Erbringung einer „Gegenleistung" (principle of consideration) geknüpft ist, im UN-Kaufrecht nicht auftaucht. Internationale Warenkaufverträge können daher mündlich (Mobiltelefon), schriftlich oder elektronisch (E-Mail) geschlossen werden; aus Gründen der Beweisbarkeit ist dann aber die Schriftform (auch elektronisch) vorzuziehen.

Einige Staaten, die für den deutschen Außenhandel bedeutsam sind, haben bei den Formvorschriften (Art. 11 und 29 CISG) einen Vorbehalt nach Art. 96 CISG ausgedrückt: u.a. die VR China und Russland, aber auch die EU-Staaten Lettland Litauen sowie Ungarn erkennen die Formvorschriften der Art. 11 und 29 nicht an, wenn die Käufer/Importeurs ihren Sitz in den genannten Staaten haben. Bei Geschäften mit diesen Staaten ergeben sich die Formvorschriften dann aus dem jeweils anzuwendenden Internationalen Privatrecht.

Teil 3: Die Klauseln des Kaufvertrags

Im folgenden Text werden die einzelnen Bestandteile des Musterkaufvertrags im Einzelnen behandelt. Im Rahmen der jeweiligen Darstellung erfolgt zugleich eine Beschreibung der Thematik in einem erweiterten Kontext, sodass der Nutzer dieses Formularbuches die Tragweite seiner Entscheidung für und gegen die Nutzung einer Mustervertragsklausel besser abschätzen kann.

Erneut soll an dieser Stelle darauf hingewiesen werden, dass der sehr umfangreiche „Mustervertrag" lediglich eine nach Themengebieten eines Kaufgeschäfts gegliederte Auflistung möglicher Regelungsinhalte darstellt. Da Kaufverträge auch ganz besonders kurz gehalten werden können, sofern sie lediglich die absoluten Pflichtbestandteile enthalten (Kaufvertragsparteien, Kaufgegenstand, Kaufpreis), versteht es sich von selbst, dass alle weiter gehenden Vertragsinhalte lediglich zur jeweiligen Parteidisposition gestellt werden.

Nachfolgend werden die Vertragsmusterklauseln entsprechend ihrer (jeweils durch hochgestellte Ziffern kenntlich gemachte) Markierung behandelt.

§ 1 Präambel/Einleitung

Export Contract[1]

Agreement

This agreement is made

between

Messrs .... (Name of one party) whose registered office is at .... (address of party)

– Hereinafter called "the seller" of the one part[2] –

and

Messrs .... (Name of other party) whose registered office is at .... (address of other party)

– Hereinafter called "the purchaser" of the other part –

References in this Agreement to the parties shall include their respective directors, employees, servants and agents[3].

The "Seller's Group" shall mean the group composed of the Seller, its Holding Company (if any) and all (wholly-owned) Subsidiary Companies of the Seller and of the Seller's Holding Company (if any).

1. Überschrift: Die Überschrift in einem Vertrag ist im Normalfall unerheblich. Sie kann auf Begriffe wie „Vereinbarung", „Vertrag" oder eben auch speziell auf „Kaufvertrag" lauten. Eine besondere Rechtsfolge ergibt sich hieraus jedoch nicht. Die richtige Wahl der Überschrift wird im Einzelfall gegebenenfalls nur dann von Bedeutung, wenn Unklarheiten des Vertrags im Einzelnen auftreten und unter den Parteien streitig ist, was im Einzelnen gewollt ist. Die Überschrift kann dann im Wege der Auslegung herangezogen werden, soweit sie dann überhaupt weitere Hilfestellung geben kann. **Überschrift**

2. Die Vertragsparteien: Die Geschäftspartner können sehr unterschiedlich auftreten, auch wenn sie im vertragstechnischen Sprachgebrauch jeweils nur die Rechtsposition „Verkäufer" oder „Käufer" ausfüllen. Die Möglichkeiten reichen vom Tätigwerden als Einzelperson, als Vertreter (Bevollmächtigter) einer Person oder aber als Unternehmer bzw. als ein Vertretungsberechtigter des Unternehmens (z.B. als alleinvertretungsberechtigtes Organ des Unternehmens oder als rechtsgeschäftlich benannter Vertreter, z.B. als Prokurist). Aus den „Definitions" zum Vertrag kann entnommen werden, ob bei den Vertragsparteien auch gesellschaftsrechtliche Verflechtungen mit einbezogen werden, also etwa Unternehmensbeteiligungen, Mutter- oder Tochtergesellschaften oder aber ganze Unternehmensgruppen. **Parteien**

3. Vertreter der Vertragsparteien: Während alle in der Präambel des Vertrags genannten Formen des Auftretens für eine Vertragspartei aus Sicht des deutschen Rechts keine Probleme machen, findet sich hier ein wesentlicher Unterschied beim weltweit häufig angewandten englischen Recht: Eine Vertretungsbefugnis muss dort im Zweifel sehr präzise beschrieben werden, ein Grund mehr, warum entweder im Kopf des Vertrags oder aber später in den Definitions auf die *Vertretungsmacht* eingegangen wird und ansonsten weitere Beschreibungen in den Kaufvertrag mit aufgenommen werden. **Vertreter**

Dies ist ein wesentliches Erfordernis, denn in der englisch orientierten Welt wird beispielsweise ein Unternehmen im Regelfall nur durch die *gesamte* Geschäftsleitung ordnungsgemäß vertreten, während die Einzelvertretung die ausdrücklich zu genehmigende und nachzuweisende Ausnahme von dieser Regel ist. Die Vertretung anderer findet auch bei den häufig genutzten *Handelsvertretungen* statt, sodass die hier genannte Problematik immer auch dann vorliegt, wenn ein deutsches Unternehmen in ausländischen Märkten durch Handelsvertreter vertreten wird.

§ 2 Begriffe und Erläuterungen

1. General Definitions and Interpretation of Terms[4]	
The parties	**Any reference in this agreement to a party shall mean either the Seller (Vendor), the Buyer (the Purchaser) or the guarantor, and any such reference to parties shall (as the case may be) mean all or any two of them. The expression "Seller" and "Buyer" shall include their respective successors and permitted assigns.**
Seller	**Seller means the ...... (name of company, or person) organised under .... law having its registered office at ..... (place, city, address), a paid capital of ..... (currency, amount), registered with the ..... (court or registry) of .... at .... under No.....**
Buyer	**means the ...... (name of company, or person) organised under .... law having its registered office at ..... (place, city, address), a paid capital of ..... (currency, amount), registered with the ..... (court or registry) of .... at .... under No.....**
Subsidiary	**A "Subsidiary" of a party hereto shall mean any corporation controlled by such party.**
Group	**The "Group" of a party hereto shall mean the group composed of that party together with all of its Subsidiaries and Affiliates.**
Day	**Day shall mean a period of 24 hours ending at twelve midnight.**
Month	**Month shall mean calendar month.**
Business day	**Business day shall mean any day on which ordinary banks are open for business in .... (name of country).**
Legislation	**References to any statute or statutory provision shall be made with regard to any statutory instrument of the laws of .... (name of country).**
Person	**"Person" wherever used in the agreement shall mean an individual, corporation, government or agency or any other legal or commercial entity or undertaking.**

4. Begriffsdefinitionen und Interpretation: Es hat sich in der Praxis herausgebildet, eine Fülle zusätzlicher – oft auch sehr umfangreicher – Klauseln in Verträge mit aufzunehmen, um für möglichst viele Eventualitäten gerüstet zu sein. Gelegentlich führt das, insbesondere in englischsprachigen Verträgen, zu besonders umfangreichen Vertragswerken. **Begriffe**

Die *anglo-amerikanische Vertragspraxis* formuliert besonders umfangreich, jedenfalls im Vergleich zur deutschen Praxis. Hintergrund dafür ist, dass man in der anglo-amerikanischen Rechtspraxis mangels allgemein gültiger Gesetzestexte (wie man sie in Deutschland ja reichlich kennt und wo man zum Kaufrecht Bestimmungen des allgemeinen Vertragsrechts sowie die Bestimmungen zum Kaufvertrag aus dem BGB entnehmen kann) auch in einfachen Vertragsverhältnissen mit einem vorangestellten Definitionen-Katalog arbeitet, um die notwendigen Begriffsbestimmungen darzustellen, die für das Verständnis und die Interpretation des Vertragstextes notwendig sind.

Die *Definitions* werden dabei nicht als „Allgemeine Vertragsbedingungen" (Standard Terms of Business) verstanden, da sie nicht vorformulierte Vertragsbedingungen für *künftig* zu schließende Geschäfte sind; stattdessen sind es notwendige Interpretationshilfen des Einzelvertrags, die klarstellen, was genau mit rechtlich relevanten Begriffen innerhalb des Vertrags gemeint sein soll.

Was also in Deutschland wegen gesetzlich vorhandener Gesetzesbestimmungen nicht mehr ausdrücklich in den Vertrag aufgenommen werden muss, muss im internationalen Geschäft oft umfangreich definiert werden: Verträge beginnen daher mit „Definitions" und einer „Interpretation of Terms". Diese „Definitions" beschreiben jeden Begriff, der für das Geschäft in irgendeiner Weise von genereller Bedeutung ist. Man beginnt dann damit, dass bereits jede einzelne *Partei* umfangreich charakterisiert wird. So wird beispielsweise genau beschrieben, was eigentlich unter einem „Käufer" oder „Verkäufer" zu verstehen ist. Hierunter wird im Regelfall nämlich nicht einfach die „eine Vertragspartei" verstanden, sondern die Definition in englischsprachigen Verträgen formuliert weiterführend, dass auch jede Form von zulässiger Stellvertretung (agency) oder zulässiger Rechtsnachfolge (assign) auf Seiten der Vertragspartei auftreten kann – für Deutsche eigentlich selbstverständlich, nicht aber für ausländische Geschäftspartner, die diesen generell vereinbarten Hinweis vielfach benötigen.

Auch „Fristen", wie sie sich im deutschen Recht beispielsweise aus den §§ 188 bis 193 BGB ergeben, werden in englischen Verträgen genau definiert: So findet man in den einleitenden Passagen von Vertragstexten Definitionen zu den Worten „Tag", „Monat", „Werktag" usw.

Wesentlich ist auch die Festlegung, ab welchem Moment und gegebenenfalls bis wann die Vertragslaufzeit bestimmt werden soll. Die Klauseln zum Beginn und zur Beendigung des Vertrags (*commencement and termination*) sind daher ebenfalls Bestandteil englischer Vertragstexte.

PRAXISTIPP

„Definitions" sind notwendige Bestandteile in englischsprachigen Verträgen, während sie in Deutschland weitgehend unüblich sind. In diesem Abschnitt der Verträge ist Vorsicht geboten, da es wegen des Prinzips der Vertragsfreiheit durchaus möglich ist, einzelne Vertragsinhalte (Begriffe wie etwa: Kauf, Frist, Vertretung usw.) anders zu definieren, als sie beispielsweise in Deutschland durch Gesetz vorgegeben oder in der Praxis typischerweise angewandt sind.

Einer „Definition" innerhalb eines englischen Vertrags bedürfen meistens folgende Begriffe bzw. vertraglichen Regelungsinhalte:

- Vereinbarung/Vertrag (Umfang, Anlagen zum Vertrag, Beginn und Beendigung usw.)
- Vertragsparteien
- einzelne häufig genutzte Begriffe, etwa zu Waren, Produkten, Orten, Lagern, Verfahren usw.

§ 3 Preisvereinbarungen

2. Orders, Prices[5], Delivery

a) Our offers shall not be binding with reference to quantities, price and delivery time.

b) Any order issued by the buyer shall not be binding on us until it has been agreed upon and confirmed by us in writing.

c) Our prices do not include any VAT as it will be statutory at the date of delivery. They are binding on us for the period of the contract agreed upon. If, however, there is any change of any legal provision between the date of contractual agreement and the date of delivery and if this change of law is having any influence on the contractual obligation such as additional duties or any other charges, then the seller shall have the right to increase the pur chase price accordingly.

d) The Seller reserves the right, by giving notice to the Buyer at any time before delivery, to increase the price[6] of the goods to reflect any increase in the cost to the Seller which is due to any factor beyond the control of the Seller (such as, without limitation, any foreign exchange fluctuation, currency regulation, alteration of duties, significant increase in the costs of labour, materials or other costs of manufacture), any change in delivery dates, quantities or specifications for the goods which is requested by the Buyer, or any delay caused by any instructions of the Buyer or failure of the Buyer to give the Seller adequate information or instructions.

e) The seller agrees to adhere to any specifications and shall not change any parts without any written approval of the buyer.

Kaufpreis

5. Kaufpreis: Der *Kaufpreis* ist ein wesentlicher Bestandteil (und einer der drei *Mindestbestandteile*: Kaufvertragsparteien, Kaufsache und Kaufpreis) eines Kaufvertrags. Bei Vertragsabschluss muss deutlich sein, welcher konkrete Kaufpreis zugrunde liegt. Ist der Kaufpreis noch von bestimmten Voraussetzungen abhängig, kann man noch weiter differenzieren.

So kann in der vertraglichen Absprache der Preis angewendet werden, der entweder am Tag der *Warenbestellung* oder aber am Tag der *Warenabnahme* Gültigkeit hat. Daneben kann man festlegen, ob ein *Festpreis* (also ein Preis einschließlich der Nebenkosten) oder ein Kaufpreis mit *Preisgleitklausel* zur Anwendung gelangen soll. Im letzteren Fall dürfte es schwierig sein zu klären, aufgrund welcher Einflüsse die Preisgleitklausel zu einer Veränderung des Kaufpreises führen soll.

Die Vereinbarung eines Festpreises bindet den Exporteur. Er hat das Risiko von Kostenerhöhungen der zu liefernden Ware oder zu erbringenden Leistungen zu tragen. Daran lässt sich nur selten und dann auch nur unter sehr engen Voraussetzungen etwas ändern. Das deutsche Recht bietet dazu mit den Instituten des *„Wegfalls der Geschäftsgrundlage"* und den Grundsätzen zum „Irrtum" (in stark eingeschränktem Rahmen) wenige grundsätzliche Möglichkeiten, an einer bestehenden Vereinbarung noch eine Veränderung vorzunehmen. Die Erklärung des „Wegfalls der Geschäftsgrundlage" mit dem Ziel, einen einmal vereinbarten Festpreis doch noch zu umgehen und stattdessen eine Erhöhung zu erreichen, ist durch die deutsche Rechtsprechung stark eingeschränkt auf die wenigen Fälle, in denen ein Festhalten am Vertrag nicht möglich ist, weil ein krasses Missverhältnis zwischen Leistung und Gegenleistung besteht.

Ein Anfechtungsrecht wegen *Irrtums* dürfte in Deutschland ebenfalls in den meisten Fällen ausscheiden. Ein Vertragspartner, der seinem Gegenüber die Preiskalkulation nicht offen legt, kann sich nur bei der Preiskalkulation irren; dies ist nach herrschender Auffassung aber immer ein *unbeachtlicher* Motivirrtum.

Preisgleitklauseln

6. Preisgleitklauseln: Preisgleitklauseln in Außenhandelsgeschäften gibt es in Form von Richt- oder Schätzpreisen, in der Vereinbarung von Marktpreisen oder der Bezeichnung „Preis freibleibend" bzw. in der Bezugnahme auf eine *Preisliste in ihrer jeweils gültigen Fassung*. Eine Preisgleitklausel ist also eine Vereinbarung, die die Höhe der Geldschuld an eine vertragsfremde Bezugsgröße bindet und bei Änderung der Bezugsgröße eine automatische Anpassung vorsieht. Bei einem etwaigen Rechtsstreit über die Preisgestaltung hat der Exporteur lediglich die Darlegungslast für die Preisfestsetzung; nur wenn der Preis sich als sittenwidrig herausstellt, kann die „Preisgleitklausel" für den Exporteur ein ungünstiges Ende des Kaufvertrags bedeuten.

PRAXISTIPP

Die Festlegung des Kaufpreises ist eine der drei Mindestvoraussetzungen für das Vorliegen eines rechtswirksamen Kaufvertrags. Eine Preisgleitklausel ist unter gewissen Voraussetzungen zulässig; fehlt eine Preisfestsetzung völlig, kann unter Umständen nach der Vermutungsregel des Art. 55 CISG noch eine Heilung dieses Mangels erfolgen.

Zu beachten ist aus Sicht des CISG, dass dort vom *Grundsatz der Preisbestimmbarkeit* ausgegangen wird. So bestimmt Art. 55 CISG, dass bei Vertragsschluss – ohne erfolgter Festlegung des Kaufpreises – mangels gegenteiliger Anhaltspunkte vermutet wird, dass die Parteien sich stillschweigend auf den Kaufpreis bezogen haben, der bei Vertragsschluss allgemein für derartige Ware berechnet wurde, die *in dem betreffenden Geschäftszweig unter vergleichbaren Umständen* verkauft wurde. Maßgebend sind danach dann objektive Kriterien. Dadurch wird der Käufer vor überhöhten Verkäuferpreisen geschützt; andererseits kommt ihm dann aber ein tieferer Verkäuferpreis auch nicht zugute. Die Ermittlung des Preises nach den genannten Kriterien dürfte in der Praxis aber schwierig sein, vor allem bei Spezialartikeln und bei gleichzeitiger Betrachtung des gesamten Marktes. Am ehesten ist daher das Merkmal der „vergleichbaren Umstände" hilfreich, wonach sich die Preisbestimmung auf ergänzende Vertragsabreden wie die Übernahme von Transport- und Versicherungskosten oder die Gewährung von Preis- und Mengenrabatte beziehen kann. Ist ein Preis auch nicht nach den Kriterien des Art. 55 CISG zu ermitteln, fehlt es an einem der drei Mindestmerkmale eines Vertrags (Parteien, Ware, Preis) und es liegt kein rechtswirksamer Vertrag vor.

Um derartige negative Konsequenzen aus der mangelnden Preisbestimmbarkeit zu vermeiden, sollte der Preis daher stets festgelegt werden oder aber zumindest objektiv bestimmbar sein können.

Abschließend ist noch darauf hinzuweisen, dass Preisgleitklauseln sich häufig nicht direkt im individuellen Kaufvertrag, sondern stattdessen in Export-AGB finden. Hier ist dann – bei Anwendbarkeit des deutschen Rechts auf den Vertrag – § 309 Nr. 1 BGB zu beachten. Danach sind AGB-Klauseln verboten, mit denen sich der Verwender bei *kurzfristig abzuwickelnden* Verträgen die Möglichkeit sichern will, seine Preise zu erhöhen. Diese Vorschrift gilt allerdings nur für Liefergeschäfte zwischen einem liefernden *Unternehmen* und einem *Verbraucher,* da nur Verbraucher eines höheren Schutzes bedürfen.

§ 4 Rügepflicht

3. Duty to Inspection and Objection
1. Upon delivery the Buyer shall immediately check quantities, weight and packaging of the delivered goods and record any objections thereto[7]. **2. In case of a notice of a defect the Buyer shall immediately notify ...... The notice must clearly specify ....**

Rüge-pflicht

7. Rügepflicht: Kaufverträge sehen häufig vor, dass der Käufer einer Ware die Ware untersuchen und festgestellte Mängel alsbald rügen soll. Die grundsätzliche Pflicht zur *Mängelrüge* innerhalb einer bestimmten *Rügefrist* ist daher ein oft formulierter Textbestandteil eines Kaufvertrags.

Die ausdrückliche kaufmännische Rügepflicht ist im deutschen Recht sogar fest verankert (§§ 377 und 378 HGB) und findet sich auch im österreichischen und schweizerischen Recht, ist dort aber auf den Handelskauf beschränkt. Im englischen Recht dagegen braucht der Käufer nur zu rügen, wenn er im Ergebnis damit eine Vertragsaufhebung anstrebt und diese damit auch geltend machen will. Der französische Rechtskreis kennt keine Rügepflicht außer in den Fällen, in denen der Käufer einen Mangel gerichtlich geltend machen will. In allen Rechtsordnungen unterschiedlich gehandhabt wird die Frist, innerhalb derer gerügt werden muss – in Deutschland und Österreich wird die *„unverzügliche"* Rüge verlangt, in der Schweiz die sofortige Anzeige des Mangels. Dagegen genügt in der anglo-amerikanischen Welt die Einhaltung einer „reasonable time", also einer angemessenen Frist ab Entdeckung des Mangels.

PRAXISTIPP

Die Rügefrist bei mangelhafter Warenlieferung sollte vertraglich möglichst präzise geregelt werden, da ansonsten (nach deutschem Recht) eine „unverzügliche" oder (nach UN-Kaufrecht) eine etwas schwammigere „angemessene" Rügefrist gilt, die dann zwischen einer Woche und ein bis zwei Monaten betragen kann.

Diesen Gedanken verwendet auch Art. 39 CISG, der wie das gesamte CISG in vielen Formulierungen auf anglo-amerikanischen Prinzipien aufbaut: Der Käufer verliert das Recht, sich auf eine Vertragswidrigkeit der Ware zu berufen, wenn er sie dem Verkäufer nicht innerhalb einer *angemessenen Frist* nach dem Zeitpunkt, in dem er sie festgestellt hat oder hätte feststellen müssen, anzeigt und dabei die Art der Vertragswidrigkeit genau bezeichnet. Es sind danach *zwei Fristen* zu beachten: die Untersuchungsfrist und die Rügefrist. Bei der Bestimmung der „reasonable time" sind alle Umstände des Einzelfalls zu berücksichtigen, auch Handelsbräuche und die typischen Gepflogenheiten zwischen den Geschäftspartnern. Bei verderblichen Waren und bei Saisonwaren ist die Frist eher kurz zu bemessen; in anderen Fällen gilt eine Frist von acht Tagen als angemessen – in Staaten mit mehrmonatigen Fristen (wie den USA oder Frankreich) dürften aber auch längere Fristen typisch sein und mehrere Monate nicht beanstandet werden.

Daher empfiehlt es sich, bei der Vertragsgestaltung so präzise wie möglich zu formulieren, wenn es um die Rügefrist geht. Dabei ist der im Mustervertrag verwendete Ausdruck „unverzüglich" jedenfalls eindeutiger als derjenige der „angemessenen Zeit". Erscheint auch der Begriff der unverzüglichen Rüge als ungeeignet, sollte auf einen festgelegten Zeitraum (z.B. innerhalb von drei Tagen, gerechnet ab ….) zurückgegriffen werden.

§ 5 Mängelhaftung

4. Seller's warranties and Exclusion of Warranties[8]

a) The Seller warrants that all items delivered under this Agreement will be free from defects in material and workmanship, conform to applicable specifications, and, to the extent that detailed design have not been furnished by the buyer, will be free from design defects and suitable for the purposes intended by the buyer[9]. The buyer approval of designs furnished by the seller shall relieve the seller of his obligations under any provisions of this Agreement including the warranty[10].
The seller's warranties hereunder shall extend to any defect or non-conformity arising or manifesting itself within ... (days, weeks, months) after delivery. With respect to items not in accordance with any such warranties, the buyer, without waiving any rights or remedies provided by law and/or elsewhere under this Agreement, may require the seller
- **to correct or replace such items at the seller's risk and expense, or**
- **to refund such portion of the price as is equitable under the circumstances.**

b) The seller grants no warranties[11,12] relating to defects in the design workmanship or materials of the goods, and all other conditions, warranties, stipulations or other statements whatsoever, whether express or implied, relating to such defects in the goods, are hereby excluded. In particular the seller grants no warranty regarding the fitness for purpose, performance, use, quality or merchantability of the goods.

c) Products delivered by the seller are subject to inspection and test by the buyer[13] and, in the event that during a period of ..... (days, months) from the date of delivery/installation to/at the buyer's premises any product is found to be defective in material or workmanship, or not in conformance with the relevant specifications, the buyer shall have the right to reject the same.
The buyer shall notify the seller and return such product with an attached report to the seller.
The seller shall then use its best efforts to repair or replace[14], at the seller's option, and at the seller's sole expense, such product within .... days of receipt of such product, and to return the same within ..... days/weeks, at the seller's expense, to the buyer.
If the seller is unable to repair or replace such product in accordance with the requirements of the relevant specifications, the seller shall, upon the buyer's request, accept the return of such product, and refund in full any amounts paid by the buyer for therefore[15]. Instead of a rescission of the agreement the buyer shall have the right to claim a reduction in the purchase price[16].

d) The buyer shall not be deprived of any right he may have to claim damages by exercising his right to other remedies[17,18].

Mängelhaftung

8. Mängelhaftung: Die „Mängelhaftung" unterteilt sich in Rechtsmängel und Sachmängel, die einem Kaufgegenstand anhaften können.

„Rechtsmängel" sind in § 435 BGB definiert. Sie liegen vor, wenn ein Dritter in Bezug auf die Kaufsache Rechte gegenüber dem Käufer geltend machen kann, die bei der Vereinbarung zwischen Verkäufer und Käufer nicht berücksichtigt wurden (z.B. Pfandrechte, Persönlichkeitsrechte, Veräußerungsverbot usw). Mängelrechte können ausdrücklich oder stillschweigend durch Vertrag ausgeschlossen werden oder auch beschränkt werden (im Kaufvertrag z.B. durch eine Klausel „gekauft wie besichtigt"). Auf eine Vereinbarung, durch die die Rechte des Käufers wegen eines Mangels ausgeschlossen oder beschränkt werden, kann sich der Verkäufer aber nicht berufen, wenn er den Mangel arglistig verschwiegen oder aber eine Garantie für eine einwandfreie Beschaffenheit der Ware übernommen hat (§ 444 BGB). Dagegen ist der Käufer nicht schutzwürdig, wenn er den Mangel der Kaufsache bei Vertragsabschluss kannte, § 442 Abs. 1 Satz 1 BGB – auch grob fahrlässige Unkenntnis schließt den Schutz aus, § 442 Abs. 1 Satz 2 BGB. Sofern, wie im Auslandsgeschäft regelmäßig der Fall, für beide Geschäftspartner ein Handelsgeschäft nach § 343 HGB vorliegt, muss der Käufer die gelieferte Ware unverzüglich untersuchen und gefundene Mängel unverzüglich anzeigen (insofern ist auf Textziffer 7, oben, zu verweisen). Im Fall des Rechtsmangels kann der Käufer Nacherfüllung (§§ 437 Nr. 1 und 439 BGB) verlangen, und nur bei erfolglos verstrichener Nacherfüllungsfrist stattdessen einen Rücktritt vom Vertrag erklären oder Minderung bzw. Schadensersatz beanspruchen.

PRAXISTIPP

Waren müssen frei von Rechtsmängeln (z.B. ohne belastendes Pfandrecht, Veräußerungsverbot o.Ä.) und von Sachmängeln (z.B. Fehlen einer vereinbarten Beschaffenheit) an den Käufer verkauft werden. Haftungsausschlüsse sind weitgehend möglich, da die gesetzlichen Bestimmungen von BGB und CISG dispositiv sind; Einschränkungen gibt es aber dort, wo Haftungsausschlüsse in AGB-Form und nicht in Form eines Einzelvertrags erfolgen.

Mangelfreiheit

9. Mangelfreie Ware: Waren sollen bei Lieferung fehler- und mangelfrei sein. In Verträgen kann dies ausdrücklich festgelegt werden. Aber auch ohne entsprechende Formulierung in Verträgen ergibt sich über den umgekehrten Weg, nämlich die vertragliche Regelung zur „Sachmängelhaftung", einiges an Pflichten für den Verkäufer. *Haftungsausschlüsse* des Verkäufers sind nicht in jeder Weise möglich.

Sachmangel

10. Sachmangel: Vertragsklauseln zur Sachmängelhaftung spielen eine herausragende Rolle für die Vertragsgestaltung. Meist finden sich derartige Vertragsklauseln (schon allein wegen ihres oft großen Umfangs) in den *Allgemeinen Liefer- oder Einkaufsbedingungen*, die zum Bestandteil des Kaufvertrags gemacht wurden. Systematisch – und da in diesem Werk keine Export-AGB behandelt werden – sind daher hier einige Sachmängelklauseln innerhalb des Musterexportvertrags abgebildet.

Der Begriff des „Sachmangels" ist in § 434 BGB geregelt. Ein Sachmangel liegt vor, wenn die Ware bei Gefahrübergang eine Beschaffenheitsabweichung (§ 434 Abs. 1 BGB), einen Montagefehler (§ 434 Abs. 2 BGB) oder eine Falsch- bzw. Zuweniglieferung aufweist.

Eine Kaufsache ist mangelhaft, wenn sie bei Gefahrübergang die vereinbarte Beschaffenheit nicht aufweist (vgl. § 434 Abs. 1 Satz 1 BGB). Dabei wird ein *subjektiver* Fehlerbegriff zugrunde gelegt und es wird auf den Inhalt der getroffenen Vereinbarung abgestellt, also etwa auf eine Warenbeschreibung, die der Verkäufer bei Vertragsschluss getätigt hat. Dies gilt auch, wenn vor oder bei Vertragsschluss lediglich ein Muster oder eine Warenprobe vorlagen und die damit die Kaufsache näher beschrieben.

Wenn keine Beschaffenheit vereinbart wurde, liegt ein Sachmangel immer dann vor, wenn die Sache sich nicht für die nach dem Vertrag vorausgesetzte Verwendung eignet, § 434 Abs.1 Satz 2 Nr.1 BGB.

Ist auch dies nicht der Fall, liegt ein Sachmangel in der letzten Variante dann vor, wenn die Kaufsache sich nicht für die gewöhnliche Verwendung eignet und nicht die Beschaffenheit aufweist, die bei Sachen der gleichen Art üblich ist und die der Käufer nach der Art der Sache erwarten kann, § 434 Abs. 1 Satz 2 Nr. 2 BGB. Nur in diesem letztgenannten Fall wird ein objektiver Fehlerbegriff angelegt, sodass es hier nicht mehr auf die Vorstellung der Geschäftspartner, sondern stattdessen auf das objektive Vorliegen einer Warenbeschaffenheit ankommt.

Im Fall des Sachmangels kann der Käufer Nacherfüllung/Nachbesserung/Nachlieferung (§§ 437 Nr. 1 und 439 BGB) verlangen und nur bei erfolglos verstrichener Nacherfüllungsfrist stattdessen einen Rücktritt vom Vertrag erklären oder Minderung bzw. Schadensersatz beanspruchen. Für diese Ansprüche besteht eine Verjährungsfrist von zwei Jahren, § 438 Abs. 1 Nr. 3 BGB, wobei die Frist ab Ablieferung der Sache beginnt.

Ausschluss

11. Ausschluss der Mängelhaftung: Die gesetzlichen Vorschriften der §§ 437 ff. BGB sind abdingbar. Sofern sich Verkäufer und Käufer entsprechend einigen, ist ein einvernehmlicher Ausschluss der Sachmängelhaftung durch Vertragsvereinbarung möglich. Damit stehen den Geschäftspartnern alle Wege offen, im Rahmen ihrer Kaufverträge Regelungen insbesondere zur Mängelhaftung zu treffen. Dabei ist § 444 BGB zu beachten. Nach dieser Vorschrift ist eine Vereinbarung nichtig, „durch welche die Rechte des Käufers wegen eines Mangels ausgeschlossen oder beschränkt werden ..., wenn der Verkäufer den Mangel arglistig verschwiegen ... hat". Für diesen Umstand ist der Käufer beweispflichtig.

Wird der Ausschluss der Sachmängelhaftung in Allgemeinen Geschäftsbedingungen (also in Export-AGB) ausgesprochen, darf § 309 Nr. 8 BGB nicht außer Acht gelassen werden. Gemäß § 309 Nr. 8 BGB sind in Allgemeinen Geschäftsbedingungen unwirksam:

- Der *Ausschluss* des Rechts, sich *vom Vertrag zu lösen*,
- Bestimmungen, durch die bei Verträgen über Lieferungen neu hergestellter Sachen: (a) die Verantwortung des AGB-Verwenders ausgeschlossen und auf Dritte verwiesen wird, (b) eine Verantwortung nur auf Nacherfüllung beschränkt ist, (c) Aufwendungen für Nacherfüllungen nicht getragen werden sollen, (d) eine Nacherfüllung bis zur vollständigen Bezahlung vorenthalten wird, (e) für die Mangelanzeige eine Ausschlussfrist gesetzt wird und (f) die gesetzlichen Verjährungsfristen verkürzt werden".
- Nach § 444 BGB ist eine Klausel in Allgemeinen Geschäftsbedingungen unwirksam, durch die die Garantie des AGB- Verwenders für eine zugesicherte Beschaffenheit ausgeschlossen oder eingeschränkt wird.

Die Sachmängelhaftung des Verkäufers kann auch *gesetzlich* ausgeschlossen sein. Erhält der Warenkäufer *nach* dem Vertragsabschluss, aber noch vor der Annahme der Ware Kenntnis von einem Mangel der Ware, dann muss er aufgrund dieses Mangels seine Gewährleistungsrechte in Anspruch nehmen.

Kannte der Käufer den Mangel der Ware schon beim Vertragsabschluss, so kann er den Schutz der Gewährleistungsvorschriften nicht für sich beanspruchen (vgl. § 442 Abs. 1 BGB). Ist dem Käufer ein Mangel infolge grober Fahrlässigkeit unbekannt geblieben, kann er Rechte wegen dieses Mangels nur geltend machen, wenn der Verkäufer den Mangel arglistig verschwiegen hat, § 442 Abs. 1 Satz 2 BGB.

Schließlich ist auch § 377 HGB bedeutsam. Ist der Kauf für beide Vertragspartner, wie es im internationalen Geschäft typisch ist, ein Handelsgeschäft, dann muss nach deutschem Recht der Käufer die gelieferte Ware unverzüglich untersuchen und erkannte Mängel unverzüglich dem Verkäufer anzeigen, da er ansonsten seine Ansprüche wegen der Sachmängel verliert.

UN-Kaufrecht

12. Vertragsgemäßheit nach UN-Kaufrecht: Sofern das Auslandsgeschäft der Vertragspartner nach den Regelungen des UN-Kaufrechts zu beurteilen ist, muss zusätzlich noch Folgendes beachtet werden: Nach Art. 35 Abs. 1 CISG muss der Verkäufer die Ware so liefern, wie sie in Menge, Qualität und Art hinsichtlich Verpackung oder Behältnis den Anforderungen des Vertrags entspricht (*the seller must deliver the goods which are of the quantity, quality and description required by the contract and which are contained or packaged in the manner required by the contract*).

Sofern die Parteien nichts anderes vereinbart haben, entspricht die Ware dem Vertrag nur, wenn sie sich für die Zwecke eignet, für die Ware gleicher Art gewöhnlich gebraucht wird. Dabei wird wieder der subjektive Fehlerbegriff angewandt, der auch im deutschen Recht bekannt ist (vgl. oben, Ziffer 9). Die vertragliche Festlegung kann ausdrücklich oder stillschweigend erfolgen, was auch durch AGB geschehen kann (und, wegen der umfangreichen Vertragsklauseln gerade zur Mängelhaftung, auch meistens in den Export-AGB geschieht).

Wegen Art. 6 CISG, der einen teilweisen oder vollständigen Ausschluss der Bestimmungen des CISG eröffnet, können Geschäftspartner die UN-Kaufrechtsregeln ganz oder teilweise ausschließen oder modifizieren. Erfolgt eine *Freizeichnung nach AGB*, ist zu beachten, dass die Inhaltskontrolle der Freizeichnungsklauseln eine Frage der Gültigkeit der AGB ist und mithin nicht nach den Regeln des UN-Kaufrechts, sondern immer nach dem nationalen Recht zu beurteilen ist, dem das gesamte Kaufgeschäft unterliegt. Da der Maßstab, der an Freizeichnungsklauseln angelegt wird, in den weltweiten Rechtsordnungen aber abweicht, sollte beachtet werden, dass ein *vollständiger Ausschluss* im Regelfall *nicht möglich* ist, sondern stattdessen dem Käufer – bei fehlender Vertragsgemäßheit der Ware – trotz Haftungsausschlussklauseln immer ein Minimalschutz (*minimum adequate remedy*) verbleibt. Ist dann das deutsche nationale Zivilrecht einschlägig, ist nach dessen § 307 Abs. 2 BGB entscheidend, ob eine AGB-mäßige Freizeichnungsklausel „mit wesentlichen Grundgedanken der gesetzlichen Regelung" zu vereinbaren ist oder nicht oder ob sie wesentliche Pflichten des Verkäufers so einschränkt, dass die Erreichung des Vertragszwecks gefährdet ist. Nochmals: Dies gilt, wenn der Haftungsausschluss in Export-AGB, nicht aber im *Einzel*vertrag, stattfindet!

Prüfungspflicht

13. Prüfungspflicht: Die Prüfung und Untersuchung der verkauften Sache ist eine Pflicht des Käufers. Alle Rechte, die der Käufer nach § 437 BGB in Anspruch nehmen kann, haben zur Voraussetzung, dass die Kaufsache mangelhaft ist. Die Beweislast für das Vorhandensein von Mängeln richtet sich grundsätzlich nach § 363 BGB und bringt den Käufer in die Verantwortung, Mängel zu beweisen, sobald er die Ware als „Erfüllung des Vertrags" angenommen hat. Nur bis zu diesem Zeitpunkt muss noch der Verkäufer beweisen, dass die gelieferte Ware mangelfrei war. Die Beweislast wird also vom Verkäufer auf den Käufer „umgekehrt", sobald die „Annahme als Erfüllung" im Sinne des § 363 BGB erfolgt ist. Eine solche Annahme liegt vor, wenn das Verhalten des Käufers bei und nach Entgegennahme der Leistung erkennen lässt, dass er die Lieferung als im Wesentlichen ordnungsgemäße Erfüllung gelten lassen will (im Grunde entspricht dieser Vorgang der Werkabnahme im Werkvertrag und entspricht damit dem für diese Geschäftsart geltenden § 640 BGB). Wichtig ist, dass ein „allgemeiner Vorbehalt" des Käufers oder die Rüge einzelner Mängel die generelle „Annahme als Erfüllung" nicht ausschließt. Nach der deutschen Rechtsprechung wird nämlich „längeres Schweigen" nach der Lieferung oder die Weiterveräußerung der Ware an einen Dritten als „Annahme als Erfüllung" angesehen, nicht dagegen die bloße Entgegennahme verpackter Ware oder die bloße Entgegennahme zur Prüfung der gerade gelieferten Ware.

Die hier im Mustervertrag enthaltene Klausel geht daher weit auf den Käufer zu und ist besonders käuferfreundlich: Der Käufer erhält eine weit reichende Prüfungsmöglichkeit und eine lange Rügefrist, innerhalb derer er Mängel noch geltend machen kann. Diese Klausel (c) versteht sich daher auch nicht als eine für den Exporteur besonders geeignete Exportklausel, sondern wird eher in den Geschäften eingesetzt werden können, in denen der Verkäufer angesichts eines „Käufermarktes" Zugeständnisse machen muss und dem Käufer bei seinen Vertragsklauseln käuferfreundlich entgegen kommen will.

Nacherfüllung

14. Nacherfüllung: Die Nacherfüllung ist das vorrangige Recht, das der Käufer bei Vorliegen eines Sach- oder Rechtsmangels geltend machen kann, §§ 437 Nr. 1 und 439 BGB. Rücktritt, Minderung des Kaufpreises und Schadensersatz kommen dagegen grundsätzlich nur infrage, wenn vorher eine gestellte Frist, die der Verkäufer zur Nacherfüllung setzt, verstrichen ist. Mit seinem Nacherfüllungsanspruch kann der Käufer nach Wahl entweder die Beseitigung des Mangels (Nachbesserung) oder die Lieferung einer einwandfreien Kaufsache (Nachlieferung) beanspruchen, § 439 Abs. 1 BGB. Alle zum Zweck der Nacherfüllung erforderlichen Aufwendungen, also Transport, Arbeits- und Materialkosten, sind aufgrund der gesetzlichen Regelung in § 439 Abs. 2 BGB vom Verkäufer zu tragen. Die Formulierung im Mustervertrag *„at the seller's sole expense"* ist daher konform zu der ohnehin bestehenden gesetzlichen Vorgabe.

Liefert der Verkäufer im Wege der Nacherfüllung schließlich eine mangelfreie Kaufsache, wird er von seiner Leistungspflicht (zur Lieferung einer einwandfreien Sache) endgültig frei, §§ 433 Abs. 1, 437 Nr. 1 und 362 BGB.

Das gilt auch dann, wenn der Käufer – trotz etwa verspäteter Nacherfüllung durch den Verkäufer – noch nicht auf seinen (wegen der Verspätung alternativ eröffneten) Rechten auf Kaufpreisminderung oder Schadensersatz statt der Leistung bestanden hat. Wenn die Nacherfüllung erfolgreich vonstattenging, hat der Verkäufer einen Anspruch auf Rückgabe der anfangs gelieferten fehlerhaften Ware; in diesem Zusammenhang darf er die Herausgabe des vom Käufer bereits erlangten Gebrauchsvorteils verlangen, §§ 439 Abs. 4, 346 Abs. 1 und 100 BGB.

Die Nacherfüllung ist jedoch grundsätzlich ausgeschlossen, wenn diese grundsätzlich (nach objektiven oder subjektiven Kriterien) unmöglich ist, der Verkäufer also weder eine mangelfreie Ware liefern kann noch zur Nachbesserung in der Lage ist. Dasselbe gilt, wenn dem Verkäufer die vom Käufer gewählte Art der Nacherfüllung (Nachbesserung oder Ersatzlieferung) nur mit unverhältnismäßig hohen Kosten möglich wäre, § 439 Abs. 3 Satz 1 BGB – diese Vorschrift ist aber eher auf Privatleute ausgerichtet und wird im Unternehmensgeschäft nur selten nutzbar sein.

Rücktritt

15. Rücktritt: Für den Fall, dass eine Nachbesserung oder Nacherfüllung nicht möglich ist, steht die Variante des Rücktritts vom Vertrag offen. *Ausgeschlossen* ist der Rücktritt aber dann, wenn der Sachmangel oder die Abweichung von der geschuldeten Menge unerheblich sind – Sachmängel und Zuweniglieferung werden wegen der Interessenlage des Käufers, der eine mangelfreie Ware in der verabredeten Menge erhalten will, gleichgestellt. Ausgeschlossen ist das Rücktrittsrecht auch, wenn der Käufer den zum Rücktritt berechtigenden Umstand zu verantworten hat (§ 437 Nr. 2 BGB) oder er sich im Annahmeverzug befindet (die Gegenleistungsgefahr geht also auf den Käufer über, obwohl er die Ware noch nicht angenommen hat).

Ziel des in § 437 Nr. 2, 1. Alt BGB genannten Rücktrittsrechts ist die Rückabwicklung des Vertrags unter jeweiliger Rückgewähr der empfangenen Leistungen, § 346 Abs. 1 BGB. Für den Käufer bestimmen sich die Rücktrittsrechte nach den §§ 440, 323 und 326 Abs. 5 BGB. Um seine Rechte wahrnehmen zu können, muss der Käufer zuvor dem Verkäufer eine angemessene Frist zur Nacherfüllung gesetzt haben (§§ 323 Abs. 1 und 437 Nr. 2, 1. Alt BGB). Hieraus folgt, dass das Rücktrittsrecht subsidiär zur Nacherfüllung steht und zuerst die Nachbesserung oder Nacherfüllung versucht werden muss.

Hinsichtlich der *Angemessenheit der Nachfrist* ist auf die Interessen beider Vertragspartner, vorrangig aber auf das Interesse des Käufers abzustellen, da er einen Anspruch auf ordnungsgemäße Lieferung hat (§ 433 Abs. 1 Satz 2 BGB). Setzt der Käufer die Frist zu kurz, gilt sie als nicht gesetzt, und es wird stattdessen eine neue, „angemessene" Frist in Gang gesetzt. Ausnahmsweise kann die Nachfristsetzung ganz *entbehrlich* sein, wie aus § 323 Abs. 2 BGB (der Vorschrift für das allgemeine Leistungsstörungsrecht) folgt, nämlich dann, wenn der Verkäufer die Nacherfüllung ernsthaft und endgültig verweigert (§§ 440 und 323 Abs. 2 Nr. 1 BGB) oder besondere Umstände und die Abwägung der beiderseitigen Interessen einen sofortigen Rücktritt rechtfertigen (z.B. Mangel eines Saisonartikels, bei dem eine Nacherfüllung nicht sinnvoll sein kann). Die Nachfristsetzung kann nach § 440 Satz 1 BGB auch entfallen, wenn die vom Käufer gewählte Art der Nacherfüllung fehlgeschlagen war oder die Nacherfüllung gänzlich unmöglich ist (§§ 437 Nr. 2, 326 Abs. 5 und § 275 BGB).

Der Rücktritt muss durch einseitige Willenserklärung des Käufers (§ 349 BGB) ausgeübt werden und ist formfrei möglich, auch wenn der Kaufvertrag selber der Schriftform bedurfte. Durch den Rücktritt entsteht ein Schuldverhältnis, in dem beide Parteien die jeweils empfangenen Leistungen zurückgewähren müssen.

Minderung

16. Minderung: Wenn der Käufer nicht das Recht zum Rücktritt in Anspruch nimmt, kann er stattdessen den Kaufpreis mindern, § 437 Nr. 2, 2. Alt BGB. Da die Formulierung des § 441 Abs. 1 Satz 1 BGB eindeutig von „statt zurückzutreten" spricht, müssen für die Minderung des Kaufpreises grundsätzlich dieselben Voraussetzungen vorliegen, wenn es bei Erklärung des Rücktritts der Fall wäre. Die Minderung ist daher nur möglich, wenn zuvor die gesetzte Frist zur Nacherfüllung erfolglos verstrichen ist. Im Übrigen gelten die Besonderheiten, die im vorangegangenen Abschnitt (Ziffer 15) genannt wurden.

Minderung ist Herabsetzung des Kaufpreises, § 441 Abs. 3 Satz 1 BGB. Das Gesetz legt eine relative Berechnungsmethode vor, wonach der Kaufpreis in dem Verhältnis herabgesetzt werden kann, „in welchem zur Zeit des Vertragsschlusses der Wert der Sache in mangelfreiem Zustand zu dem wirklichen Wert gestanden haben würde" (§ 441 Abs. 3 Satz 1 BGB). Das Minderungsrecht wird durch einseitige Erklärung gegenüber dem Verkäufer ausgeübt. Wird die Minderung erklärt, führt dies zum Erlöschen des Anspruchs auf Rücktritt vom Vertrag.

Schadensersatz

17. Schadensersatzanspruch: Dem Käufer kann ein Anspruch auf Schadensersatz zustehen. Dieser Anspruch kann neben den Rechten auf Rücktritt vom Vertrag oder Minderung des Kaufpreises gegeben sein, § 437 Nr. 3 BGB. Dabei hängen die Voraussetzungen des Schadensersatzanspruches davon ab, welchen Schaden der Käufer ersetzt haben will. Infrage kommen:

- Schadensersatz anstelle der Leistung,
- Schadensersatz wegen eines unbehebbaren Mangels
- Schadensersatz wegen Verzögerung der mangelfreien Leistung
- Ersatz eines Mangelfolgeschadens

Der *Schadensersatz anstelle der Leistung* kann gefordert werden, wenn der Verkäufer seine nach § 433 Abs. 1 Satz 2 BGB bestehende Pflicht, dem Käufer die Ware frei von Mängeln zu verschaffen, verletzt hat, der Mangel noch behebbar ist und kein Leistungshindernis auf Seiten des Verkäufers besteht. Der Verkäufer muss die Lieferung der mangelhaften Ware auch zu vertreten haben, wie aus § 280 Abs. 1 BGB folgt. Damit sind Vorsatz oder Fahrlässigkeit auf Seiten des Verkäufers gemeint (§ 276 Abs. 1 Satz 1 BGB), wobei ein „Vertretenmüssen" auf Seiten des Verkäufers nur dann vorliegt, wenn er mindestens wegen Fahrlässigkeit nicht erkannte, dass er dem Käufer eine mangelhafte Ware lieferte. Die an den Verkäufer zu stellenden Sorgfaltsanforderungen hängen von den Umständen des Einzelfalls ab. Außerdem muss der Käufer dem Verkäufer eine angemessene Frist zur Nacherfüllung gestellt haben (§ 437 Nr. 3 BGB), die erfolglos verstrichen ist, wobei es wenige Ausnahmen gibt, in denen es auf eine Nachfristsetzung nicht ankommt (§ 281 Abs. 2 BGB bei endgültiger Verweigerung oder bei Vorliegen besonderer Umstände). Wird ein Schadensersatzanspruch geltend gemacht, scheidet damit automatisch die Möglichkeit aus, eine Nacherfüllung zu verlangen, §§ 437 Nr. 3 und 281 Abs. 4 BGB. In diesen Fällen erhält der Käufer Schadensersatz anstelle der Leistung, sodass ein „Mangel*schaden*" ersetzt wird. Im Normalfall behält der Käufer dann die mangelhafte Sache und verlangt Ersatz in Geld in der Höhe, als wäre ordnungsgemäß erfüllt worden: Gezahlt wird dann die Differenz zwischen dem Wert der tatsächlich gelieferten (mangelhaften) und der eigentlich verlangten (fehlerfreien) Ware. Dies wird auch „kleiner Schadensersatz" genannt. – Ist der Mangel dagegen so erheblich, dass die Ware nicht mehr akzeptabel ist, gibt der Käufer sie an den Verkäufer zurück und verlangt einen Ausgleich in Geld in der Höhe des Schadens, der ihm durch die Nichterfüllung des ganzen Vertrags entstanden ist („großer Schadensersatz"). Diese Variante gewährt dem Käufer zum einen den bereits gezahlten Kaufpreis zurück sowie den erlittenen „Nichterfüllungsschaden", also z.B. die Kosten für die Ersatzbeschaffung, den entgangenen Gewinn usw.

Der *Schadensersatz wegen eines nicht behebbaren Mangels* ist möglich, wenn der Verkäufer den Mangel nicht beheben kann oder die Mangelbeseitigung unzumutbar ist. Der Käufer braucht dann nicht mehr auf Nacherfüllung zu warten, sondern kann sofort Schadensersatz verlangen, § 437 Nr. 3 BGB.

Der *Schadensersatz wegen Verzögerung der mangelfreien Leistung* kann schließlich gefordert werden, wenn der Käufer nur dadurch einen Schaden erleidet, dass die Ware zunächst fehlerhaft geliefert wird, dann im Wege der „Nacherfüllung" vertragsgemäß geliefert wird, und dem Käufer wegen der Verzögerung ein Schaden entstanden ist. Zu den Schäden zählen Kosten für die Mahnung, Ausfall von Produktionsabläufen usw.

Zuletzt kann möglicherweise auch ein *Mangelfolgeschaden* geltend gemacht werden. Dieser „Schadensersatz wegen Verletzung sonstiger Rechtsgüter" kann gefordert werden, wenn die Lieferung einer fehlerhaften Kaufsache beim Käufer zu einem Schaden führt, der mittelbar an anderen Rechten oder Interessen entsteht. Dies ist etwa der Fall, wenn wegen der Lieferung einer fehlerhaften Sache ein Sach- oder Personenschaden entsteht. Den Mangelfolgeschaden beansprucht der Käufer daher auch als „Schadensersatz wegen einer Pflichtverletzung" im Sinne des § 437 Nr. 3 BGB in Verbindung mit § 280 BGB. Wie aus dem Umkehrschluss zu § 280 Abs. 3 BGB entnommen werden kann, kann der Schadensersatz anstelle der Leistung nur unter den zusätzlichen Voraussetzungen der §§ 281 ff. BGB verlangt werden. Gemeint ist damit, dass der Schadensersatzanspruch nicht den reinen Mangelschaden, sondern eben die Folgeschäden der mangelhaften Lieferung, erfasst. Wenn der Verkäufer eine Pflichtverletzung begangen hat und diese auch vertreten muss (§§ 437 Nr. 3 und 280 Abs. 1 BGB), weil er die Ware nicht frei von Mängeln übergeben hat, wird nur der reine Mangelfolgeschaden ersetzt.

Rechtsbehelfe

18. Rechtsbehelfe nach UN-Kaufrecht: Unterliegt der Exportvertrag nicht dem deutschen (BGB-)Recht und ist auch keine weitere vertragliche Haftungsregelung im Exportvertrag getroffen worden, kann unter Umständen die generelle Regelung des CISG einschlägig sein. Die Art. 45 bis 52 CISG regeln hierzu Näheres. So eröffnet das CISG dem Käufer die Möglichkeit, wegen bestimmter Pflichtverletzungen des Verkäufers den *Vertrag aufzuheben*, weil etwa vertragswidrige Ware geliefert wurde. Dazu muss aber die Vertragsverletzung wesentlich sein, wobei es nur auf die Pflichtwidrigkeit an sich ankommt, aber nicht darauf, ob die wesentliche Vertragsverletzung auf zu spätes Liefern, gar kein Liefern oder mangelhaftes Liefern zurückzuführen ist. Zumindest bei verspätetem Liefern wird dabei an die „wesentliche" Vertragsverletzung ein strenges Maß angelegt.

Auch die Minderung (Herabsetzen des Kaufpreises) ist im UN-Kaufrecht bekannt. Anstelle der Ersatzlieferung oder der Nachbesserung kann der Käufer auch den vertraglich vereinbarten Kaufpreis mindern, Art. 50 CISG. Dazu bedarf es einer vorhergehenden ordnungsgemäßen Rüge der vertragswidrigen Ware.

Auch der *Schadensersatz* ist dem UN-Kaufrecht bekannt. Bei jeder Art der Leistungsstörung ist der Verkäufer verpflichtet, unabhängig von seinem Verschulden Schadensersatz zu leisten, Art. 45 Abs. 1 CISG. Dabei ist es – anders als nach deutschem Recht (oben, unter Ziffer 17) – nicht erforderlich, dass noch weitere Voraussetzungen erfüllt sein müssen, damit der Schadensersatzanspruch gegeben ist. Stattdessen reicht es aus, dass der Verkäufer einfach nicht rechtzeitig liefert – eine Mahnung des Käufers ist nicht mehr erforderlich. Dasselbe gilt, wenn die Lieferung nicht vertragsgemäß erfolgt;

der Käufer muss dann die Vertragswidrigkeit nur noch rügen. Ebenfalls anders als nach deutschem Recht (oben, Ziffer 17) ist nach UN-Kaufrecht der Käufer befugt, den Schadensersatz zu verlangen **und** zusätzlich auch seine Rechtsbehelfe auf Nachbesserung, Ersatzlieferung oder Erfüllung geltend zu machen. Dies ist der Grund, warum viele Exporteure dazu übergegangen sind, das UN-Kaufrecht insgesamt – oder aber mindestens für die Fragen der Mängelhaftung teilweise – auszuschließen und stattdessen die Regeln des BGB zu verabreden oder aber von vornherein selbst formulierte Exportvertragsklauseln einzusetzen.

§ 6 Eigentumsvorbehalt

Retention of Title[19, 20]

1. **The ownership of the goods shall remain with the seller until payment in full for all the goods has been received by the seller.**
2. **We shall retain full title of the goods that have been delivered until the Buyer has discharged all claims arising from the business relationship.**
3. **Title in the goods shall not pass to the buyer but shall remain with the seller until the contract price has been paid to the seller in full by the buyer. Until such time as title in the goods has passed to the buyer:**
   - **the seller shall have the absolute authority to retake, sell or otherwise deal with or dispose of all or any part of the goods in which title remains vested in the seller;**
   - **for the purpose specified above, the seller or any of its agents or authorised representatives shall be entitled at any time and without notice to enter upon any premises in which the goods or any part thereof is installed, stored or kept, or is reasonably believed so to be.**

   The seller shall be entitled to seek court injunction to prevent the buyer from selling, transferring or otherwise disposing of the goods.
4. **Notwithstanding the foregoing, risk in the goods shall pass on delivery of the same to the customer, and until such time as title in the goods has passed to the buyer, the buyer shall insure such goods to its replacement value and the buyer shall forthwith, upon request, provide the seller with a certificate or other evidence of such insurance.**
5. **The Buyer shall have the right to dispose of the goods delivered by us in the ordinary course of business. The Buyer shall also have the right to process the goods delivered subject to the limitations as set out below:**
   -
   -
   -
6. **If the goods being delivered under retention of title shall be inseparably assembled or mixed with other goods being under property of any third party, then we shall acquire title in the newly assembled or mixed goods. The proportion of title shall follow from the proportion of the invoice value of the goods delivered by us.**
7. **In the event of any third party action against the goods delivered by us under retention of title the Buyer shall inform such party of our property and shall inform us about such action.**
8. **If the Buyer shall be in breach of contract, in particular in payment default, he shall, upon on demand, immediately return to us all goods delivered under retention of title[21].**

Eigentumsvorbehalt

19. Eigentumsvorbehalt: Typisches Merkmal eines deutschen Exportvertrags ist die Vereinbarung eines Eigentumsvorbehalts, mit welchem sich der Warenverkäufer das Eigentum an der Ware bis zur vollständigen Bezahlung des Kaufpreises vorbehält. Insbesondere deutsche Unternehmen sind es nämlich gewohnt, den Eigentumsvorbehalt, der im Inlandsgeschäft als bewährtes Sicherungsmittel der Kaufpreiszahlung dient, auch in internationalen Geschäften einzusetzen.

Sobald ein internationales Geschäft vorliegt, wird die Situation jedoch schwierig, da kaum eine Rechtsordnung weltweit die *in Deutschland bekannten Formen eines Eigentumsvorbehalts* kennt. Zudem besteht die Problematik, dass nach international-privatrechtlichen Grundsätzen bei Rechtsstreitigkeiten ein mit dem Streitfall befasstes Gericht stets auf der Grundlage des nationalen Rechts urteilen muss, innerhalb dessen Geltungsbereich sich die unter Eigentumsvorbehalt gelieferte Ware befindet. Der *Ort, an dem sich die Ware befindet*, entscheidet also über das auf den Eigentumsvorbehalt anwendbare Recht, und nicht etwa die Verabredung der Geschäftspartner!

Für im Außenhandel tätige Kaufleute ist dies beachtlich, denn es kann im Einzelfall bei Abfassung des Liefervertrags von entscheidender Bedeutung sein, zu wissen, ob die Vereinbarung eines Eigentumsvorbehalts im Auslandsgeschäft überhaupt sinnvoll ist. Dies umso mehr, als der Eigentumsvorbehalt hinsichtlich des anwendbaren Rechts der Dispositionsfreiheit der Vertragspartner entzogen ist. Hier hilft also auch eine ausdrückliche Wahl eines anderen Rechts *nicht* weiter, da weltweit der Grundsatz des „Rechts der Belegenheit der Sache" gilt und sich die Vereinbarung, die Wirkungsweise und die Durchsetzbarkeit des Eigentumsvorbehalts grundsätzlich immer nach der Rechtsordnung des Landes richtet, in der sich die Vorbehaltsware befindet.

Es ist daher erforderlich, zwei Dinge bei der Vertragsgestaltung zu beachten: Zum einen ist die Vereinbarung eines Eigentumsvorbehalts immer nur dann sinnvoll, wenn die unter Eigentumsvorbehalt gelieferte Ware sich (vor oder nach Lieferung) innerhalb des Bereichs der Geltung der deutschen Rechtsordnung befindet, da dann in jedem Fall Grundsätze des deutschen Rechts, welches den Eigentumsvorbehalt anerkennt, zur Anwendung gelangen.

Zum anderen kann die Vereinbarung der Geltung eines Eigentumsvorbehalts so ausgestaltet werden, dass möglichst auch die Voraussetzungen, die andere Rechtsordnungen des Auslands aufstellen, eingehalten werden. Auf diese Weise kann versucht werden, für den Warenverkäufer eine weitgehende Sicherung seines Anspruchs auf vollständige Kaufpreiszahlung zu erreichen.

Probleme

20. Probleme des Eigentumsvorbehalts: Die *Klauseln in Ziffer 1 und Ziffer 2* des Mustervertrags sind alternativ einsetzbar. Beide beinhalten den sogenannten einfachen Eigentumsvorbehalt. Beim Eigentumsvorbehalt nach deutschem Recht ist der *schuldrechtliche* Kauf dadurch gekennzeichnet, dass die Kaufpreisforderung ganz oder teilweise gestundet wird und der Verkäufer die Vorbehaltsware nur dann herausverlangen kann, wenn er vom Vertrag zurückgetreten ist, § 449 Abs. 2 BGB. Die Rückabwicklung des Kaufvertrags richtet sich in diesem Fall nach den §§ 346 ff. BGB.

Der Verkäufer übergibt (im „sachenrechtlichen" Teil des Eigentumsvorbehalts) dem Käufer zwar den Besitz an der Sache, nicht jedoch das „Eigentum" daran. Die sachenrechtliche Einigung über die Kaufsache enthält die *aufschiebende Bedingung* der vollständigen Zahlung des Kaufpreises (vgl. Wortlaut von § 449 Abs. 1 BGB), sodass das Eigentum erst dann auf den Käufer übergeht, wenn er die Ware vollständig bezahlt hat.

In Deutschland ist zugunsten des Käufers ein Anwartschaftsrecht als dingliches Recht an der Sache anerkannt. Dieses ist als gesichertes Erwerbsrecht eine *Vorstufe des künftigen Eigentums*, das in seinem wirtschaftlichen Wert mit fortschreitender Abzahlung des Kaufpreises ständig steigt. Das Anwartschaftsrecht besteht jedoch nur so lange, wie die Bedingung eintreten kann. Sobald durch Zahlung des Kaufpreises die Bedingung eintritt, verwandelt sich das Anwartschaftsrecht des Käufers automatisch in das Eigentum an der Sache. Das Anwartschaftsrecht kann im Rechtsverkehr übertragen und von Gläubigern des Käufers im Wege der Zwangsvollstreckung gepfändet werden. Die Gläubiger des Vorbehaltseigentümers können auch versuchen, im Wege der Zwangsvollstreckung an das Vorbehaltseigentum zu gelangen. Dies ist möglich, indem sie die Kaufpreisforderung nach den §§ 828 ff. ZPO sowie das Rücktrittsrecht vom Kaufvertrag nach § 857 ZPO pfänden und nach § 835 ZPO ausüben.

Häufig wird der Eigentumsvorbehalt aufgrund von Allgemeinen Geschäftsbedingungen vereinbart. Dies ist beachtlich, denn die AGB werden, insbesondere im internationalen Unternehmensgeschäft, oft *nicht* ordnungsgemäß in den Vertrag mit einbezogen. Dies gilt vor allem dann, wenn es einen mündlich vereinbarten und damit wirksamen Kaufvertrag gibt, dem eventuell ein „kaufmännisches Bestätigungsschreiben" folgt, das den Eigentumsvorbehalt als Klauselinhalt enthält, aber unter Umständen gar nicht wirksam in den Vertrag einbezogen werden kann (*siehe dazu oben, Teil 1, Ziffern 1.2. und 1.7.*). In derartigen Fällen gibt es dann gar keine Eigentumsvorbehaltsklausel, sodass die Zahlungssicherung des Exporteurs fehlt.

Nach deutschem Recht kann der Eigentumsvorbehalt unter Kaufleuten, vor allem bei Branchenüblichkeit, durchaus auch *stillschweigend* vereinbart werden, wobei allerdings kein allgemeiner Handelsbrauch oder eine allgemeine

Verkehrssitte besteht, dass das immer so ist. Zu beachten ist, dass nach dem Recht ausländischer Staaten die stillschweigende Vereinbarung eines Eigentumsvorbehalts grundsätzlich nicht anerkannt ist: der Eigentumsvorbehalt, soweit er im Ausland überhaupt bekannt ist und in der Praxis einsetzbar ist, bedarf dort immer der ausdrücklichen Vereinbarung.

Der Eigentumsvorbehalt gibt dem Verkäufer keine absolute Sicherheit. Neben der rein faktischen Beschädigung oder Zerstörung des Kaufgegenstands noch vor der endgültigen Bezahlung kann es beim Weiterverkauf auch zu einem gutgläubigen Erwerb durch einen Dritten (§§ 932 ff. BGB) kommen, oder der Eigentumsvorbehalt geht durch Verbindung (§ 947 Abs.2 BGB) oder Vermischung (§ 948 mit § 947 Abs. 2 BGB), die gegen den Willen des Vorbehaltseigentümers geschehen, unter. In diesen Fällen steht dem Verkäufer dann (nach deutschem Recht) nur noch ein Schadensersatzanspruch oder ein Bereicherungsanspruch zu, dessen wirtschaftlicher Wert aber von der Zahlungsfähigkeit des Schuldners abhängt.

Der einfache Eigentumsvorbehalt gibt dem Verkäufer in Deutschland Schutz, wenn in die unter Eigentumsvorbehalt gelieferte Ware gepfändet oder vollstreckt wird. Vollstrecken Gläubiger des Käufers in das Vorbehaltseigentum, steht dem Verkäufer die Widerspruchsklage nach § 771 ZPO zu. Die Gläubiger, die vollstrecken wollen, können die Klage nur dadurch abwehren, dass sie dem Verkäufer nach § 267 BGB den Kaufpreis zahlen, wodurch das Eigentum auf den Käufer endgültig übergeht und damit der Zugriff der Gläubiger möglich wird.

PRAXISTIPP

Im internationalen Geschäft ist der „Eigentumsvorbehalt" oft wertlos, denn

- in vielen Staaten ist der Eigentumsvorbehalt gar nicht bekannt, gegebenenfalls ist er in der Praxis des Auslands nur gelegentlich und dann auch unter besonderen Entstehensvoraussetzungen aufzufinden;
- er richtet sich immer nach der Rechtsordnung des Landes, in der die Vorbehaltsware liegt, unabhängig davon, ob die Geschäftspartner die „Geltung deutschen Rechts" verabredet haben;
- manchmal kann anstelle des Eigentumsvorbehalts ein Pfandrecht an der Liefersache vereinbart werden, wobei die Rechtsordnung des Empfangslandes der Ware zu beachten ist.
- Alternative Sicherungsinstrumente des Zahlungsverkehrs geben dem Exporteur deutlich besseren Schutz, als es der Eigentumsvorbehalt im Ausland kann. Die sichere Alternative zum Eigentumsvorbehalt ist die Absicherung der Forderung durch Vorkasse oder ein Zahlungsversprechen der Bank des Käufers in Form einer Bankgarantie, eines Wechselakzepts oder eines Akkreditivs, gegebenenfalls auch durch Exportkreditversicherung.

Zu beachten ist *im internationalen Geschäft* grundsätzlich, dass derart abstrakte Denkprozesse – beginnend bei der „abstrakten" Vorstellung, dass ein Käufer die Ware bereits hat und mit ihr umgehen kann, wie er möchte, dabei aber noch nicht in der Eigentümerposition ist – den ausländischen Rechtsordnungen weitgehend fremd sind. Dies liegt auch daran, dass die wichtigsten Rechtsordnungen der Welt, die englischem oder französischem Recht folgen, den Eigentumsübergang bereits mit Abschluss des Kaufvertrags vorsehen, sodass für die Vereinbarung eines verspäteten Eigentumsübergangs, nur wenig Raum bleibt. Daher ist in vielen Staaten der Welt der Eigentumsvorbehalt entweder gar nicht bekannt, oder aber er wird in der *Praxis* anerkannt, jedoch ohne umfangreiche Schutzfunktionen, wie man sie aus Deutschland kennt.

Oft behilft man sich im Ausland – bei Fehlen des Instituts „Eigentumsvorbehalt" – daher mit der Eintragung eines (Handels-)Pfands in ein Pfandrechtsregister, das dann wie ein Eigentumsvorbehalt wirken soll. Nachteil dieses Verfahrens ist jedoch, dass deutsche Exporteure entweder diese Varianten nicht kennen, weil sie sich auf die bloße vertragliche Verabredung des deutschen Eigentumsvorbehalts verlassen, oder aber dass derart eingetragene Pfandrechte die Einhaltung zusätzlicher Voraussetzungen bedingen (wie etwa eine notarielle Beurkundung der Pfandrechtsklausel o.Ä.). Nachteil ist ferner, dass die Schutzfunktionen des deutschen Eigentumsvorbehalts (z.B. der Schutz vor Pfändungen durch Dritte) bei Verabredung eines einfachen Eigentumsvorbehalts im Ausland – trotz Anerkennung des Instituts in der ausländischen Praxis – meist nicht gegeben sind.

Dies gilt vor allem für zwei weitere Varianten des Eigentumsvorbehalts, die ebenfalls in Deutschland anerkannt sind. Das deutsche Recht kennt zum einen zusätzlich noch den *erweiterten Eigentumsvorbehalt*. Ein solcher findet sich insbesondere dann, wenn der Käufer der Ware diese im Rahmen seines Betriebes verarbeiten oder an eigene Kunden weiterveräußern will. Ist der Vorbehaltseigentümer damit einverstanden, dass der Käufer die unter Eigentumsvorbehalt ausgehändigte Ware weiterveräußert, dann kann er darauf bestehen, dass sein eigener Eigentumsvorbehalt sich „verlängert", sodass der neue Erwerber ebenfalls nur ein Anwartschaftsrecht an der Kaufsache erlangen kann. Liefert dagegen der Vorbehaltseigentümer Waren an einen Abnehmer, der diese im Rahmen seines Geschäftsbetriebs verarbeitet, so erwirbt der Abnehmer nach § 950 BGB als Hersteller das Eigentum und der Vorbehaltseigentümer verliert es. Der Vorbehaltseigentümer kann allerdings versuchen, sich hiergegen durch sogenannte Verarbeitungsklauseln zu sichern.

Der erweiterte Eigentumsvorbehalt, auch als Kontokorrentvorbehalt bezeichnet, kann mit dem *verlängerten Eigentumsvorbehalt* kombiniert werden. Die Besonderheit dieses Instituts besteht darin, dass nicht nur die dem Kaufvertrag zugrunde liegende Kaufpreisforderung erfüllt wird, sondern dass daneben noch weitere Forderungen erfüllt sein müssen, damit der Erwerber endgültig Eigentümer der Ware werden kann. Der erweiterte Eigentumsvorbehalt findet hauptsächlich Anwendung bei finanzierten Abzahlungskäufen. Hier ist dann der Eigentumsübergang nicht nur von der Bezahlung der Kaufpreisforderung, sondern auch von der Bezahlung der Darlehensforderung abhängig.

Beide Varianten, der erweiterte wie auch der verlängerte Eigentumsvorbehalt, sind ausländischen Rechtsordnungen fremd.

Im Ergebnis sollte daher der deutsche Exporteur keinen übermäßig gesteigerten Wert auf seine Eigentumsvorbehaltsklauseln legen, denn es gilt zusammengefasst:

- Der Eigentumsvorbehalt richtet sich immer nach der Rechtsordnung des Landes, in dem sich die Vorbehaltsware befindet;
- die „Vereinbarung deutschen Rechts" hilft daher nicht weiter;

- die Vereinbarung des Eigentumsvorbehalts sollte nach den Regeln des Landes erfolgen, in der der Abnehmer der Ware sitzt;
- dabei kann es – bei Nichtanerkennung des „Eigentumsvorbehalts" – eventuell möglich sein, an seiner Stelle ein Pfandrecht (nach den Regeln des Empfangslandes der Ware und in einem dortigen Register) einzutragen;
- die Schutzwirkungen des Eigentumsvorbehalts, wie aus Deutschland bekannt, versagen im Ausland häufig bzw. sind unbekannt;
- alternative Sicherungsformen der Kaufpreisforderungen, wie sie in den „Zahlungsbedingungen" des Kaufvertrags vereinbart werden, helfen schneller, besser und sicherer.

Vorbehaltskauf

21. Rechte des Vorbehaltsverkäufers: Die *Klauseln in Ziffer 3* stellen eine weitere Alternative des Eigentumsvorbehalts dar und können anstelle der voranstehenden Klauseln in Ziffer 1 und 2 genutzt werden. Erneut wird zu Beginn der Klausel 3 der einfache Eigentumsvorbehalt aufgegriffen, wonach das Eigentumsrecht beim Verkäufer (zu Sicherungszwecken) so lange verbleiben soll, bis der Käufer den Kaufpreis in voller Höhe gezahlt hat. Wie es beim einfachen Eigentumsvorbehalt üblich ist, gibt dieses Sicherungsrecht dem Vorbehaltsverkäufer das Recht, die Ware bei Nichtzahlung zurückzufordern oder aus der Verfügungsgewalt des Käufers zu entnehmen. Wenn der einfache Eigentumsvorbehalt also, wie er in den Musterklauseln (Ziffern 1 und 2) enthalten ist, nicht die von Deutschland her gewohnten Möglichkeiten eröffnet, kann der Verkäufer stattdessen versuchen, sich durch einen vertraglich vereinbarten Rückgabeanspruch/*Herausgabeanspruch* zu sichern. Dieser Gedanke ist in der Klausel (Ziffer 3) niedergelegt: danach bedingt sich der Verkäufer das Recht aus, bis zum Zeitpunkt der vollständigen Kaufpreiszahlung die Ware jederzeit wieder an sich nehmen zu dürfen und dazu auch die Geschäftsräume des Käufers zu betreten.

Die *Klausel in Ziffer 4* gibt einen wichtigen Hinweis zum Gefahrübergang. Normalerweise geht nach dem Grundprinzip des deutschen Rechts, wie es in § 929 BGB niedergelegt ist, das Eigentum mit der Übergabe auf den Käufer über. Zugleich geht in diesem Moment dann auch die Sachgefahr auf den Käufer über: Es ist ab dem Moment der Übergabe Risiko des Käufers, wenn die Kaufsache abhandenkommt, beschädigt wird, zerstört wird usw. Um dies auch deutlich und klar zu machen, wird in Exportverträgen vielfach darauf hingewiesen, dass trotz des „Vorbehalts" des Eigentums, den der Verkäufer ausspricht, trotzdem die Sachgefahr auf den Käufer übergeht. Da der Verkäufer mit Festlegung des Eigentumsvorbehalts immer noch ein Sicherungsinteresse an der Ware hat, da er sie im Fall der Nichtbezahlung zurückfordern können will, möchte er durch eine entsprechende Vertragsklausel sicherstellen, dass die Ware nicht zu Schaden kommt. Daher wird in der Vertragsklausel ausgedrückt, dass der Vorbehaltskäufer auf eigene Kosten eine ausreichend hohe Warenversicherung abschließen soll. Über eine erfolgte Versicherung soll der Vorbehaltsverkäufer schließlich auch noch informiert werden.

In *Klausel 5* des Vertragsmusters wird nur noch festgeschrieben, dass der Vorbehaltskäufer über die Ware im normalen Geschäftsgang verfügen darf, eine Selbstverständlichkeit bei Vorbehaltsverkäufen. Die *Klausel 6* ergänzt in diesem Zusammenhang, dass bei Vermischung oder Weiterverarbeitung der Vorbehaltsverkäufer (Teil-)Eigentum an der neu entstandenen Sache zugunsten des Vorbehaltsverkäufers entstehen soll, und zwar in dem prozentualen Verhältnis, in dem der Umfang der Vorbehaltslieferung gegenüber dem übrigen Anteil des neu hergestellten Produkts steht. Damit wird in den Ziffern 5 und 6 der Umstand beschrieben, dass ein Käufer die Ware verbraucht oder im Rahmen des normalen Geschäftsgangs verbindet, mit anderen Gegenständen vermischt oder verarbeitet. Dieser Aspekt, der im deutschen Recht unter dem Aspekt des „erweiterten Eigentumsvorbehalts" bekannt ist, ist ausländischen Rechtsordnungen grundsätzlich fremd; ein „erweiterter" wie auch ein „verlängerter" Eigentumsvorbehalt ist in ausländischen Rechtsordnungen fast durchweg nicht bekannt. Die Klauseln der Ziffern 5 und 6 lassen sich daher zwar vertraglich vereinbaren, bieten im Export deutscher Waren ins Ausland kaum oder gar keinen Schutz.

Klausel 7 des Mustertextes zum Eigentumsvorbehalt stellt schließlich klar, dass der Vorbehaltsverkäufer unverzüglich darüber informiert werden möchte, wenn ein Zugriff Dritter auf die Vorbehaltsware droht. Damit soll sichergestellt werden, dass der Vorbehaltsverkäufer rechtzeitig in der Lage ist, sich dem Zugriff entgegenzustellen und seine Rechte wahrzunehmen, die er gegenüber Dritten hat. In diesem Zusammenhang ist dann wiederum zu verweisen auf die Grundproblematik des Eigentumsvorbehaltsrechts, das im Ausland häufig keinen oder nur ungenügenden Schutz gegenüber dem Zugriff Dritter einräumt. Ein „Eigentumsvorbehalt" schützt im Ausland in den meisten Fällen nicht vor der Pfändung. Ein eingetragenes *Pfandrecht* kann dagegen in vielen Fällen Schutz bieten, wenn es nach den Regeln des Landes, in dem das Pfand eingetragen wurde, ordnungsgemäß bestellt wurde und das Land eine derartige Schutzwirkung anerkennt.

In jedem Fall ist bei Exportgeschäften immer zu beachten, dass der Eigentumsvorbehalt deutscher Prägung im Ausland entweder nicht bekannt ist oder nach oft völlig unterschiedlichen Voraussetzungen funktioniert. Daher sollte der deutsche Exporteur sich hinsichtlich des geltenden Rechts des Empfangslandes seiner Warenlieferung informieren. Die Deutschen Auslandshandelskammern, die unter dem Dach des DIHK an circa 75 Standorten weltweit aktiv sind, geben zu derartigen Fragen Hilfestellung und informieren auch darüber, ob anstelle der Eigentumsvorbehaltsklausel eine andere Form der Zahlungssicherung angestrebt werden sollte (z.B. Lieferung gegen Dokumentenakkreditiv der Bank des Käufers, gegen Bankgarantie, unter Zugrundelegung eines Wechselakzepts der Importbank o.Ä.).

§ 7 Gefahrtragung

6. Transfer of Risk

The goods shall be delivered at the risk of the buyer[22]. If the buyer requests any transport insurance this will be provided at the expense of the buyer.

Risk in the goods including all risks of loss or of damage to the goods shall pass to the buyer[23] at such time as they have been delivered. Delivery in this context means that the seller must place the goods at the disposal if the buyer at a named place of delivery (....... place), not loaded on any collecting vehicle on the date or within a period agreed or, if no such time is agreed, at the usual time for delivery of such goods. If no specific point has been agreed within the named place, and if there are several points available, the seller may select the point at the place of delivery which best suits his purpose.

If the contract of sale involves carriage of the goods at the buyer's request[24] and the Seller is not bound to hand them over at a particular place, the risk passes to the Buyer when the goods are handed over to the first carrier for transmission to the Buyer.

Gefahrtragung

22. Gefahrtragungsklausel: Diese Klausel wird gesondert behandelt, da sie im Außenhandel eine besonders wichtige Rolle spielt. Im Regelfall wird eine solche Klausel in Exportverträgen allerdings oft nicht ausdrücklich erwähnt, da sie bei Vereinbarung einer Incotermsklausel (im nachfolgenden Kapitel, in Ziff. 25) ohnehin mit enthalten ist. Um die wichtige Problemstellung der Gefahrtragungsklausel ausführlich darstellen zu können, wird daher eine Klausel im vorliegenden Mustervertrag ausnahmsweise gesondert angeführt (normalerweise genügt aber die Verabredung einer ausreichend umfangreichen „Lieferbedingung", z.B. einer Incotermsklausel).

Wenn bei einem Exportgeschäft die Ware verloren geht, zerstört oder beschädigt wird, stellt sich die Frage, welche der Vertragsparteien für diesen Umstand haftet und den Nachteil dieses Schadens zu tragen hat. In diesem Zusammenhang ist zu unterscheiden zwischen der Sach-, Leistungs- und Gegenleistungsgefahr.

Ob der Verkäufer beispielsweise von seiner Leistungspflicht frei wird (weil die *Leistungsgefahr* schon auf den Käufer übergegangen ist) oder ob er nochmals liefern muss, entscheidet nach allen Rechtsordnungen der Welt immer das für den Exportvertrag geltende Recht.

Umgekehrt wird die Frage, ob der Käufer den Kaufpreis zahlen muss, obwohl er die Ware gar nicht erhält oder aber beschädigt geliefert bekommt, nach der „*Preisgefahr* bzw. *Gegenleistungsgefahr*" beantwortet. Auch diese beurteilt sich nach dem für den Vertrag maßgeblichen Recht.

Unter welchen Bedingungen der Verkäufer frei wird bzw. der Käufer seine Gegenleistung erbringen muss, ist in den einzelnen Rechtsordnungen der Welt unterschiedlich geregelt. Schließlich gibt auch das UN-Kaufrecht zu diesem Thema einen entscheidenden Aspekt (Erläuterung dazu am Ende von Ziff. 22). Nachfolgend wird diese Thematik aus Sicht des deutschen Rechts dargestellt, da dieses für einen Exportvertrag sehr häufig grundlegend ist.

Im *deutschen Recht* findet sich eine allgemeine Bestimmung zum Gefahrübergang in § 446 Satz 1 BGB. Danach gilt, dass (erst) *mit Übergabe der Ware* die Gefahr des zufälligen Untergangs und der zufälligen Verschlechterung auf den Käufer übergeht. Das bedeutet in der Konsequenz für ein deutsches Exportgeschäft, dass der deutsche Exporteur im Grundsatz so lange im Risiko (der Verschlechterung, des Untergangs oder des Abhandenkommens der Ware) steht, bis er die Ware dem ausländischen Käufer im Ausland übergeben hat. Bildlich gesehen bedeutet dies tatsächlich, dass die Warenlieferung im Ausland angeliefert werden muss und dem ausländischen Geschäftspartner „in die Hand" gegeben werden muss. Mit dieser „Übergabe" geht dann erst die Sachgefahr vom deutschen Exporteur auf den ausländischen Importeur über – ein aus Sicht des deutschen Exports untragbarer (weil hoch riskanter) Aspekt!

Die Beweislast für einen *vereinbarten Zeitpunkt der Übergabe* trägt derjenige der beiden Geschäftspartner, der sich darauf beruft.

Unter „Gefahr" versteht man die Möglichkeit von Einwirkungen auf die Kaufsache, die vom Besitzer der Ware, jedem Dritten oder auch aus einer objektiven Sachlage heraus (z.B. verursacht durch ein Naturereignis) entstehen kann. Dabei wird unter *„Untergang"* die physische Zerstörung, aber auch die widerrechtliche Entziehung durch einen Dritten, ferner auch eine Beschlagnahme oder aber die Unmöglichkeit des Verkäufers zur Besitzverschaffung verstanden. Die *„Verschlechterung"* ist jede Qualitätsminderung oder die Beschädigung der Ware (oder eines Teils davon). Die *„Übergabe"* der Ware wird verstanden im Sinne der Pflichterfüllung des Verkäufers, wie er sie nach § 433 Abs. 1 Satz 1 BGB (Übergabe der Ware an den Käufer) hat. Es wird bei § 446 BGB auf den Augenblick des Vollzugs der Übergabe abgestellt.

PRAXISTIPP

Im internationalen Geschäft ist der Moment des Gefahrübergangs entscheidend, denn er entscheidet darüber, ob der Verkäufer bei Verlust oder Beschädigung der Ware nochmals liefern muss oder ob der Käufer schon bezahlen muss, obwohl er gar keine einwandfreie Ware erhalten hat.
Zur „Gefahrtragung" gibt es mehrere Varianten des Vorgehens: Grundsätzlich können die Geschäftspartner eine vertragliche Vereinbarung dazu treffen, da die gesetzlichen Bestimmungen (in §§ 446 und 447 BGB sowie auch in Art. 66 ff. CISG) abdingbar sind.
Eine Gefahrtragungsklausel kann individuell formuliert werden (wie das Klauselbeispiel im Vertragsmuster zeigt), wird aber in der Außenhandelspraxis üblicherweise im Rahmen der Lieferbedingung (z.B. durch Verabredung einer „Incotermsklausel") mit geregelt. Dies ist im nachfolgenden Kapitel (§ 8) näher ausgeführt.

Gefahrübergang

23. Vertragliche Änderung des Gefahrübergangs: Diese Vereinbarung ist (vertraglich) glücklicherweise *abdingbar*, sodass der Gefahrübergang durch vertragliche Vereinbarung verlegt, vorgezogen oder verschoben werden kann. Diesen Aspekt sollte ein deutscher Exporteur im eigenen Interesse besonders vorrangig betrachten und in jedem Geschäft immer wieder neu zur Grundlage der mit dem ausländischen Käufer getroffenen vertraglichen Absprachen machen. Die gesetzliche Regelung des § 446 BGB gilt daher immer nur dann (subsidiär), wenn es *keine* entsprechende Parteivereinbarung gibt. Eine solche *Parteivereinbarung* kann beispielsweise bestehen in:

- einer ausdrücklich verabredeten Verlagerung der Gefahrtragung zu einem anderen Zeitpunkt durch Vertragsgestaltung, wie sie in der zweiten Klausel des Mustertextes zur „Gefahrtragung" enthalten ist;
- durch Verlangen des Käufers, der es zur Vertragsvereinbarung macht, dass ihm die Ware zugesandt wird (sogenannter „Versendungskauf" im Sinne des § 447 BGB, nachstehend beschrieben, *Ziffer 24*)
- oder aber durch Einbindung einer standardisierten Lieferbedingung, die den Zeitpunkt des Gefahrübergangs auf einen anderen Moment verlegt (im folgenden Kapitel behandelt, *Ziffer 25*).

In der zweiten Textvariante der Gefahrtragungsklausel findet sich eine solche vertragliche Vereinbarung darüber, wann der Zeitpunkt des Gefahrübergangs sein soll. Für den Exporteur kann eine derartige Vereinbarung „überlebenswichtig" sein, da er mit ihr den Zeitpunkt des Gefahrübergangs, der normalerweise erst bei Anlieferung der Ware beim ausländischen Käufer läge, deutlich vorzieht auf den Moment, in dem er die Ware an einem bestimmten und festgelegten Ort zur Abholung bereitstellt. Die hier vorgestellte Musterklausel entspricht dem üblicherweise als „ab Werk" verstandenen Begriff und geht davon aus, dass der Exporteur die Ware nur noch aussondern, für den Versand bereitstellen und den Käufer über die Möglichkeit der Abholung informieren muss, bevor er dann schon das Risiko des Verlusts, der Beschädigung oder des Abhandenkommens der Ware loswird.

24. Versendungskauf: Eine weitere Variante der vertraglichen Verabredung liegt vor, wenn *der Käufer den Versand der Ware verlangt*. In einem solchen Versandgeschäft ist § 446 BGB *nicht* mehr einschlägig ist, da in Fällen des Versendungskaufs stattdessen die Sonderreglung des § 447 BGB anzuwenden ist.

Versendungskauf

Wenn danach „der Verkäufer *auf Verlangen des Käufers* die verkaufte Ware nach einem anderen Ort als den *Erfüllungsort*"... versendet, „so geht die Gefahr auf den Käufer schon dann über, wenn der Verkäufer die Sache dem Spediteur, dem Frachtführer oder der sonst zur Ausführung der Versendung bestimmten Person ... ausgeliefert hat". Will *der Käufer* den Versand der gekauften Sache, dann soll er auch die mit dem Versand einhergehenden erhöhten Risiken (Transportschäden; Verluste durch Beförderung) tragen. Diese Vorschrift gilt grundsätzlich nur bei beweglichen Gütern und unabhängig davon, ob der Verkäufer die Versendung selbst ausführt oder durch einen Dritten ausführen lässt. Die Bestimmung des § 447 BGB gilt aber nicht, wenn der Versand der Ware an einen anderen Erfüllungsort vereinbart wurde, da der Versand dann eine Bringschuld des Verkäufers ist.

PRAXISTIPP

Im Export ist der Versendungskauf eine häufige Variante des Kaufgeschäfts. Ein „Versendungskauf" liegt immer nur dann vor, wenn der Käufer die Ware an einen anderen Ort als den Erfüllungsort geschickt haben möchte (wenn er also den Versand an einen anderen Ort „verlangt"). Erfüllungsort ist normalerweise der Geschäftssitz des Verkäufers, der aber beim vereinbarten Versendungskauf nicht genutzt wird.
Zu beachten ist, dass der Versendungskauf eine Ausnahme vom Grundsatz ist, der sich aus § 446 BGB ergibt. Für den Exporteur ist das „Verlangen des Käufers", an einen anderen Ort zu versenden, günstig, da der für ihn sonst sehr spät erfolgende Gefahrübergang auf den Käufer auf jeden Fall zeitlich deutlich nach vorne verlagert wird.
Der Versendungskauf ist auch dann vorteilhaft für den Exporteur, wenn aus dem einen oder anderen Grund versäumt wurde, eine hilfreiche Incotermsklausel wirksam in den Vertrag einzubinden (dazu mehr im folgenden Kapitel).

Erfüllungsort ist immer der Wohn- oder Geschäftssitz des Schuldners (im Sinne des § 269 BGB), also der Sitz des Verkäufers/Exporteurs, an dem er seine Pflicht zur Übergabe und Übereignung der Ware vornimmt. Dort muss er die verkaufte Ware zur Abholung bereitstellen, sofern keine Versendung vereinbart wurde.

Daran ändert sich auch dann nichts, wenn dem Vertrag zufolge die Besitzübergabe und die Übergabe der Ware außerhalb des Wohn- und Geschäftssitzes des Verkäufers vollzogen werden sollen, da der Verkäufer am Erfüllungs- und Leistungsort alles das tun muss, was den Eintritt des Erfolgs am Ablieferungsort bewirken kann. Unter § 447 BGB fällt auch eine Versendung innerhalb derselben Stadt oder der Transport der Ware zur nächsten Bahnstation. Wenn der Verkäufer den gesamten Transport bis zum Sitz des Käufers durchführt, gilt § 447 BGB nicht mehr; der Verkäufer haftet in diesen Fällen für seine Erfüllungsgehilfen, derer er sich für den Transport der Ware bedient.

Unter *Gefahr* versteht man das Risiko des zufälligen Untergangs der Ware oder des Verlusts der Warensendung. Dazu gehört auch die zufällige Verschlechterung, wenn diese nicht vom Exporteur zu vertreten ist. *Keine Gefahr* liegt dagegen vor, wenn die Ware beschlagnahmt wird, diese Beschlagnahme aber nicht mit dem Transport zusammenhängt. Ferner liegt keine Gefahr vor, wenn der Lieferant des Verkäufers die Ware zurückruft, weil der Verkäufer/Exporteur die Ware nicht bezahlt hat.

Die *Wirkung des Gefahrübergangs* besteht darin, dass der Käufer trotz Verlusts oder Beschädigung der Ware den vollen Kaufpreis bezahlen muss (sogenannte *Gegenleistungs*gefahr, da der Käufer das Risiko trägt, seine „Gegenleistung" erbringen zu müssen, indem er den Kaufpreis zahlen muss). Allerdings verbleiben dem Käufer ab Auslieferung von beschädigter Ware etwaige Ansprüche gegen den Frachtführer (§§ 429 bis 431 HGB) oder den Spediteur (§ 407 Abs. 2 und §§ 388 bis 390 HGB).

Außerdem hat der Käufer Ansprüche gegen den Verkäufer, sofern dieser wegen des Verlusts oder der Beschädigung seinerseits einen Ersatz erlangt oder Ersatzansprüche geltend machen kann, also z.B. Schadensersatzansprüche gegen Dritte, auf eine Versicherungssumme o.Ä.

Die Regelung des § 447 BGB ist abdingbar, sodass die Geschäftspartner hinsichtlich der Gefahrtragung beim Versendungskauf frei sind, eine individuelle Regelung für das Geschäft zu treffen.

Für das *UN-Kaufrecht* (das auch abdingbar ist, also einer gegenteiligen Vertragsvereinbarung nicht im Wege steht) gelten – mangels anders lautender Vereinbarung der Geschäftspartner – die Art. 66 bis 70 CISG. Danach gilt zunächst, dass der Untergang oder die Beschädigung der Ware nach dem Gefahrübergang den Käufer grundsätzlich nicht von seiner Zahlungspflicht befreit, es sei denn, der Untergang oder die Beschädigung der Ware ist auf den Verkäufer zurückzuführen, Art. 66 CISG. Beim *Versendungskauf* kommt die spezielle Bestimmung des Art. 67 CISG zum Tragen: Danach geht die Gefahr auf den Käufer über, sobald die Ware gemäß den entsprechenden Absprachen im Kaufvertrag an den ersten (selbstständigen) *Beförderer* übergeben worden ist. Hierbei ist die Aushändigung der Ware an das den Transport ausführende Unternehmen entscheidend, also die Weitergabe der Ware an den Transporteur, die Bahn, den Paketdienst o.Ä. Die Weitergabe an eigene Mitarbeiter mit dem Ziel des Transports reicht für Art. 67 CISG nicht aus. Für die Weiterreichung der Ware an einen *Spediteur* gilt etwas Besonderes: Wenn er nicht selber eine Transportverpflichtung gegenüber dem Verkäufer eingeht, ist er auch nicht als „Beförderer" im Sinne des Art. 67 CISG anzusehen – es kommt also immer auf die Weitergabe an einen „Beförderer" an, mit dem ein entsprechender Transportvertrag zustande gekommen ist.

Sobald die Ware an den ersten Beförderer übergeben wurde und damit auch der Gefahrübergang stattfand, ist der Verkäufer nicht mehr verantwortlich für unsachgemäßes Handeln des Transporteurs. Hiermit zusammenhängende Risiken lassen sich im Übrigen von beiden Seiten durch eine reguläre Transportversicherung abdecken.

PRAXISTIPP

Die Gefahrtragungsregelung des UN-Kaufrechts findet man in den Art. 66 bis 70 CISG. Da die Regelungen des CISG durch Parteivereinbarung ausgeschlossen werden können, sind sie nur dann beachtlich, wenn keine anders lautende Vertragsklausel entgegensteht.
Das UN-Kaufrecht geht von dem Prinzip aus, dass beim Versendungskauf die Gefahr auf den Käufer übergeht, sobald der Verkäufer die Ware an den ersten selbstständigen Beförderer (also nicht an eigene Transportpersonen) übergibt. Die Art. 68 und 69 geben zu diesem Grundprinzip einige Sonderaspekte an.

Befindet sich die verkaufte *Ware* bereits *auf dem Transportweg*, geht die Gefahr im Zeitpunkt des Vertragsschlusses auf den Käufer über, Art. 68 Satz 1 CISG. Bei auf einem Schiff oder in einem Flugzeug befindlicher Ware ist dieser Aspekt wichtig. Allerdings kann nach Art. 68 Satz 2 CISG eine Vorverlegung des Gefahrübergangs eintreten, „... sofern die Umstände einen solchen Schluss nahe legen ...". In allen nicht durch Art. 67 und 68 CISG erfassten Fällen tritt der Gefahrübergang beim Käufer ein, wenn er die Ware übernimmt (oder wenn sie ihm zur Verfügung gestellt wird und er sie nicht sofort abnimmt), Art. 69 Abs. 1 CISG.

§ 8 Lieferbedingung

7. Terms of Delivery[25]

The purchase price shall be EUR 25.000, fob Bremen (Incoterms 2010)[26, 27].

The purchase price shall be EUR 25.000, cif Bremen (Incoterms 2010)[28].

The seller shall deliver the merchandise "ex works, Incoterms 2010". Any costs arising out of the delivery of the merchandise, i.e. costs for transport, insurance as well as any taxes and custom duties shall be at the seller's expense. The risk in the goods shall pass from the seller to the buyer upon delivery of the merchandise to the carrier or another person nominated by the buyer ...[29].

The seller must deliver the goods, hand over any documents relating to them and transfer the property in the goods, as required by the contract. If the seller is not bound to deliver the goods at any other particular place, his obligation to deliver consists:

- **if the contract of sale involves carriage of the goods in handling the goods over to the first carrier for transmission to the buyer;**
- **in other cases in placing the goods at the buyer's disposal at the place where the seller had his place of business at the time of the conclusion of the contract[30].**

Lieferbedingungen

25. Lieferbedingung: Eine typische Lieferbedingung legt fest, unter welchen Umständen die Waren*lieferung* vom Verkäufer auf den Käufer erfolgt. Dabei wird in einer Lieferbedingung aufgeführt, welcher der Geschäftspartner die *Kosten* der Warenlieferung (ab wann, bis wohin, in welchem Umfang) zu tragen hat. Neben der Regelung zur Kostentragung wird in Lieferbedingungen sehr oft – und im Außenhandel regelmäßig – auch eine vertragliche Vereinbarung darüber getroffen, zu welchem Zeitpunkt der Warenlieferung die Gefahr vom Verkäufer auf den Käufer übergehen soll. In diesem Zusammenhang wird daher die Parteivereinbarung im Rahmen einer „Lieferbedingung" gleich mit getroffen, die im vorhergehenden Abschnitt (unter Ziff. 22) noch gesondert behandelt worden war. Da die gesetzlichen Bestimmungen (z.B. § 447 BGB oder Art. 66 ff. CISG) abdingbar sind, treffen die Geschäftspartner mit der Festlegung einer Lieferbedingung für ihr Geschäft immer eine für beide Parteien rechtsverbindliche Verabredung.

Lieferbedingungen lassen sich völlig frei formulieren, wie sich auch im Mustervertrag erkennen lässt (vgl. dort, Ziffern 22 und 23). Nachteil einer solchen Formulierung ist jedoch, dass sich Fehler einschleichen können, möglicherweise wesentliche Aspekte unberücksichtigt bleiben oder aber bestimmte Marktgepflogenheiten oder Übungen und Gebräuche unberücksichtigt bleiben. Daher empfiehlt es sich im Außenhandel, möglichst auf standardisierte Lieferbedingungen zurückzugreifen, die weltweit anerkannt sind und gleichermaßen angewandt werden. Besonders bewährt haben sich hier die „Incoterms" der Internationalen Handelskammer, Paris, oder aber standardisierte Lieferbedingungen bestimmter Branchen und Verbände, die grundsätzlich mit den zu ihren Bereichen passenden Standardbedingungen arbeiten.

Ein Aspekt ist schließlich noch der Einsatz der Lieferbedingung an sich. Exporteure vergessen bei ihren (mündlichen/telefonischen) Geschäftsabschlüssen oft die wichtige Komponente der Lieferbedingung oder vertrauen darauf, dass sie entweder in der Auftragsbestätigung noch nachgeholt werden kann (zu dieser Problematik siehe oben, vor allem Ziff. 1.2. und 1.8.) oder über AGB wirksam in den Vertrag einbezogen worden ist.

PRAXISTIPP

Lieferbedingungen sind individuell vereinbarte – oder als standardisierte Texte vorhandene und angewandte – Vertragsklauseln, die eine Regelung darüber treffen, welcher der beiden Geschäftspartner welche Kosten des Liefergeschäfts und bis zu welchem bzw. ab welchem Moment der Lieferung zu tragen hat. Darüber hinaus wird eine Vereinbarung darüber getroffen, wann der Gefahrübergang vom Verkäufer hin zum Käufer stattfindet.

Individuell verabredete Lieferbedingungen sind immer möglich, bergen aber den Nachteil, dass sie – insbesondere im Auslandsgeschäft – beim ausländischen Geschäftspartner möglicherweise falsch verstanden oder interpretiert werden; insbesondere im fremdsprachlichen Bereich kann es leicht zu Missverständnissen kommen.

Daher empfiehlt es sich, im Regelfall standardisierte Lieferbedingungen anzuwenden, die weltweit entweder durch die Incoterms der Internationalen Handelskammer oder aber auch als sogenannte Branchenbedingungen in bestimmten Industrien Verwendung finden.

Zu beachten ist in diesem Zusammenhang, dass derart wichtige Vertragsbestandteile, wie sie die Lieferbedingungen vor allem mit ihrer Gefahrtragungsklausel darstellen, im „Kleingedruckten" nichts zu suchen haben: Die Lieferbedingung gehört grundsätzlich in den individuell ausgehandelten Vertrag und nicht nur in die AGB, in deren Regelungskomplex sie als „überraschende" Klausel leicht untergehen oder übersehen werden kann und daher das Risiko in sich birgt, gar nicht anerkannt zu werden.

Incoterms

26. Incoterms: Die „Incoterms" sind standardisierte Lieferbedingungen, die die Internationale Handelskammer zur Verfügung gestellt hat. Die aktuellste Version dieser Musterbedingungen stammt aus dem Jahr 2010 und ist die ICC-Publikation mit der laufenden Nummer 715.

Incoterms werden nur dann Inhalt des Exportvertrags, wenn sich die Geschäftspartner auf deren Geltung verständigen und eine Einigung über die zur Anwendung gelangende Klausel erzielt wird.

Auslegung

Zweck der Incoterms ist es, international gleichermaßen anerkannte Regeln zur Auslegung von Lieferbedingungen in Kaufverträgen aufzustellen. Die Neufassung der Incoterms 2010 weist ausdrücklich darauf hin, dass Incoterms sowohl für *national* wie auch für *international* eingesetzte Lieferbedingungen verwendet werden können. Dadurch werden Unsicherheiten vermieden, die durch ein unterschiedliches Verständnis derartiger Klauseln in verschiedenen Ländern auftreten können; Streitigkeiten wegen der Auslegung werden dadurch von vornherein vermieden. Einige Begriffe, die in den Incoterms verwendet werden, bedürfen einer besonderen Erläuterung.

Zu einer *einheitlichen Auslegung* trägt bei, dass bereits allen bisherigen ICC-Veröffentlichungen der Incoterms (also alle Textversionen der vorangegangenen Auflagen) bis hin zur jüngsten Publikation der Incoterms 2010 jeweils eine *Einleitung/Einführung* zum Zweck und Umfang der Klausel sowie eine Begriffsinterpretation vorangestellt werden.

Zweck der Incoterms 2010 ist es nach dem Anwendungshinweis der ICC-Publikation, internationale Regeln zur *Auslegung* der hauptsächlich verwendeten Vertragsformeln in Außenhandelsverträgen aufzustellen. Es sollen dadurch Unsicherheiten, die durch die unterschiedliche Auslegung solcher Klauseln *in verschiedenen Ländern* entstehen, vermieden oder zumindest erheblich eingeschränkt werden.

Der der Texteinführung folgende Teil der Publikation enthält die Erläuterung einiger Begriffe, die Anlass zur Auslegung sein könnten. Dies geht von Begriffen wie „Verlader, Lieferung, üblich, Abgaben" usw. bis hin zu Erläuterungen des Grundprinzips, das hinter den E-, C-, F- und D-Klauseln steht. Sind dann immer noch Fragen offen und besteht weiterer Bedarf an einer Auslegung, ist im Zweifel die englische Fassung der Incotermsregeln heranzuziehen. Um dies klar zu stellen: Die zu Beginn der ICC-Publikation vorhandene „Einführung" ist nicht Bestandteil einer zwischen Vertragsparteien vereinbarten *Incotermsklausel*, sondern dient nur der Auslegung der in den *Incotermsregeln* verwendeten Begriffe.

Ein wesentlicher Punkt, der leicht zu Verwirrung führen kann, ist die Notwendigkeit der *möglichst präzisen Ortsangabe*, die in der Praxis oft versäumt wird. Die Incotermsregeln selber verwenden verschiedene Begriffe wie „Verschiffungshafen" oder „Bestimmungshafen", ansonsten häufig aber auch nur den Begriff „Ort". Da es in Kaufverträgen, die den reinen Leistungsaustausch der Vertragsparteien bestimmen, häufig zu einem Fehlen von Ortsangaben kommt, ist es umso wichtiger, dass die Ortsangabe zumindest im Zusammenhang mit der gewählten Klausel erfolgt. Die Regeln sehen dies jedenfalls so vor, wenn sie von *„...der benannte Ort..."* sprechen. Da bei Fehlen einer Ortsbenennung mehrere Stellen in Betracht kommen können, wird in den Incotermsregeln an passender Stelle darauf hingewiesen, dass der Verkäufer die ihm am besten zusagende Stelle auswählen darf.

Wenn es allerdings derartige Auslegungshilfen nicht gibt, kann nur mithilfe des zurückliegenden Parteiverhaltens, also aus ähnlich gelagerten, schon abgewickelten Fällen, geschlossen werden, was eventuell hätte gemeint sein können, wenn man an die Notwendigkeit der Ortsangabe gedacht hätte. Helfen aber auch Parteigepflogenheiten und Handelsbrauch bei der Auslegung nicht weiter, ist die gewählte Klausel nicht sicher anwendbar und kann ihren Nutzen nicht vollständig entfalten.

Einzelne Begriffe

Delivery: Im Rahmen der Incoterms wird vielfach der Begriff „delivery", und zwar gleichzeitig für „Lieferung" wie auch für „Abnahme", verwendet. Dieses Wort kann missverständlich sein und bedarf daher einer näheren Bestimmung.

- Zum einen wird der Begriff „delivery" in den Incoterms genutzt um festzulegen, *wann* der Verkäufer seine *Lieferverpflichtung erfüllt* hat, indem er die Ware dort bereitgestellt hat, wo er sie nach der Vertragsvereinbarung abliefern soll. Das kann bei „ab Werk" beispielsweise die Bereitstellung der Ware zur Abholung am Werkstor sein, bei „cif" die Anlieferung der Ware an Bord eines Schiffes im Verschiffungshafen.
- Zum anderen wird der Begriff „delivery" im Zusammenhang mit der Verpflichtung des Käufers verwendet, die *Ware entgegenzunehmen* oder *ihre Lieferung anzuerkennen*. Bei „ex works" wäre dies die „Abnahme der Ware", bei „cif" die Anerkennung durch den Käufer, dass die Ware in Übereinstimmung mit dem Liefervertrag an Bord eines benannten Schiffes geliefert wurde. Außerdem zählt die Pflicht dazu, die Ware beim Frachtführer im Bestimmungshafen abzunehmen.

Gelegentlich wird auch der Ausdruck verwendet, wonach der Verkäufer „dem Käufer die Ware zur Verfügung stellt". Gemeint ist damit, dass die Ware an einem bestimmten Ort für den Käufer bereitgestellt wird. Dieser Ausdruck ist zugleich auch im Sinne des Begriffs „Übergabe der Ware" gemeint, der im UN-Kaufrecht verwendet wird.

Charges/Abgaben: Auch die Abgaben bei der Einfuhr der Ware sind ein Begriff, der missverständlich sein kann. Die zu zahlenden Abgaben bei der Einfuhr sind nach dem Grundkonzept der Incoterms alle Abgaben, die durch den Importvorgang anfallen und die daher nach den anwendbaren Einfuhrbestimmungen zu zahlen sind. Zusätzliche Abgaben, die durch Unternehmen im Zusammenhang mit dem Import der Ware noch in Rechnung gestellt werden, zählen nicht zu den öffentlichen „Abgaben“, also beispielsweise Lagergebühren, die mit der Verpflichtung zur Freimachung in keiner Beziehung stehen.

Die *Lieferverpflichtungen des Verkäufers* werden in den Incoterms besonders betont. Die genaue Verteilung der im Zusammenhang mit der Lieferung der Ware durch den Verkäufer zu erfüllenden Leistungen und zu tragenden Kosten verursacht in der Regel keine Probleme, wenn die Parteien *ständige* Handelsbeziehungen miteinander unterhalten und sich darauf verlassen, dass das auch in den künftigen Geschäften wieder so gehandhabt wird. Bei neuen Geschäftsverbindungen jedoch müsste man auf die genaue Vereinbarung der einzelnen Pflichten Wert legen und die möglichst genaue Aufteilung der jeweiligen Leistungen festlegen. Die Incoterms können, um möglichst weitgehend genutzt werden zu können, keine weitergehende Festlegung der „Lieferverpflichtung“ vornehmen. Insofern sollte der Exporteur darauf achten, dass er seinerseits – trotz Anwendung der Incotermsklauseln für seine Geschäfte – eine möglichst präzise Beschreibung seiner Lieferpflicht vornimmt.

Kosten- und Gefahrübergang

Der *Kosten- und Gefahrübergang* ist ein zentraler Regelungsinhalt aller Incoterms. Der Gefahrübergang findet statt, wenn der Verkäufer seine Verpflichtung zur Lieferung erfüllt hat. Um zu vermeiden, dass der Käufer diesen Gefahrübergang verzögern kann, legen alle Incotermsklauseln fest, dass der Moment des Kosten- und Gefahrübergangs auch vor der Lieferung liegen kann, wenn der Käufer die Ware nicht wie vereinbart abnimmt (sich also im Annahmeverzug befindet) oder wenn er es versäumt, Anweisungen zu geben, die der Verkäufer zur Erfüllung seiner Lieferverpflichtung benötigt. Diese Angaben beziehen sich üblicherweise auf den Verladetermin und/oder den Abladeort. Damit das alles möglich ist und der Kosten- und Gefahrübergang vorgezogen werden kann, muss die Ware bereits konkretisiert und als für den Käufer bestimmt kenntlich gemacht worden sein.

Den *Gefahrübergang* behandeln die Incoterms als Übergang der „Preisgefahr“. Sobald danach die Gefahr auf den Warenabnehmer übergegangen ist, muss der Kaufpreis bezahlt werden, selbst wenn die Ware nach diesem Zeitpunkt zufällig untergeht oder eine schädigende Wertminderung eintritt.

Je nach Wahl des Klauseltyps wird eine Vereinbarung hinsichtlich der *Kostenverteilung* getroffen. Dabei geht es um jegliche Kosten, die im Zusammenhang mit einer grenzüberschreitenden Lieferung entstehen. Eingeschlossen sind auch die Transportversicherung (z.B. in den Klauseln „cif" oder „frachtfrei versichert") sowie eine Regelung darüber, dass der Abschluss eines Beförderungsvertrags, die Frachtzahlung sowie die Andienung der Transportdokumente durch eine Partei vorzunehmen sind.

Zu beachten ist, dass sich die Incoterms nur auf den Gefahrtragungs- und den Kostentragungsaspekt beziehen. Sie regeln grundsätzlich nicht die ebenfalls im Exportvertrag interessierenden Fragen der Mängelhaftung, der Leistungsstörungen (Unmöglichkeit, Liefer- und Annahmeverzug, Verletzung sonstiger vertraglicher Nebenpflichten), etwaige Rügepflichten, Verjährungsfristen oder auch die Zahlungsmodalitäten des Vertrags. Fragen des Eigentumsübergangs und des Eigentumsvorbehalts sowie Fragen des auf den Vertrag anwendbaren Rechts und des Gerichtsstands werden ebenfalls von Incoterms nicht berücksichtigt.

PRAXISTIPP

Die „Incoterms" sind standardisierte Lieferbedingungen, die die Internationale Handelskammer zur Verfügung gestellt hat. Die aktuelle Version dieser Musterbedingungen stammt aus dem Jahr 2010 (Publikation Nr. 715 der ICC).
Incoterms werden nur dann Inhalt des Exportvertrags, wenn sich die Geschäftspartner auf deren Geltung verständigen und eine Einigung über die zur Anwendung gelangende Klausel erreicht wird.
Zweck der Incoterms ist es, internationale Regeln zur Auslegung der hauptsächlich verwendeten Lieferbedingungen in nationalen und internationalen Kaufverträgen aufzustellen. Dadurch werden Unsicherheiten vermieden, die durch ein unterschiedliches Verständnis derartiger Klauseln in verschiedenen Ländern auftreten können; Streitigkeiten wegen der Auslegung werden dadurch von vornherein vermieden.

Welche der insgesamt elf zur Verfügung stehenden Incoterms letztlich vertraglich vereinbart wird, hängt sehr stark von der Markt- und Verhandlungsposition der Vertragspartner ab. Gibt es einen „Verkäufermarkt" mit sehr starker Nachfrage, dann kann der Verkäufer die ihn begünstigenden Klauseln (z.B. ex works) durchsetzen; im umgekehrten Fall wird der Käufer darauf drängen, den Zeitpunkt des Gefahrübergangs möglichst spät zu legen und ihn auf den Zeitpunkt der Warenanlieferung an seinem Geschäftssitz festzusetzen.

Ist es im Einzelfall nicht möglich, sich bei Abschluss des internationalen Liefervertrags für eine bestimmte Stelle oder einen umgrenzten Raum zu entscheiden, wo die Ware vom Verkäufer zur Beförderung oder am Bestimmungsort übergeben werden soll, und wird festgelegt, dass die genaue Ortsbeschreibung erst später erfolgen soll, dann kann das Versäumnis einer Benennung des Platzes oder Ortes zu Risiken und auch zusätzlichen Kosten führen. Versäumt der Käufer es, sein Recht zur Benennung eines Ortes auszuüben, kann dem Verkäufer das Recht zufallen, sich die Stelle auszusuchen.

Üblicherweise muss der Exporteur die Ware zur Ausfuhr abfertigen, während der Importeur die Einfuhrabfertigung übernimmt. Bei einigen Klauseln (EXW und FAS) übernimmt es der Käufer, im Exportland die Ware zur Ausfuhr abzufertigen, während es bei der Klausel DDP der Verkäufer übernimmt, die Ware im Einfuhrland zur Einfuhr abzufertigen. In diesen Fällen trägt der jeweils verpflichtete Verkäufer bzw. Käufer das Risiko eines Aus- bzw. Einfuhrverbots und bleibt stets auch der Zollschuldner.

Möglich ist es auch, dass ein Käufer die Ware nach der EXW-Klausel vom Gelände des Verkäufers abholen oder die Ware nach der FAS- Klausel längsseits eines Schiffs übernehmen will, es jedoch vorzieht, die Ware vom Verkäufer zur Ausfuhr Zoll abfertigen zu lassen. In diesen Fällen kann der Incotermsklausel der Zusatz „... zur Ausfuhr abgefertigt" beigefügt werden.

In Ländern, in denen es für ausländische Unternehmen schwierig ist, eine Einfuhrbewilligung und eine Zollerstattung (etwa für die Einfuhrumsatzsteuer) zu erhalten, kann die Klausel „Geliefert unverzollt" hilfreich sein, da der Verkäufer dadurch vollständig von der Verpflichtung zur Ausführung der Zollformalitäten befreit ist.

Die beste Verpackung für die jeweilige Warenlieferung und die Beförderung ist in den meisten Fällen bekannt. Da jedoch die Verpflichtung des Verkäufers, die Ware zu verpacken, sich nach der Art und Dauer des vorgesehenen Transports richtet, hat die Internationale Handelskammer bei den Incoterms festgelegt, dass der Verkäufer die Ware transportgerecht zu verpacken hat, allerdings nur soweit – und in Übereinstimmung mit Art. 35 CISG – als ihm die Umstände des Transports vor Abschluss des internationalen Liefervertrags bekannt sind.

Der Käufer sollte aus praktischen Erwägungen eine Prüfung der Ware vor oder spätestens zum Zeitpunkt der Verladung vornehmen lassen, damit etwaige Mängel rechtzeitig bekannt werden. Allerdings geschieht eine solche Warenkontrolle vor Verschiffung mangels anderweitiger vertraglicher Vereinbarung auf Kosten des Käufers, wenn er eine solche Prüfung im eigenen Interesse durchführen lässt. Anders ist es nur, wenn schon bei Vertragsabschluss eine andere Kostenverteilung vereinbart wurde oder wenn aufgrund behördlicher Auflagen des Ausfuhrlandes eine Prüfung durch den Verkäufer zwingend vorgeschrieben ist.

Klauselinhalte: In einem Überblick lässt sich erkennen, welche Schwerpunkte die elf Incotermsklauseln bilden.

<table>
<tr><td colspan="3">Die Incoterms der Internationalen Handelskammer, Paris, regeln in vier Klauselgruppen Lieferbedingungen und legen Gefahrübergang sowie die Kostentragung der Parteien in Außenhandelsgeschäften fest. Zur Auslegung der Incoterms (2010) wird auf die von der Internationalen Handelskammer in der Broschüre Nr. 715 vorgegebenen Auslegungskriterien und Begriffsbestimmungen verwiesen.</td></tr>
<tr><td>E-Klausel
(Kosten- und Gefahrübergang am Lieferort)</td><td>EXW</td><td>Ab Werk
ex works</td></tr>
<tr><td>F-Klauseln</td><td>FCA

FAS

FOB</td><td>Frei Frachtführer
free carrier

Frei Längsseite Schiff
free along-side ship

Frei an Bord
free on board</td></tr>
<tr><td>C-Klauseln
(Gefahrübergang am Lieferort; Kostenübergang am Bestimmungsort)</td><td>CFR

CIF

CPT

CIP</td><td>Kosten und Fracht
cost and freight

Kosten, Versicherung, Fracht
cost, insurance, freight

Frachtfrei
carriage paid to

Frachtfrei versichert
carriage and insurance paid to</td></tr>
<tr><td>D-Klauseln
(Kosten- und Gefahrübergang am Bestimmungsort)</td><td>DAP

DAT

DDP</td><td>Geliefert am Ort
delivered at place

Geliefert Terminal
delivered at terminal

Geliefert verzollt
delivered duty paid</td></tr>
</table>

Der Aufbau der Incoterms 2010, beginnend mit der E-Gruppe über die F-, C- bis hin zur D-Gruppe, ist dabei so konzipiert, dass

- sich die Pflichten des Verkäufers von der geringsten Pflichtenstufe der E-Gruppe allmählich immer stärker – bis zur D-Gruppe – steigern,
- während umgekehrt die Pflichten des Käufers in der E-Gruppe besonders hoch und in der D-Gruppe sehr viel niedriger sind.

Die Gruppierung der Incoterms 2010 in vier unterschiedlich gewichtete Abstufungen der Pflichten ermöglicht es den Anwendern dieser standardisierten Lieferbedingungen, schon auf den ersten Blick eine erste grobe Auswahl danach zu treffen, welche der Vertragsparteien durch welche Pflichtenlast besonders betroffen und welche Partei stärker geschont werden soll.

E-Gruppe: Hier sind die Pflichten des Verkäufers darauf beschränkt, dass er die Ware am benannten Ort zur Abholung zur Verfügung stellt; diese „Abholklausel" ist für ihn besonders vorteilhaft, weil im Rahmen der Geschäftsabwicklung der Kosten- und Gefahrübergang recht früh erfolgt.

F-Gruppe: Auch diese Gruppe ist für den Verkäufer günstig, weil Kosten- und Gefahrübergang noch recht nahe an seiner Sphäre auf den Käufer übergehen: Der Verkäufer braucht lediglich die Ware an einen vom Käufer beauftragten Frachtführer zu übergeben, um zu erreichen, dass Kosten- und Gefahrübergang an den Käufer erfolgen.

C-Gruppe: Diese Gruppe nennt man auch die Gruppe der „Zweipunktklauseln", da der Kostenübergang und der Gefahrübergang zu unterschiedlichen Zeiten erfolgen. Zuerst muss der Verkäufer den Beförderungsvertrag auf seine Kosten abschließen; der Gefahrübergang erfolgt, sobald die Ware an den Frachtführer übergeben wurde.

D-Gruppe: Hier verbleiben Kosten und Risiken auf Seiten des Verkäufers, bis die Ware im benannten Bestimmungsland bzw. an einem benannten Bestimmungsort eintrifft. D-Klauseln nennt man daher auch „Ankunftsklauseln".

Ordnung der Klauselinhalte

Seit der Fassung der Incoterms 1990 wurde eine Systematik genutzt, nach der jede einzelne Klausel nach stets demselben Aufbau interpretiert wurde.

Die damals 13 – in der Textfassung der Incoterms 2010 nur noch elf – *Incotermsklauseln* werden in je zehn Käufer- und Verkäuferpflichten (Incoterms*regeln*) untergliedert und dabei nach einem bestimmten, für jede Klausel beibehaltenem Muster weiter konkretisiert.

Vom Druckbild der Original-ICC-Texte her betrachtet befinden sich bei den *Incotermsregeln* die jeweils zehn Verkäuferpflichten jeweils auf der linken, die korrespondierenden Käuferpflichten auf der rechten Seite der Texte. In der Terminologie der Incoterms wird bei diesen Parteipflichten von „Incoterms*regeln*" gesprochen.

Die *je zehn Incotermsregeln*, die die Verkäufer betreffen (A 1 bis A 10) und die *je zehn Incotermsregeln,* die den Käufer betreffen (B 1 bis B 10), haben stets dieselbe Anordnung.

Die Incotermsregeln verwenden soweit wie möglich gleichlautende Formulierungen, sodass Ungenauigkeiten oder Missverständnisse vermieden werden. Haben die Vertragsparteien bei der Betrachtung unterschiedlicher Klauseln ein und dieselbe Verpflichtung zu erfüllen, wird für die untersuchte Verpflichtung auch stets dieselbe Formulierung verwendet, soweit diese Pflicht infrage kommt. Dies erleichtert den unmittelbaren Vergleich der Verpflichtungen unterschiedlicher Incotermsklauseln.

Gelegentlich kann es in der Ausgestaltung einzelner Unterpunkte (A 1 bis A 10 und B 1 bis B 10) vorkommen, dass der jeweilige Unterpunkt „keine Verpflichtung" für die betroffene Partei vermerkt. Dies hat dann nur zu bedeuten, dass die Klausel selber an dieser Stelle keine eigenständige Verpflichtung schafft, eine solche Verpflichtung aber gleichwohl aus sonstigen Parteivereinbarungen heraus bestehen kann.

So besagt beispielsweise bei der Klausel EXW der Punkt A 3 für den Verkäufer, ebenso wie der Punkt B 3 für den Käufer gleichlautend: *„Beförderungsvertrag: Keine Verpflichtung. Versicherungsvertrag: Keine Verpflichtung".* Auch wenn damit die Klausel EXW keine Verpflichtung aufstellt, kann sich eine Verpflichtung zum jeweils notwendigen Vertragsabschluss gleichwohl aus den sonstigen Parteivereinbarungen ergeben oder aber (gerade im Hinblick auf eine meist notwendige Versicherung der Ware) zumindest sinnvoll sein.

Marktposition

Letztlich ist die Auswahl der für das jeweilige Geschäft geeigneten Klausel davon abhängig, wie die jeweilige Marktstellung der Vertragspartner ist. In einem Verkäufermarkt, in dem der Verkäufer in der besseren Geschäfts- und Marktposition ist, lässt sich zu seinen Gunsten eine E-Klausel leichter durchsetzen, als es umgekehrt in einem Käufermarkt der Fall ist: Hat nämlich der Käufer die stärkere Marktposition, dürfte sich eine den Käufer stärker begünstigende C- oder D-Klausel deutlich leichter durchsetzen lassen.

Funktionen der Incoterms als Standardbedingungen	
Hauptfunktion	Die Ware muss vom Versandort zum Bestimmungsort verbracht werden – die Transportart ist beliebig. Wichtig ist die Festlegung des Ortes/Zeitpunktes, an dem der Kosten- und Gefahrübergang vom Verkäufer auf den Käufer stattfindet. Dies wird ausdrücklich in den Incotermsregeln (A 5 und A 6 sowie B 5 und B 6) festgelegt. Jede Klausel der Incoterms 2010 legt damit fest: • Welche Partei (Verkäufer oder Käufer) übernimmt welche Pflicht für seinen Abschnitt des Warentransports? • Welche Kosten trägt jede Partei? • Wer trägt bis wann/ab wann das Risiko der zufälligen Verschlechterung, des Untergangs, des Verlusts der Ware?
Weitere Bestandteile der Parteivereinbarung, die durch die Incoterms beeinflusst werden können (soweit *einschlägig* und *anwendbar*)	• *Warendokumente* (Lizenzen, Ursprungszeugnisse, Zertifikate usw.) – wer muss sie besorgen? • *Transportdokumente* (Lieferschein, Konnossement, Frachtbriefe usw.) – wer beschafft sie und wer trägt dafür die Kosten? • *Versicherung* – wer versichert, was wird versichert, wer trägt die Kosten? • *Information* – wer informiert wen, worüber und wann? • *Warenprüfung* – wer kümmert sich darum, wer trägt die damit im Zusammenhang stehenden Kosten? • *Verpackung* der transportierten Ware – wie muss verpackt werden (z.B. „seemäßig") und wer trägt die Kosten?

Transportart Großen Einfluss auf den Einsatz der infrage kommenden Klausel hat auch die Transportart. Einige Klauseln sind besonders für den Seetransport mittels Schiff geeignet (FAS, FOB, CFR, CIF), während alle anderen Klauseln der Incoterms 2010 für alle Transportarten (einschließlich Schiff) geeignet sind.

Die Klauselauswahl wird vor allem unter dem Gesichtspunkt der *Gefahr- und Kostentragung* getroffen.

E-Gruppe Die Auswahl der E-Gruppe mit der Klausel EXW ist dann zu treffen, wenn der Käufer die Risiken und Kosten des Gesamttransports der Ware ab Werk des Verkäufers zu tragen und sich auch um öffentliche Abgaben wie Zölle zu kümmern hat. Bei „ex works" handelt es sich um eine reine Abholklausel.

F-Gruppe Die drei Klauseln der F-Gruppe (FCA, FAS und FOB) sind dann die richtige Auswahl, wenn der *Verkäufer den Haupttransport nicht* bezahlt. Stattdessen liefert er die Ware entweder nur frei an den Frachtführer (FCA), frei an die Längsseite des Schiffes (FAS) oder frei an Bord des Schiffes (FOB), wobei „frei" bedeutet, dass der Verkäufer die Kosten der Anlieferung bis zu diesem benannten Punkt zu tragen hat.

Gefahr- und Kostenübergang vom Verkäufer auf den Käufer treten jeweils bei Übergabe am Lieferort im Exportland ein. Da der Verkäufer seine vertraglichen Verpflichtungen damit noch im Exportland erfüllt, zählen die Klauseln der F-Gruppe zu den Absendeverträgen.

Der Käufer kann ein Interesse an der Übernahme des Transports haben, weil er entweder die Auswahl der Transportmittel (Schiffe unter bestimmter Flagge, Transportmittel des Importlandes, sogenanntes fob-Importieren usw.) selber bestimmen und einsetzen möchte, etwaige Devisenbestimmungen nutzen möchte, mit dem Selbstaussuchen der Transportmittel Mengenrabatte oder besondere Vergünstigungen (vergünstigte Frachtraten) nutzen möchte usw.

Bei F-Klauseln trägt der Käufer die Kosten des Haupttransports. Das verhindert nicht die grundsätzlich mögliche Vereinbarung mit dem Verkäufer, dass dieser sich um die Beauftragung des Transports kümmert, z. B. weil er bessere Konditionen erzielen kann, solange nur sicher gestellt ist, dass der Käufer die entstehenden Kosten trägt.

C-Gruppe Auch die Klauseln der C-Gruppe betreffen den Haupttransport, aber nur, wenn er *vom Verkäufer bezahlt* wird. Der Verkäufer wird ein Interesse am Einsatz einer Klausel der C-Gruppe haben, wenn er den Transport deutlich günstiger in Auftrag geben kann (z. B. Ausnutzen von Mengenrabatt), es die Devisenbestimmungen erfordern oder er den Einsatz von Transportmitteln des Exportlandes einfach nur bevorzugt (sogenanntes cif-Exportieren).

Der Verkäufer zahlt

- entweder nur Kosten und Fracht (CFR) bis zum benannten Bestimmungshafen
- oder Kosten, Versicherung und Fracht (CIF) bis zum benannten Bestimmungshafen.
- Mit Klausel CPT („frachtfrei") übernimmt der Verkäufer die Bezahlung des Haupttransports sogar bis zu einem benannten Bestimmungsort, wobei hier eventuell zusätzlich auch noch die Versicherungsprämie vom Verkäufer getragen wird (CIP), also „frachtfrei versichert".

Gefahr- und Kostenübergang fallen bei allen C-Klauseln auseinander, weshalb sie auch Zweipunktklauseln genannt werden. Zuerst muss der Verkäufer den Beförderungsvertrag auf seine Kosten abschließen. Der Gefahrübergang erfolgt, sobald die Ware an den Frachtführer übergeben wurde. Die Klauseln der C-Gruppe sind Absendeverträge, da der Verkäufer seine vertraglichen Verpflichtungen im Versand- oder Verschiffungsland erfüllt.

Gefahr- und Kostentragung bei den Incoterms 2010

Klausel	Exportkosten trägt	Importkosten trägt	Transportvertrag	Lieferort	Gefahrübergang	Kostenübergang	Transportversicherung
EXW	K	K	K	Werk des V	Lieferort		
FCA	V	K	K	Ort der Übergabe an Frachtführer	Lieferort		
FAS	V	K	K	Längsseits Schiff im Vsh	Lieferort		
FOB	V	K	K	Schiff im Vsh	Verladung an Bord		
CFR	V	K	V	Schiff im Vsh	Verladung an Bord	Bsh	
CIF	V	K	V	Schiff im Vsh	Verladung an Bord	Bsh	V: Mindestdeckung

Gefahr- und Kostentragung bei den Incoterms 2010							
Klausel	Exportkosten trägt	Importkosten trägt	Transportvertrag	Lieferort	Gefahrübergang	Kostenübergang	Transportversicherung
CPT	V	K	V	Ort der Übergabe an Frachtführer	Lieferort	Bestimmungsort	
CIP	V	K	V	Ort der Übergabe an Frachtführer	Lieferort	Bestimmungsort	V: Mindestdeckung
DAP	V	K	V	Bestimmungsort	Bestimmungsort		
DAT	V	K	V	Terminal im Bsh/Bestimmungsort	Terminal im Bsh/ Bestimmungsort		
DDP	V	V	V	Bestimmungsort	Bestimmungsort		

Legende: V = Verkäufer K = Käufer Vsh = Verschiffungshafen Bsh = Bestimmungshafen

D-Gruppe

Die drei Klauseln der D-Gruppe sind Ankunftsklauseln, denen Ankunftsverträge zugrunde liegen, da der Verkäufer seine Verpflichtungen erst im Ankunftsland erfüllt hat. Der Verkäufer liefert

- entweder an einem bestimmten Platz (DAP)
- oder ab Terminal in einem benannten Bestimmungshafen oder an einem Bestimmungsort (DAT)
- oder aber „geliefert verzollt" an einem benannten Ort (DDP).

Damit trägt der Verkäufer die gesamten Transportkosten (und Versicherungskosten) und die Risiken (Gefahrtragung) bis zum Bestimmungsort.

E-Klausel

EXW: Die Klausel EXW („Ab Werk" … benannter Lieferort) bedeutet, dass der Verkäufer seiner Lieferpflicht dadurch nachkommt, dass er die Ware dem Käufer auf dem Gelände des Verkäufers oder an einem anderen benannten Lieferort (also beispielsweise einem Werk, einer Fabrikationsstätte, einem Lager usw.) zur Verfügung stellt, ohne dass er die Ware zur Ausfuhr freigemacht hat und die Ware bereits auf ein abholendes Beförderungsmittel verladen worden ist.

Die Klausel ist völlig unabhängig von der Transportart und dem Transportmittel einsetzbar und sogar im multimodalen Transport verwendbar. Die Klausel setzt keinen grenzüberschreitenden Handel voraus, sodass sie auch im Inlandsgeschäft Verwendung findet.

Die Vertragsparteien sollten den „Lieferort" so präzise wie möglich festlegen und benennen, da mit dem benannten Lieferort zugleich festgelegt wird, an welcher Stelle der Kosten- und Gefahrübergang vom Verkäufer auf den Käufer stattfindet. Hat der Verkäufer mehrere Fertigungsstätten oder Auslieferungslager, sollte die Festlegung des Lieferortes so genau wie möglich erfolgen.

Die Klausel EXW stellt eine Minimalverpflichtung für den Verkäufer dar, da der Verkäufer sich lediglich um die vereinbarte Zurverfügungstellung der Ware kümmern muss. Es hat noch bestimmte Nebenpflichten (wie etwa die Pflicht zur Anzeige der Bereitstellung (A 8), zur transportgerechten Verpackung (A 9) sowie zur Dokumentenverschaffung (A 10).

Die Klausel EXW ist mit Bedacht zu nutzen. Der einführende „Anwendungshinweis" des ICC-Textes sieht für alle elf Incotermsklauseln unter Buchstabe a) vor, dass der Verkäufer zwar keine direkte Verpflichtung dahingehend hat, die Ware zu verladen, aber in der Praxis dürfte es deutlich einfacher sein, wenn der Verkäufer die Verladung auch mit übernimmt. Hier ist nun zu unterscheiden:

- Wird bei vereinbarter Klausel EXW die Ware aufgrund von praktischen Erwägungen auch noch vom Verkäufer verladen, weil es lediglich viel einfacher für den Ablauf der Abwicklung ist, dann geschieht dies grundsätzlich auf Kosten und Gefahr des Käufers.
- Soll genau dies aber vermieden werden und der Verkäufer für den Verladevorgang haften und auch die Kosten tragen, dann ist die Vereinbarung der Klausel FCA angebracht.

Eine besondere Problematik kann der Bereich der Exportformalitäten sein. Zwar muss der Verkäufer den Käufer dahingehend unterstützen, dass dieser die gekaufte Ware auch ausführen kann; diese Unterstützung geht bei der Klausel EXW aber nicht so weit, dass der Verkäufer verpflichtet wird, die notwendigen Ausfuhrgenehmigungen zu beschaffen. Ist es bei der Art der Ware oder aufgrund besonderer gesetzlicher Bestimmungen im Exportland nur den Exporteuren gestattet, eine Ausfuhrgenehmigung zu beantragen, ist die Klausel EXW (aus Sicht des Käufers wegen B 2) nicht geeignet, da in diesen Fällen diese Lizenz nur vom Verkäufer beschafft werden kann. Dies stellt der *Anwendungshinweis* der Incotermsklauseln unter Buchstabe b) ausdrücklich klar.

Schließlich gibt die Klausel EXW (in der Incotermsregel B 10) dem Käufer nur eine beschränkte Verpflichtung zur Informationsverschaffung gegenüber dem Verkäufer. Benötigt der Exporteur bestimmte Daten und Informationen, damit seine Lieferung zollrechtlich oder außenhandelsstatistisch überhaupt in den Export gehen kann, dann kann dies nur durch entsprechende Mitwirkung (also Information) des Käufers gelingen. Dies muss daher bei Vereinbarung von EXW gegebenenfalls zusätzlich berücksichtigt werden.

F-Klauseln

Die F-Klauseln: Bei den F-Klauseln wird der *Haupttransport* vom Verkäufer nicht bezahlt. Die drei zur Verfügung stehenden Varianten unterscheiden sich in wichtigen Details.

FCA: Die Incotermsregeln legen bei der Klausel FCA einige Grundsätze für ihre Anwendung in dem einleitenden Anwendungshinweis fest. Danach kann sie

- für jede Transportform gewählt werden
- und eignet sich daher auch für den Einsatz verschiedener Transportmittel innerhalb eines Warentransports (multimodaler Transport).

„Frei Frachtführer" („free carrier") bedeutet, dass

- der Verkäufer die zur Ausfuhr freigemachte Ware
- an einen vom Käufer benannten Frachtführer oder einen sonstigen Dritten
- am Geschäftssitz des Verkäufers oder einen anderen benannten Ort

liefert. Es muss dabei beachtet werden, dass der ausgewählte Ort der Lieferung, der so präzise wie nur irgend möglich festgelegt werden sollte, Folgen für die Verpflichtung zur Be- und Entladung an diesem Ort sowie für den Gefahrübergang mit sich zieht. Benennt der Käufer für die Entgegennahme der Ware eine andere Person als den Frachtführer, hat der Verkäufer seine Lieferverpflichtung erfüllt, wenn er die Ware an diese Person liefert.

Frachtführer im Sinne dieser Klausel ist, wer sich durch einen Beförderungsvertrag verpflichtet, die Beförderung auf der Schiene, Straße, in der Luft, zur See oder auf einem Binnenschiff, eventuell sogar in einer Kombination mehrerer Transportarten (multimodal) durchzuführen oder durchführen zu lassen.

Schließlich verlangt die Klausel FCA vom Verkäufer, dass er die Ware für den Export vorbereitet, soweit dies möglich ist; er hat aber keinerlei Verpflichtung hinsichtlich des Imports oder der Importformalitäten bzw. Zollvorschriften.

Die Klausel FCA entspricht im Wesentlichen der Klausel FOB, die für den Seetransport von Stück- und Massengütern mit konventionellen Schiffen, also nicht in Kombination mit anderen Transportarten, wie z.B. im Containertransport, einschlägig bleibt. Im Gegensatz zu FOB (Lieferung an Bord eines vom Seefrachtführer eingesetzten Schiffes) tritt bei FCA die Lieferung der Ware an den Frachtführer irgendeiner beliebigen Transportart an dem von den Parteien beliebig gewählten Ort. Werden Container erst auf der Straße und dann auf See befördert, erfolgt die Lieferung bereits an der Übergabestelle an Land.

Hinsichtlich des Transports hat der Käufer die Verantwortung auf seiner Seite: Er hat die Transportdisposition, muss den Frachtführer beauftragen und muss, sollte er den Frachtauftrag durch den Verkäufer vornehmen lassen, die entstehenden Kosten tragen. In beiden Fällen gehen mit der Übergabe an den Frachtführer Gefahr und Kosten auf den Käufer über.

Um Missverständnisse zu vermeiden empfiehlt es sich bei Verwendung der Klausel FCA neben der Benennung des Lieferortes auch die Transportart(en) festzulegen. Am besten gelingt dies, wenn dem „benannten Lieferort" eine präzise Ortsangabe hinzugefügt wird, aus der sich die gewünschte Transportart bereits ergibt. Verwendet man die Klausel durch Hinzufügung eines Wortes wie „Flughafen..." oder „Seehafen...", dann stellt *FCA Flughafen Frankfurt* bereits klar, dass ein Transport per Flugzeug, bei *FCA Seehafen Hamburg*, dass ein Transport per Seeschiff gewünscht ist. Ähnliches lässt sich auch für den Bahnverkehr („FCA Güterbahnhof XY..., Gleis...") erreichen; für den Containerverkehr hilft die Benennung des Containerterminals weiter: „FCA (Incoterms 2010) CT4, Bremerhaven".

Alternativ kann die Transportart auch durch ausdrückliche Nennung und Bezugnahme festgelegt werden: FCA (Incoterms 2010) LKW Werk... (oder Lager...) sagen dann aus, dass der Verkäufer die Ware dem Straßenfrachtführer am benannten Ort zu übergeben hat. Wird mit der Klausel FCA eine Transportart festgelegt, wird damit auch zugleich die Markierungs-, Verpackungs- und Prüfanforderung im Sinne von A 9 sowie die transportartbedingte Übergabemodalität nach A 4 beeinflusst.

Es kann aber auch sein, dass mit der Klausel FCA keine Transportart bestimmt wird. Dann darf der Käufer die Beförderungsart nachträglich auswählen, insbesondere durch Angabe des Frachtführers im Rahmen seiner Benachrichtigungspflicht nach B 7. In der Praxis wird B 7 auch als „FCA-Instruktion" bezeichnet: Lässt nämlich die Vereinbarung von FCA (benannter Lieferort) offen, welche Transportart gewählt wird, können alle infrage kommenden Beförderungsarten in Betracht kommen, solange nicht klar ist, dass der Frachtführer ein See-, Luft-, Straßen-, Eisenbahn- oder sonstiges Frachtunternehmen ist. Erst durch die FCA-Instruktion des Käufers wird dann Näheres bestimmt; erst dann wird dem Verkäufer bekannt, in welcher Weise er die Ware am Lieferort zu übergeben hat.

Schwierigkeiten bereiten kann bei der Klausel FCA die Abgrenzung zwischen Frachtführer und Spediteur. FCA verlangt jedenfalls einen *Frachtführer* oder *eine andere Person.* Die Unterscheidung ist beispielsweise wichtig, wenn der

Käufer dem Verkäufer einen Spediteur als Transportbesorger benennt; nach A 4 erfüllt der Verkäufer seine Verpflichtung zur Lieferung bereits mit der Übergabe der Ware an den Spediteur, der dann „another person" im Sinne von A 4 ist, und nicht erst in dem Moment, in dem der Spediteur das Transportgut dem von ihm beauftragten Frachtführer übergibt.

- Grundlage des Warentransports ist der Frachtvertrag, der den Frachtführer verpflichtet, das Frachtgut zum Bestimmungsort zu befördern und dort an den Empfänger „auszuliefern". Da in der Praxis der Frachtführer meist vom Absender der Fracht beauftragt wird, wird es im Regelfall auch so sein, dass der Frachtführer den Absender auffordert, die vereinbarte Fracht (also das Entgelt für die Beförderung) zu bezahlen. Der Empfänger des Transportguts ist nicht Vertragspartei, sondern er ist als „Dritter" anzusehen, zu dessen Gunsten der Vertrag zwischen Absender und Frachtführer abgeschlossen wird. Die entstandenen Kosten kann der Absender wegen FCA B 3 vom Käufer zurückverlangen.
- Der Frachtvertrag verlangt keine besondere Form, sondern bedarf zu seiner Wirksamkeit lediglich zweier übereinstimmender Willenserklärungen zwischen Absender und Frachtführer – ein Frachtbrief dient dann nur als Beweisurkunde.
- Der Frachtführer kann gegenüber dem Absender einen Anspruch auf Ausstellung des Frachtbriefes geltend machen, muss es aber nicht. Die Angaben in einem Frachtbrief sind allesamt freiwillig.
- Der Frachtbrief versteht sich damit vor allem als Nachweis über das Verabredete, der einen Vereinbarungsstand und die Übernahme des Transportgutes dokumentieren soll und gleichzeitig die Weisungen an den Frachtführer enthält, wie er mit dem Frachtgut verfahren soll.

Wenn der Absender sein von ihm selber sowie vom Frachtführer unterzeichnetes Exemplar des Frachtbriefes an den Empfänger – dem Käufer der Ware – weitergibt, überträgt er damit zugleich sein Verfügungsrecht über das Frachtgut auf den Empfänger.

Abgrenzungsschwierigkeiten und Auswirkungen vor allem auf die Haftungsproblematik gibt es immer dann, wenn ein Unternehmen sowohl Fracht- als auch Speditionsverträge abschließt.

- Da der Spediteur auch zum Selbsteintritt befugt ist (also bei Ausnutzung der vom Gesetz vorgesehenen Befugnis selber die Beförderung übernimmt), hat er hinsichtlich der Beförderung die Rechte und Pflichten eines Frachtführers oder Verfrachters. Damit ist es erforderlich, im Einzelfall zu prüfen, ob ein Fracht- oder ein Speditionsvertrag vorliegt.
- Zunächst ist die Verabredung der Vertragsparteien heranzuziehen. Wenn als Hauptleistung ein Transport, eine Transportzeit sowie weitere Einzel-

heiten des Transports bis hin zur Übernahme einer Obhutspflicht am Transportgut vereinbart werden, kann vom Abschluss eines Frachtvertrags ausgegangen werden. Dagegen sprechen die Vereinbarung einer Sammelversendung oder die Erteilung eines „Speditionsauftrages" für den Abschluss eines Speditionsvertrags.

- Auch die von den Vertragsparteien verwendeten Dokumente können eine Hilfestellung für die Unterscheidung ermöglichen. Wird ein Frachtbrief verwendet und wird der mit der Beförderung Beauftragte als Frachtführer bezeichnet, ist die Lage klar. Gleiches gilt, wenn ein Konnossement zu den Dokumenten gehört. Dagegen spricht für einen Speditionsvertrag, wenn Speditionsformulare, Speditionsübernahmebescheinigungen, Speditionsfrachtbriefe oder Speditionsversicherungspolicen usw. verwendet werden.
- Schließlich können sich Anhaltspunkte aus der tatsächlichen Abwicklung des Geschäfts ergeben, sodass bei einer Einzelfallbetrachtung sowie Auslegung der Willenserklärung der Charakter des Vertrags ermittelt werden kann.

Um die Voraussetzungen der Anwendbarkeit der Klausel FCA zu erfüllen, muss die Transportperson also „Frachtführer" sein. Soll ein „Spediteur" diese Funktion erfüllen, muss er als „another person" dem vertraglichen Frachtführer gleichgestellt werden können. Er muss dann aufgrund des Frachtvertrags mit seinem Auftraggeber, durch den er die Verantwortung für den Transport des Gutes zum Bestimmungsort übernimmt, als vertraglicher Frachtführer tätig werden. Im Luft- und Seetransport, wie auch im multimodalen Transport, ist die Beförderungsverpflichtung des Spediteurs durch den Abschluss des Frachtvertrags sowie die Ausstellung eigener Luftfracht- oder Seefrachtbriefe (Konnossemente, FIATA Bill of Lading) erkennbar.

FAS: Die Klausel FAS ist eine traditionelle Lieferbedingung, die im herkömmlichen See- oder Binnenschiffstransport eingesetzt wird, sich jedoch nicht für den Containerverkehr per Schiff eignet. Damit ist der Anwendungsbereich für die Klausel FAS auf Seefracht, die nicht in Containern transportiert wird, bezogen, also auf Stückgut oder Massengüter ausgerichtet, die auf „normalen" Frachtschiffen transportiert werden.

Bei der Klausel FAS muss der Verkäufer die Ware im Verschiffungshafen längsseits an einem Transportschiff anliefern, was

- von der Uferseite her gesehen ein Abliefern am Kai sein kann, an dem das Schiff liegt
- und von der Wasserseite her gesehen beispielsweise durch ein Feederschiff oder ein sonstiges Zubringerschiff geschehen kann, das sich wasserseitig längsseits des Transportschiffes befindet.

Die Incotermsregeln legen zu der Klausel FAS einige Grundsätze für ihre Anwendung in dem einleitenden Anwendungshinweis fest. Danach kann sie für eine Transportform mit Seeschiff oder Binnenschiff gewählt werden. Für den Einsatz *verschiedener Transportmittel* (multimodaler Transport) ist sie nicht geeignet.

Diese Klausel eignet sich für Geschäfte, in denen der Verkäufer die Ware dem Käufer auf eigene Gefahr und Kosten längsseits eines Schiffes in einem benannten Verschiffungshafen zur Verfügung stellt und Ausfuhrformalitäten zu erledigen und Ausfuhrabgaben zu zahlen hat, sofern diese entstehen.

Der Gefahrübergabe findet in dem Moment statt, in dem entweder die Lieferung „längsseits des Schiffes" im Verschiffungshafen erfolgt oder die derart gelieferte Ware für die Beschaffung besorgt wurde. Dies bezieht sich auf mehrere hintereinander geschaltete Verkäufe in einer Verkaufskette („string sales").

Erfolgt eine Lieferung in einem Container, passt die Klausel FAS nicht; stattdessen sollte auf die Klausel FCA zurückgegriffen werden.

FOB-Klausel

27. FOB-Klausel: Die Klausel FOB ist eine traditionelle Lieferbedingung. Im Grunde ist sie vergleichbar mit einer FCA-Klausel, die sich speziell und eigenständig für den Schiffstransport entwickelt hat. Sie wird unverändert im herkömmlichen See- oder Binnenschiffstransport eingesetzt, eignet sich jedoch nicht für den Containerverkehr per Schiff (wenn die Ware dem Frachtführer übergeben wird, bevor sie sich auf dem Schiff befindet, z. B. bei Containern, die üblicherweise am Terminal angeliefert werden), sodass in diesen Fällen die Klausel FCA zu bevorzugen ist.

Wird die Klausel FOB trotz dieser Schwierigkeiten dennoch für den Transport eines Containers genutzt, kann der Gefahrübergang auf den Käufer erst stattfinden, wenn der Container an *Bord eines Schiffes* verladen wurde. Es ist dann das Verlust- oder Beschädigungsrisiko des Verkäufers, wenn er den Container bereits früher (nämlich bei Abnahme am Terminal, aber noch vor Verladung an Bord des Schiffes) an den Frachtführer übergibt, damit die unmittelbare Sachherrschaft über den Container aufgibt und die Kontrolle über die im Container beförderte Ware verliert.

Damit ist der richtige Anwendungsbereich für die Klausel FOB auf Seefracht, die *nicht* in Containern transportiert wird, beschränkt, also ausgerichtet auf Stückgut oder Massengüter, die auf „normalen" Frachtschiffen transportiert werden.

Die Incotermsregeln zu FOB legen einige Grundsätze für ihre Anwendung in dem einleitenden Anwendungshinweis fest. Danach kann sie

- für eine Transportform mit Seeschiff oder Binnenschiff gewählt werden;

- für den Einsatz *verschiedener Transportmittel* (multimodaler Transport) ist sie nicht geeignet.

Diese Klausel eignet sich für Geschäfte, in denen der Verkäufer die von ihm für den Export freigemachte Ware (sofern anwendbar) *an Bord des* vom Käufer benannten Schiffs im benannten Verschiffungshafen *liefert* oder er die bereits derart für die Verschiffung gelieferte Ware besorgt oder bereitstellt.

Der Hinweis „bereitstellen" bezieht sich hier auf mehrere hintereinander geschaltete Verkäufe in einer Verkaufskette („string sales"), die insbesondere im Rohstoffhandel vorkommen. Die Gefahr des Verlusts oder der Beschädigung der Ware geht vom Verkäufer auf den Käufer über, wenn die Ware an Bord des Schiffs gelangt. Ab dem Moment der Lieferung trägt der Käufer auch die Kosten. Der Verkäufer ist nicht verpflichtet, die Ware zur Einfuhr freizumachen, Einfuhrzölle zu zahlen oder Einfuhrzollformalitäten zu erledigen.

C-Klauseln

Die C-Klauseln (Überblick): Sie spielen eine besonders wichtige Rolle. Nach diesen Klauseln muss der Verkäufer den Beförderungsvertrag auf eigene Kosten zu den üblichen Bedingungen abschließen. Daher muss nach Angabe der in Betracht kommenden C-Klauseln der Ort genannt werden, bis zu dem er die Beförderungskosten zu tragen hat. Nach den CIF- und CIP-Klauseln hat der Verkäufer außerdem auch noch die Ware auf eigene Kosten zu versichern.

Der Zeitpunkt der Kostenteilung liegt im Bestimmungsland der Ware. Trotzdem erfüllt der Verkäufer seine vertraglichen Verpflichtungen schon im Versand- bzw. Verschiffungsland und nicht erst, wie oft vermutet wird, erst im Ankunftsland. Während der Verkäufer die normalen Transportkosten für den üblichen Transportweg in der üblichen Art und Weise zum vereinbarten Bestimmungsort tragen muss, gehen die Gefahren für Verlust oder Beschädigung der Ware sowie die zusätzlichen Kosten, die nach Übergabe der Ware zum Transport entstehen, zulasten des Käufers. Die Internationale Handelskammer weist deshalb ausdrücklich darauf hin, dass die C-Klauseln im Gegensatz zu allen anderen Klauseln zwei „kritische" Punkte, und zwar einmal für die Kostenteilung und zum anderen für den Gefahrübergang, enthalten. Aus diesem Grunde ist größte Vorsicht geboten, wenn man den Verpflichtungen des Verkäufers nach den C-Klauseln Pflichten hinzufügt, die über den soeben genannten „kritischen" Zeitpunkt des Gefahrübergangs hinauswirken.

Wesentlicher Inhalt der C-Klauseln ist es zudem, den Verkäufer von weiteren Kosten und Gefahren freizustellen, nachdem er seine vertraglichen Verpflichtungen durch Abschluss des Beförderungsvertrags und Übergabe der Ware an den Frachtführer (und bei den Klauseln CIF und CIP auch durch Versicherung der Ware) erfüllt hat. Nachstehend wird nur die CIF-Klausel näher betrachtet.

CIF-Klausel

28. CIF-Klausel: Die Klausel CFR und die weitgehend inhaltgleich CIF-Klausel sind ausschließlich für den Transport mit Seeschiffen oder Binnenschiffen geeignet. Sie werden im *herkömmlichen* Seetransport oder Binnenschiffstransport eingesetzt, eignen sich aber für den Containerverkehr per Schiff nur ausnahmsweise.

„Kosten und Fracht" bedeutet, dass

- der Verkäufer die Ware an Bord des Schiffs liefert
- oder die Ware in einem bereits für den Bestimmungsort verschiffungsbereiten Zustand besorgt. Dabei ist den C- Klauseln (also CPT, CIP, CFR, CIF) der Incoterms 2010 gemeinsam, dass der Verkäufer seine Lieferpflicht erfüllt, wenn er die Ware dem Frachtführer in der gemäß der gewählten Klausel bestimmten Weise übergibt und nicht, wenn die Ware den Käufer am Bestimmungsort erreicht.
- Die Gefahr des Verlusts oder der Beschädigung der Ware geht über, wenn die Ware an Bord des Schiffs gelangt. Auch in dieser Klausel ist der früher übliche Zusatz „Überschreiten der Schiffsreling" entfallen, sodass es nun auf die Verladung an Bord (Abstellen auf dem Deck) ankommt.
- Der Verkäufer hat den Beförderungsvertrag abzuschließen oder zu „besorgen". Das „Besorgen" eines verschiffungsbereiten Zustands sowie das „Besorgen" eines Beförderungsvertrags ist auf hintereinander geschaltete Käufe in einer Geschäftskette abgestellt („string sales"), wie sie vor allem im Rohstoffhandel vorkommen).
- Schließlich muss der Verkäufer die Kosten und die Fracht, die für die Beförderung der Ware zum benannten Bestimmungshafen erforderlich sind, tragen.

Die Klausel CIF entspricht – zuzüglich des in CIF enthaltenen Bestandteils zur Versicherung – der Klausel CFR.

Soll eine Lieferbedingung gefunden werden, bei der die Grundsätze der Klausel FOB um die vom Verkäufer zu tragenden Fracht- und Versicherungskosten ergänzt werden, erreicht man den Regelungsinhalt der Klausel CIF.

Also ist die Klausel CIF dann richtig eingesetzt, wenn der Verkäufer die Ware an Bord des Schiffs liefert oder die bereits derart gelieferte Ware besorgt. Zudem geht die Gefahr des Verlusts oder der Beschädigung der Ware über, wenn die Ware *an Bord* des Schiffs gelangt.

Der Verkäufer hat den Beförderungsvertrag abzuschließen und die Kosten und die Fracht, die für die Beförderung der Ware zum benannten Bestimmungshafen erforderlich sind, zu tragen. Zusätzlich muss der Verkäufer einen Versicherungsvertrag abschließen, der den Käufer vor der Gefahr des Verlusts oder der Beschädigung der Ware während des Transports schützt. Der Verkäufer ist nur verpflichtet, eine Versicherung mit Mindestdeckung abzuschließen. Sollte der Käufer einen höheren Versicherungsschutz wünschen, müsste er dieses entweder ausdrücklich mit dem Verkäufer vereinbaren oder eigene zusätzliche Versicherungsvorkehrungen treffen

29. Eigene Lieferbedingung: Vorsicht bei solch einem Durcheinander – diese „Musterklausel" soll zeigen, wie man nicht formulieren darf! Die hier im Beispiel selbst formulierten Lieferbedingungen bergen das Risiko, missverständlich zu sein oder einer besonderen Interpretation zu bedürfen. Besonders aufmerksam zu arbeiten ist nämlich immer dann, wenn Formulierungen, wie sie hier im dritten Abschnitt des Mustervertrags zu den Lieferbedingungen gemacht wurden, in Zusammenhang mit einer Incotermsklausel gestellt werden. **Lieferbedingungen**

Wenn ein Vertrag etwa lautet: *„Geliefert wird ex works, Incoterms 2010. Der Verkäufer muss alle Kosten der Versicherung des Transport tragen und haftet für den Untergang bis zur Übergabe der Ware an den ersten selbstständigen Frachtführer"*, dann gilt die „ex works-Klausel" der Incoterms vollinhaltlich und mit ihrer entsprechenden Interpretation *nur noch soweit*, wie sie nicht durch die entgegenstehende individuelle Formulierung außer Kraft gesetzt wird. Unternehmen müssen sich daher darüber im Klaren sein, dass alle Formulierungen innerhalb des Exportvertrags (gegebenenfalls auch in den Allgemeinen Lieferbedingungen), die der allgemeinen Incotermsklausel entgegenstehen, diese in Teilbereichen aussetzen. Damit kann der an sich gewollte Schutz einer Incotermsklausel empfindlich ausgehöhlt (oder aber bei bewusstem Einsatz einer zusätzlichen Formulierung durchaus auch ausgeweitet) werden. Dies gilt vor allem für die wohl wichtigsten Aspekte der Incotermsklausel, nämlich für den Kosten- und Gefahrübergang vom Verkäufer auf den Käufer.

30. Lieferbedingung gemäß UN-Kaufrecht: Die Lieferbedingung kann auch nach den Bestimmungen des UN-Kaufrechts aufgebaut werden. Zur Erinnerung: Das UN-Kaufrecht ist abdingbar, sodass bei Verwendung einer Incotermsklausel alle diejenigen Bestimmungen des UN-Kaufrechts nicht zur Anwendung gelangen, die durch die jeweils gewählte Incotermsklausel überlagert werden. **UN-Lieferbedingungen**

Wird jedoch keine Incoterms-Vereinbarung getroffen, dann gilt (unterstellt, dass das UN-Kaufrecht anwendbar ist) für die Lieferbedingung:

- die „Gefahrtragung" folgt den Grundsätzen der Art. 66 CISG (dazu oben, am Ende von Ziffer 24);
- die *übrigen Pflichten des Exporteurs* bestimmen sich nach den Art. 30 bis 52 CISG.

Danach ist der Schwerpunkt der Pflichten des Verkäufers eindeutig die Lieferpflicht (verknüpft mit den im CISG genannten Rechtsbehelfen des Käufers, falls der Verkäufer die ihm obliegenden Pflichten nicht ordnungsgemäß erfüllt). Die Modalitäten der Lieferpflicht bestimmen sich nach den Art. 31 ff. CSIG.

Zusätzlich zur *Lieferpflicht nach Art. 30 CISG* muss der Verkäufer dem Käufer die die Ware betreffenden *Dokumente übergeben*. Dabei ergeben sich alle weiteren Details zu dieser Verpflichtung aus den weiteren Absprachen bzw. den sonstigen Umständen des Geschäftsabschlusses, sodass auf diesen Punkt bei Vertragsabschluss besonderen Wert gelegt werden sollte. Konsequent legt Art. 34 CISG dann auch sinngemäß fest, dass der Verkäufer, der Exportdokumente vorlegen muss, sie zu dem Zeitpunkt, an dem Ort und in der Form zu übergeben hat, wie sie im Exportvertrag vorgesehen sind. Hat der Verkäufer die Dokumente bereits vorher übergeben, kann er bis zu dem für die Übergabe vorgesehenen Zeitpunkt jede Vertragswidrigkeit der Dokumente beheben, sofern dies zu keinen unzumutbaren Unannehmlichkeiten auf Seiten des Käufers führt.

Ferner sieht Art. 30 CISG vor, dass der Verkäufer *dem Käufer das Eigentum an der Ware übertragen* muss. Dabei kann aus Art. 4 Satz 2 lit. b CISG entnommen werden, dass das UN-Kaufrecht keine weiteren Bestimmungen dazu enthält, wie sich der Eigentumsübergang vollzieht; stattdessen ist nach einem weltweit gültigen Rechtsprinzip (Grundsatz der Belegenheit der Sache, in Deutschland niedergelegt in Art. 43 EGBGB) eine solche Frage immer nach dem Recht des Landes/Ortes zu bestimmen, an dem sich die verkaufte Ware gerade befindet. Dieses Grundprinzip ist nicht dispositiv und kann daher nicht durch anders lautende Parteivereinbarung überlagert und außer Kraft gesetzt werden.

Die Musterklausel (in Ziffer 30) sieht einen *Beförderungskauf* oder eine alternative Gestaltung vor. In beiden Varianten muss der Verkäufer die Ware an dem jeweils vorgesehenen Ort nur für den Käufer übernahmefertig bereithalten, sodass es Aufgabe des Käufers ist, die Ware abzuholen. In der ersten Textvariante ist die Beförderung der Ware (carriage of the goods) zwar notwendig (wie es bei Abwicklung eines grenzüberschreitenden Liefergeschäfts ja auch normalerweise der Fall ist), doch wird damit nicht festgelegt, dass der Exporteur die Beförderung auch selber durchführen soll. In diesem Fall ist Art. 32 CISG heranzuziehen, wonach gilt: Übergibt der Verkäufer die Ware einem Beförderer und ist die Ware nicht deutlich konkretisiert (durch Kennzeichen, Dokumente), muss der Verkäufer dem Käufer die Versendung anzeigen und die Ware dabei im Einzelnen genau bezeichnen. Außerdem muss der Verkäufer die zur Beförderung notwendigen Verträge schließen. Die Kosten der Beförderung gehen aber zulasten des Käufers. Damit befindet sich ein Liefergeschäft, das auf diese Weise nach den Bestimmungen des

UN-Kaufrechts abgewickelt wird, zwischen den Varianten der C-Klauseln und der F-Klauseln der Incoterms: Der Verkäufer muss nach UN-Kaufrecht mehr tun, als er es nach den F-Klauseln der Incoterms müsste; andererseits muss er aber nach UN-Kaufrecht weniger leisten, als er es bei Verabredung einer C-Klausel der Incoterms müsste.

Die Besorgung der Beförderung (in der ersten Textalternative der Musterklausel) wird in Deutschland meist dadurch bewerkstelligt, dass eine Spedition mit der Beförderung und der Auftragsabwicklung beauftragt wird. Das reicht nicht aus, wenn die Bestimmungen des CISG zugrunde gelegt werden, da eine Spedition im engeren Sinne nicht die „Beförderung", sondern nur die „Organisation" eines Warenversands übernimmt. Folglich bedeutet eine solche Lieferbedingung, dass es aus Sicht des deutschen Exporteurs nicht ausreicht, wenn er die Beförderungsaufgabe an eine Spedition überträgt, sondern wenn die Ware in den unmittelbaren Besitz der Person gelangt ist, die die Beförderung auch tatsächlich durchführt.

Zusammengefasst kann festgehalten werden, dass die hier unter Ziffer 30 genannte Vertragsklausel des Mustertextes auf die Vorgaben des CISG Bezug nimmt und die dort vorhandenen Regelungen der Art. 30 ff. CISG aufgreift. Im Ergebnis ist diese Textvariante aber wegen des Fehlens einer Regelung zur Kosten- und Gefahrtragung viel zu schwach, um für den Exporteur eine bedeutsame und effiziente Lieferbedingung darstellen zu können. Daher wird sehr empfohlen, stets eine Incotermsklausel auszubedingen und die Bestimmungen des UN-Kaufrechts nur als Ergänzung heranzuziehen, soweit die Incotermsklausel bestimmte Teilbereiche der Exportabwicklung nicht ausreichend oder gar nicht abdeckt.

§ 9 Zahlungsbedingung

9. Terms of Payment[31, 32]
The purchase price has to be prepaid in full on ... (date)/paid in full upon delivery of the merchandise/paid within .... days after delivery. Place of payment shall be ..... (name of place)[33]. **The buyer agrees that he (or his bank) will accept a bill of exchange drawn on him in the amount of the purchase price, and that ... this bill will be paid ... at sight within 30 days after delivery of the merchandise latest.** **The buyer has to furnish the seller with an irrevocable letter of credit issued by the buyer's bank and securing the purchase price until delivery was made in full and accepted by the buyer[34].** **The seller shall deliver the merchandise against acceptance of a draft only[35].**

Zahlungs-bedin-gung

31. Zahlungsbedingung *(Grundsätzliches):* Die Zahlungsbedingung ist ein wesentlicher Bestandteil eines Kaufvertrags. Die Bezahlung des Kaufpreises ist eine wesentliche (Haupt-)Pflicht auf Seiten des Warenkäufers. Eine Zahlungsbedingung regelt genau, wann der Kaufpreis fällig ist, welche Höhe er hat und auf welche Weise er bezahlt werden soll. In der Außenhandelspraxis haben sich vielfältige Varianten entwickelt, die eine Abwicklung des Zahlungsverkehrs zwischen den Geschäftspartnern vereinfachen und teilweise zugleich auch den Zahlungseingang sichern können. Darauf wird unter den Ziffern 32 ff. (nachstehend) genauer eingegangen.

Deutsche Exporteure müssen beachten, dass das Außenwirtschaftsgesetz (AWG) der Vereinbarung von Zahlungsbedingungen Schranken setzen kann. Das Außenhandelsrecht enthält öffentlich-rechtliche Regelungen der Ein- und Ausfuhr von Waren, Dienstleistungen und Kapital. Daneben treten auch Einzelmaßnahmen mit gezielten Beschränkungen des Geschäftsverkehrs mit bestimmten Staaten (Embargo). Embargos kommen auf verschiedene Weise vor, etwa als Embargo von Im- oder Export bestimmter Waren oder Dienstleistungen, als Kapitalembargo für Finanztransaktionen, als Finanzsanktionen gegen bestimmte Personen oder Institutionen im In- und Ausland usw. Einem Embargo liegen ordnungspolitische Interessen zugrunde (z.B. Kriegswaffenkontrolle, Arzneimittelverkehr, Zollpflichten usw.).

Außerdem ist im jeweiligen Geschäftsabschluss zu prüfen, ob es gegebenenfalls staatliche Vorschriften im Entsende- oder Empfangsland der Ware gibt, nach denen bestimmte Zahlungsbedingungen verbindlich vorgeschrieben werden. Im Übrigen kann auf Empfehlungen der Kammern und Verbände zurückgegriffen werden um festzustellen, ob man bei Exporten in bestimmte Abnehmerländer zu besonders gesicherten Formen der Zahlung (z.B. durch Dokumentenakkreditiv) o.Ä. greifen sollte.

An die Vereinbarung einer Zahlungsbedingung schließt sich immer auch die Frage an, was bei *verspäteter Kaufpreiszahlung* zu geschehen hat.

- In allen Rechtsordnungen der Welt besteht dazu einhellig das Verständnis, dass der säumige Schuldner/Käufer immer den Schaden zu ersetzen hat, der dem Verkäufer durch verspätete Zahlung entsteht.
- Unterschiedlich betrachtet wird jedoch, wie der Schadensersatz ermittelt wird, welche Voraussetzungen er im Einzelnen hat und ob bei Zahlungsverzug beispielsweise grundsätzlich mindestens einmal (mündlich oder schriftlich) gemahnt werden muss, um einen Schadensersatz zugebilligt bekommen zu können.

Derartige Fragen bestimmen sich grundsätzlich *nach dem Recht des Landes*, dem der gesamte Kaufvertrag unterliegt. Richtet sich die Beurteilung eines Exportvertrags nach deutschem Recht, ist eine Mahnung immer dann nicht erforderlich (§ 286 BGB), wenn die Fälligkeit des Kaufpreises an einen konkret bestimmten Termin geknüpft war – dies ist immer der Fall, wenn die Zahlungsbedingung einen bestimmten Fälligkeitstermin datumsgenau festlegt. Bezahlt der Käufer den Kaufpreis gar nicht oder nimmt er die Ware nicht ab, gibt § 323 BGB dem Verkäufer darüber hinaus die Möglichkeit des Rücktritts vom Vertrag.

Im Zusammenhang mit der Bezahlung des Kaufpreises steht auch die sogenannte *Preisgefahr*. Preisgefahr bedeutet, dass der Käufer eventuell den Kaufpreis bezahlen muss, obwohl er die Ware gar nicht erhalten hat. Grundsätzlich gilt, wie oben bereits beim Stichwort „Gefahrtragung" erörtert, dass der Kaufpreis immer dann vom Käufer bezahlt werden muss, wenn die „Gefahr" des Verlusts oder der Beschädigung der Ware schon auf ihn übergegangen ist. Es ist oben bereits dargestellt worden, dass der Gefahrübergang nach deutschem Recht (wegen der Problematik der „Übergabe der Ware gemäß den Bestimmungen des BGB) deutlich später erfolgt als dies nach dem Recht ausländischer Staaten der Fall ist. Die Preisgefahr aber ist unproblematisch, wenn eine entsprechende Lieferbedingung eine Regelung über den Gefahrübergang und den wirtschaftlichen Interessenausgleich trifft (dazu oben, „Lieferbedingung"). Insofern ist es praxisgerecht, die Liefer- und Zahlungsbedingung immer aufeinander abgestimmt zu formulieren.

Zahlungsarten

32. Zahlungsbedingungen *(Arten):* Wie schon bei den Lieferbedingungen, so ist auch bei den Zahlungsvereinbarungen die Verhandlungs- und Marktposition der Vertragspartner entscheidend für die schließlich vereinbarte Klausel. Dem Importeur ist daran gelegen, die Zahlung möglichst lange hinausschieben zu können, um möglichst kein Kapital binden oder eine kostspielige Finanzierung in Anspruch nehmen zu müssen. Außerdem kommt es ihm darauf an, erst dann zahlen zu müssen, wenn er die Ware sicher angeliefert weiß und die Kaufsache auf Qualitätsmängel hin durchsucht werden konnte.

Der Exporteur dagegen benötigt eine frühzeitige Bezahlung der Lieferung, um seinerseits keine Vorfinanzierung beanspruchen zu müssen, die Aktivseite der Bilanz entlasten zu können und – bei sofortiger Zahlung – nicht eventuell uneintreibbare Außenstände befürchten zu müssen. Hinzu kommt das beiderseitige Sicherungsbedürfnis der Vertragspartner, nach dem vermieden werden soll, dass eine Partei gleichzeitig über Ware und Geld verfügen kann. Ein solches Ergebnis lässt sich entweder durch Zahlungsvereinbarungen erreichen, die zu einer Vorleistungspflicht des Verkäufers führen, oder aber durch dokumentäre Zahlungsklauseln.

Je nach Art der zwischen den Geschäftspartnern vereinbarten Zahlungsbedingungen werden Banken entweder schon sehr frühzeitig oder aber auch erst zu einem späteren Zeitpunkt in die zahlungsseitige Abwicklung der Geschäfte eingeschaltet. Abhängig ist das davon, ob der Importeur bereits zahlungsseitige Vorleistungen erbringen muss, indem er etwa einen Teilbetrag vorausbezahlt oder seine Bank darum bitten soll, zugunsten des ausländischen Lieferanten ein Dokumentenakkreditiv zu eröffnen.

Aus Zahlungsbedingungen ergibt sich auch, welcher der beiden Geschäftspartner die bankenseitige Abwicklung veranlassen soll. Während bei Zahlungsbedingungen, die nicht den Einzug der Warenforderung vorsehen, die Beauftragung des Geldinstituts durch den Importeur erfolgt, wird beim Inkasso von Forderungen die Bank des Exporteurs als erste im Auftrage ihres Kunden tätig. Und da die Geschäftspartner eines Auslandsgeschäfts im Regelfall in zwei verschiedenen Staaten ansässig sind, werden bankenseitig in der Regel auch zwei Banken in der Abwicklung des Zahlungsverkehrs tätig: eine Bank auf Seiten des Exporteurs und eine auf Seiten des Importeurs.

Die Interessen der beiden Geschäftspartner liegen in Bezug auf die Zahlungsbedingungen (wie auch bei den Lieferbedingungen schon dargestellt) konträr: Dem Exporteur geht es um eine möglichst schnelle Begleichung seiner Forderung, während der Importeur die Ware so spät wie möglich bezahlen möchte. Ausschlaggebend für die letztlich gewählte Variante ist die Marktlage, nach der entweder der Verkäufer oder der Käufer die stärkere Verhandlungsposition hat.

Ob ein Käufer- oder Verkäufermarkt besteht, kann nicht ohne weiteres für alle Waren einheitlich bestimmt werden. Es ist möglich, dass zwar ganz allgemein von einem Verkäufermarkt gesprochen wird („Exportweltmeister Deutschland"), dagegen für bestimmte Waren trotzdem ein Käufermarkt besteht, weil die Waren (bei übergroßem Angebot) nur in geringerem Maße nachgefragt werden. In diesen Fällen können Abnehmer Zahlungsbedingungen durchsetzen, die sonst vom Exporteur nicht akzeptiert werden würden.

Für die bankenseitige Abwicklung der Außenhandelsgeschäfte bedeutet der Käufermarkt meist eine überwiegend rein zahlungsmäßige Ausführung der Geschäfte im „clean payment", also ohne dokumentäre Unterlegung (dazu nachstehend). Im Verkäufermarkt dagegen wird der Exporteur seine Chance wahrnehmen, die Zahlungsbedingung mit einer weitgehenden Forderungssicherung zu verbinden und daher beispielsweise die Stellung eines Dokumentenakkreditivs durch die Bank des Warenkäufers fordern.

Die nachfolgenden Erläuterungen der häufigsten Zahlungsbedingungen im Außenhandelsgeschäft sind in ihrer Reihenfolge so angeordnet, dass sie mit der für den Export günstigsten Zahlungsbedingung beginnen und mit der ungünstigsten enden, während für den Importeur die Reihenfolge umgekehrt ist. Dabei wird herausgearbeitet, wie es jeweils

- um die *Fälligkeit* der Zahlung,
- den *Zahlungsort*,
- die *Sicherstellung der Zahlung für den Exporteur*
- und die *Sicherstellung der Warenlieferung für den Importeur* bestellt ist.

Die für den Exporteur günstigste Zahlungsvereinbarung ist die der **„Vorauszahlung der Ware"** (*Vorkasse*), da er hier die Bezahlung der Ware schon vor der Lieferung beanspruchen kann; für den Importeur bedeutet dies allerdings eine Belastung, da er schon vorleisten muss, ehe der Exporteur seinerseits eine Leistung erbringt.

Diese Zahlungsbedingung erfordert ein besonderes Vertrauen des Importeurs zum Exporteur, da er keine Garantie dafür hat, dass die Ware auch tatsächlich geliefert wird. Sie bedeutet für den Importeur auch noch eine zusätzliche wirtschaftliche Belastung, da er bis zum Zeitpunkt der Ankunft der Ware und des Weiterverkaufs auf einen Nutzen aus dem eingesetzten Kapital verzichten muss oder, falls er für die Bezahlung des Imports eine Finanzierung in Anspruch nehmen musste, sogar entsprechende Kreditkosten tragen muss.

Wird der Rechnungsbetrag dem Exporteur schon längere Zeit vor dem vorgesehenen Liefertermin zur Verfügung gestellt, kann er ihn zur *Vorfinanzierung* der Warenherstellung oder des Wareneinkaufs verwenden (man nennt diesen Zustand daher auch einen „Bestellerkredit"). Die Vorauszahlung/Vorkasse ist die für den Exporteur beste und sicherste Zahlungsbedingung und eine besonders günstige Methode, die Produktion/den Einkauf der Ware zu verbilligen, da hierfür kein eigener Kredit eingesetzt werden muss, der seinerseits die Kosten auf der Exporteursseite erhöhen würde.

Bei Investitionsgütern ist es üblich, nicht den gesamten Kaufpreis im Voraus zu bezahlen, sondern nur einen Teil davon. Die **„Anzahlung"** der Ware kann hinsichtlich der Höhe je nach Vertrag variieren. Zur Sicherung des Importeurs, der eine Zahlung erbringt, ohne bisher Ware erhalten zu haben, kann eine sogenannte *Anzahlungsgarantie* gestellt werden, die von Seiten der Bank des Exporteurs die Rückzahlung des angezahlten Geldes sichert, sofern der Exporteur den Vertrag nicht erfüllt und auch die Anzahlung nicht mehr zurückzahlen kann.

Die Vereinbarung „Lieferung der Ware gegen Stellung eines Dokumentenakkreditivs durch die Bank des Importeurs" ist die zweitbeste Zahlungsbedingung für den Exporteur.

Diese Zahlungsvereinbarung **„Dokumente gegen Akkreditiv"** findet sich typischerweise immer dann in Außenhandelsverträgen, wenn Ex- und Importeur noch keine vertrauensvolle Geschäftsverbindung miteinander aufbauen konnten oder wenn die Länderbestimmungen von Aus- oder Einfuhrland grundsätzlich Liefergeschäfte nur auf der Basis von Dokumentenakkreditiven ratsam erscheinen lassen (z.B. bei Geschäften mit einigen Staaten Osteuropas, der dritten Welt sowie sonstigen Staaten mit niedrigem Länderrating). Der Exporteur hat bei Vereinbarung des Dokumentenakkreditivs die Sicherheit, dass er bei Erfüllung der Akkreditivbedingungen durch das Zahlungsversprechen der Bank des Importeurs kein Zahlungsrisiko mehr hat: Die Ware wird bezahlt, wenn die vom Exporteur eingereichten Dokumente akkreditivgerecht sind. Für den Importeur bedeutet diese Zahlungsbedingung, dass er nur dann über seine Bank Zahlung zu leisten hat, wenn akkreditivgerechte Dokumente präsentiert werden.

Das unwiderrufliche Akkreditiv gibt dem Exporteur nahezu dieselbe Sicherheit wie die Vorauszahlung, da die Akkreditivbank die Auszahlung des Rechungsbetrages unter der Bedingung garantiert, dass der Exporteur die Bedingungen des Akkreditivs erfüllt. Hier liegt eine nicht zu unterschätzende Problematik: Die Vertragspartner müssen in ihrem Kaufvertrag präzise genug festlegen, unter welchen Bedingungen die Akkreditivzahlung erfolgen soll, damit das Akkreditiv an dieser Stelle nicht lückenhaft wird und schlimmstenfalls die Zahlung sich verzögert oder gar nicht geleistet wird. – Für den Exporteur ist es günstig, dass ein Akkreditiv meist bei der avisierenden Bank (im Regelfall also beispielsweise der Hausbank des Exporteurs) zahlbar gestellt wird, sodass der Exporteur schon über den Akkreditivbetrag verfügen kann, sobald er der Bank – nach erfolgtem Warenversand – die im Akkreditiv geforderten Dokumente beschaffen kann.

Für den Importeur bedeutet (abgesehen von einer eventuellen Kapitalbindung oder Kreditinanspruchnahme und den Kosten, die die Erstellung des Akkreditivs bei seiner Bank verursachen) – im Gegensatz zur Vorkasse den Vorteil, dass die Ausnutzung des Akkreditivs u.a. vom Nachweis des Warenversands sowie der Vorlage vorher verabredeter Warendokumente abhängig ist. Anders als bei der Vorkasse geht der Importeur beim Akkreditiv hinsichtlich der tatsächlich erfolgten Lieferung der Ware kein Risiko ein.

Die in der Reihenfolge für den Exporteur drittbeste Variante der Zahlungsbedingung ist die Form der „Dokumente gegen Zahlung". Sie ist auch unter dem Oberbegriff **„Dokumenteninkasso"** gebräuchlich. Hier verlagert sich der Zahlungsort an den Geschäftssitz des Importeurs, wodurch die Zahlung entsprechend später beim Exporteur eintrifft. Auch ist für den Exporteur die Zahlung nicht mehr *sicher*gestellt, da sie davon abhängt, dass der Importeur die ihm präsentierten Exportdokumente auch tatsächlich „aufnimmt" und bezahlt.

Das Dokumenteninkasso ist für beide Vertragspartner kostengünstiger als das Dokumentenakkreditiv, dafür aber mit mehr Risiken behaftet. Im Gegensatz zum Dokumentenakkreditiv ist für den Exporteur beim Dokumenteninkasso der Eingang der Zahlung sowie die Abnahme der Ware durch den Importeur nicht mehr sicher, da *kein abstraktes Zahlungsversprechen* der Bank des Importeurs vorliegt. Die Vereinbarung des Dokumenteninkassos setzt somit schon ein größeres Vertrauen des Exporteurs in seinen ausländischen Vertragspartner voraus, das nun allerdings auch nicht so groß ist, dass man sich gleich auf eine nichtdokumentäre Zahlungsbedingung einigen könnte.

Beim Dokumenteninkasso erhält der *Importeur* mit den über seine Bank vorgelegten Dokumenten nur den Nachweis, dass die von ihm bestellte Ware unterwegs ist. Ob die Ware aber auch in auftragsgemäßem Zustand geliefert wird, kann er bei Bezahlung der präsentierten Dokumente noch nicht wissen. Es ist bei dieser Zahlungsvereinbarung gerade das Risiko des Importeurs, dass er vorleistungspflichtig ist, also die Ware vor Bezahlung weder prüfen noch besichtigen darf. Der Exporteur trägt beim Dokumenteninkasso das Risiko, dass der Importeur die gelieferte Ware nicht abnimmt und diese, z.B. bei leichtverderblichen Gütern, für ihn wertlos wird.

Im weltweiten Geschäft ist das wichtigste Dokument, das den Versand der Ware bestätigt und die Ware repräsentiert, das Konnossement. Wenn der *Exporteur* seine Bank mit dem Inkasso seiner Exportdokumente beauftragt, hat er die Sicherheit, dass der Importeur nicht über die Ware verfügen kann, bevor er die Dokumente „aufgenommen", also so akzeptiert hat, wie sie im Kaufvertrag verabredet waren. Akzeptiert der Importeur die Warendokumente nicht und löst damit auch das Inkasso nicht ein, sendet die mit dem Inkasso beauftragte Bank die Dokumente an den Exporteur zurück. Dem Importeur wird – da er die die Ware repräsentierenden Papiere nicht ausgehändigt bekommt – die Möglichkeit genommen, die Ware heraus zu verlangen, da er hierfür beispielsweise das Konnossement benötigen würde. So ist für den Exporteur durch das „Dokumenteninkasso" sichergestellt, dass er die Verfügungsgewalt über die Ware behält und anderweitig darüber verfügen kann, sofern die Abnahme durch den Importeur ausfällt. Nachteilig ist für den Exporteur dann allerdings, dass er einen neuen Abnehmer für die Ware finden muss, was mit Zeit- und Geldverlusten verbunden sein kann.

Die nächste Variante, die ebenfalls noch zum „Dokumenteninkasso" (als Oberbegriff) gezählt wird, ist die Zahlungsbedingung **„Dokumente gegen Akzept".** Sie ist eine Verbindung von „Dokumente gegen Zahlung" und einem Zahlungsziel auf gesicherter Basis. Der Zahlungstermin wird hier um die Dauer des dem Käufer eingeräumten Zahlungsziels hinausgeschoben. Der Importeur erhält die Dokumente in diesem Fall ausgehändigt, sodass ihm die Verfügung über die Ware ermöglicht wird, allerdings nur gegen Akzept eines Wechsels, den der Exporteur ausgestellt und auf den Importeur als Bezogenen gezogen hat.

Zur Präsentation der Dokumente mit dem gezogenen Wechsel (der noch nicht akzeptierten Tratte) bedient sich der Exporteur seiner Bankverbindung. Da das Akzept der Tratte dieselbe Bonität hat wie der Akzeptant selber, wird dieses Verfahren nur infrage kommen, wenn der Importeur über eine ausreichend gute Bonität verfügt. Allerdings ist das Innehaben einer Wechselforderung immer noch besser, als wenn der Exporteur aus der bloßen Rechnungsforderung gegen den säumigen Importeur vorgehen müsste: Die Wechselforderung ist als sogenanntes *abstraktes Zahlungsversprechen* deutlich schneller mit gerichtlicher Hilfe durchsetzbar (im Regelfall auch weltweit) als es die bloße Kaufpreisforderung, niedergelegt durch die Rechnung, sein kann: der Rechnung kann immer entgegengehalten werden, dass die Forderung zu Unrecht geltend gemacht werde, weil ihr Einwendungen oder Einreden aus dem Kaufgeschäft entgegenstehen.

Erhält der Exporteur unter dieser Zahlungsbedingung ein Akzept des Exportwechsels, kann er dieses Wechselakzept seiner eigenen Hausbank zum Diskont (und damit zur Export-Vorfinanzierung) anbieten; er erhält dann den Exporterlös im Voraus und verbessert damit seine Liquiditätslage. Übernimmt die Bank auch die Wechselforderung in den eigenen Forderungsbestand, indem sie sie „ohne Rückgriff" auf den Exporteur ankauft, liegt eine „Forfaitierung" vor, also ein regressloser Wechselankauf, eine für den Exporteur zwar etwas teurere, aber hinsichtlich der Risikoabgabe sehr attraktive Form der Exportfinanzierung!

Der Einsatz des Wechsels bedeutet auf jeden Fall, dass ein Zahlungsziel eingeräumt wird – mit der Einräumung des Zahlungsziels steigen auf Seiten des Exporteurs die Finanzierungskosten („Lieferantenkredit"), was sich auf den

Warenpreis niederschlagen kann. Für den Importeur dagegen bedeutet diese Zahlungsbedingung, dass er keine eigene (Import-)Finanzierung in Anspruch nehmen muss, da er erst bei Fälligkeit und Vorlage des akzeptierten Wechsels zahlen muss.

Eine für den Exporteur deutlich schlechtere Zahlungsbedingung (mit deutlichen Vorteilen auf Seiten des Importeurs) ist die **„Bezahlung gegen einfache Rechnung"**. Sie ist eine typische Zahlungsform vor allem im *Europäischen Binnenmarkt,* der aktuellen Statistiken von Eurostat zufolge für deutsche Exporteure bereits knapp 64% (Stand 2013) des gesamten deutschen (weltweiten) Exportgeschäfts ausmacht. Angesichts dieser Zahlen ist es überraschend, dass aktuellen Insolvenzstatistiken zufolge Deutschland (EU-weit betrachtet) die höchsten Zahlen der Insolvenzen bei Unternehmen aufweist (ca. 37.000 bis knapp 40.000 pro Jahr, darunter neben Handelsunternehmen auch Dienstleister), was Analysen zufolge in jedem zweiten Fall (!!) damit zusammenhängt, dass Exportforderungen unzureichend oder gar nicht gesichert werden. Kein Wunder, wenn deutsche Unternehmer ihre EU-weiten Lieferungen gegen bloße Handelsrechnung erbringen und dann – angesichts säumiger oder auch insolventer Abnehmer in der EU selber in Liquiditätsschwierigkeiten oder Insolvenz geraten! Diese Zahlungsbedingung sollte daher aus Sicht des deutschen Lieferanten so oft wie möglich vermieden werden!

Bei dieser Zahlungsbedingung versendet der Exporteur seine Ware an den ausländischen Geschäftspartner und sendet ihm zugleich nur eine Handelsrechnung zu, in der der Importeur gebeten wird, den Rechnungsbetrag innerhalb eines bestimmten Zeitraums an die Bank des Exporteurs zu überweisen. Der Exporteur verzichtet bei dieser Zahlungsbedingung auf die Sicherstellung der Zahlung und behält auch keine Verfügungsgewalt über die Ware, da diese dem Importeur entweder unmittelbar durch die üblichen Landtransportmittel oder per Luftfracht zugeleitet wird oder aber, falls der Seeweg beschritten wird, der Exporteur dem Importeur die Inhaberpapiere ohne weiteres zuleiten lässt, ohne eine Bank mit dem Dokumenteninkasso zu beauftragen.

Wird die Bezahlung durch den Importeur erst vorgenommen, wenn die Ware bereits bei ihm eingetroffen ist, liegt darin eine weitere, einseitige Vorleistung des Exporteurs. Zahlungsort ist nämlich dann der Geschäftssitz des Käufers, während der Fälligkeitstermin der Zahlung (sofern kein Zahlungsziel festgesetzt wurde) frühestens das Datum des Rechnungseingangs beim Importeur ist. Für den Zeitraum zwischen der Bezahlung der Rechnung und dem Weiterverkauf der Ware benötigt der Importeur eine eigene Finanzierung, die er oft dadurch zu umgehen versucht, dass er die Bezahlung des Exporteur hinauszögert – ein Kreis, der für den Exporteur sehr nachteilig ausgehen kann, wie oben bereits erwähnt wurde!

Die für den Exporteur wohl schlechteste und unsicherste Zahlungsbedingung ist das **„offene Zahlungsziel“.** Eine solche Vereinbarung, nach der der Käufer erst nach Tagen, Wochen oder sogar Monaten den Kaufpreis entrichten muss, spricht eindeutig für eine überlegene Marktposition des Käufers. Er kann es sich erlauben, letztlich zulasten des Verkäufers Waren abzunehmen und sie möglicherweise sofort weiterzuverkaufen, ohne dass er seinerseits schon den Kaufpreis bezahlt hat. Dem Käufer wird damit ein zinsloser Kredit durch den Verkäufer eingeräumt; ein Risiko der Nichtbezahlung lässt sich – was sich bei höheren Kaufsummen lohnt – durch eine von der Bank des Käufers zu stellende Zahlungsgarantie mindern (sofern der Käufer sich auf diese Bedingung überhaupt einlässt).

Zahlungsbedingungen

Die Zahlungsbedingungen in Außenhandelsverträgen legen fest, unter welchen Voraussetzungen und Umständen der Kaufpreis zu entrichten ist. Neben der Vereinbarung des Zahlungsortes können Zahlungsbedingungen auch eine Regelung darüber enthalten, ob Aufrechnungs- und Zurückbehaltungsrechte vertraglich ausgeschlossen sein sollen

Die Festlegung der Zahlungsbedingungen ist von der Markt- und Verhandlungsposition der beiden Vertragspartner abhängig. Dem Exporteur ist daran gelegen, seine Warenlieferung möglichst frühzeitig bezahlt zu bekommen; der Importeur dagegen ist bemüht, den Warenimport möglichst spät bezahlen zu müssen. Darüber hinaus ist es im Interesse des Exporteurs, möglicherweise eine „Zahlungssicherung“ vorzunehmen. Insgesamt gesehen stehen folgende Verfahrensweisen bzw. Instrumente zur Verfügung, die in der Reihenfolge genannt werden, wie sie für den Exporteur besonders vorteilhaft (Vorkasse) bzw. weniger vorteilhaft sind:

- Vorauszahlung der Warenlieferung/Vorkasse
- Anzahlung der Warenlieferung
- Lieferung gegen Nachnahme (nur Europa)
- Lieferung gegen Stellung eines Dokumentenakkreditivs zugunsten des Exporteurs
- Lieferung auf Inkassobasis (Kasse gegen Dokumente)
- Dokumente gegen Akzept
- Zahlung netto Kasse
- Zahlung gegen offene Rechnung
- Lieferung mit Zahlungsziel

33. Vereinbarung eines Zahlungsortes: Die Vereinbarung eines Zahlungsortes ist von Wichtigkeit, wenn nicht im Wege des Dokumentenakkreditivs oder Dokumenteninkassos ohnehin eine Abrede darüber getroffen worden ist, welches Kreditinstitut als Zahlstelle tätig wird und damit eine weitere Vereinbarung eines „Zahlungsortes" überflüssig macht.

Zahlungsort

Zunächst ist bei Fremdwährungszahlungen folgendes zu beachten. Ist bei einer Fremdwährungsforderung ein Zahlungsort in Deutschland vereinbart, darf die gemäß § 244 BGB zugunsten des Schuldners bestehende Umrechnungsbefugnis nicht außer Acht gelassen werden. Die Festlegung des Zahlungsortes stellt sich aus der Sicht des zahlenden Käufers gleichzeitig als Festlegung des Erfüllungsortes für die Zahlung dar.

Schließlich kann, was später noch im Rahmen des Problemkreises „Rechtswahl" dargestellt wird, auch mangels ausdrücklicher oder stillschweigender Rechtswahl die Benennung eines Zahlungsortes als Indiz für die Festlegung des Schwerpunktes des Vertragsverhältnisses angesehen werden.

34. Dokumentäre Zahlungsbedingung: Die dokumentären Zahlungsbedingungen, insbesondere die Verabredung der Geschäftsabwicklung über Akkreditiv, sind für den Exporteur besonders günstig. Den dokumentären Zahlungsklauseln kommt zugute, dass sie, genau wie die Lieferbedingungen auf der Grundlage der Incoterms auf weltweit gleichermaßen gültige Richtlinien der Internationalen Handelskammer, Paris, zurückgreifen können. Dies bürgt letztlich dafür, dass Auslegungsprobleme kaum entstehen können. Die Einheitlichen Richtlinien und Gebräuche für Dokumentenakkreditive (Einheitliche Richtlinien und Gebräuche für Dokumentenakkreditive, Publikation Nr. 600 der Internationalen Handelskammer, Paris, in Kraft seit dem 1.1.2007, nachfolgend abgekürzt „ERA") und die Einheitlichen Richtlinien für Inkassi (Revision 1995, Publikation Nr. 522 der Internationalen Handelskammer, Paris, in Kraft seit dem 1.1.1996, nachfolgend abgekürzt „ERI") dienen somit der Rechtssicherheit und einem vereinheitlichten Verfahren in der Akkreditiv- und Inkassoabwicklung. Da weltweit mehr als 100 Länder die „Einheitlichen Richtlinien" akzeptieren und anwenden, kann – insbesondere bei neu aufgebauten Handelsbeziehungen – auf dieser Grundlage eine Zahlungsvereinbarung getroffen werden. Da beide Typen der Einheitlichen Richtlinien seit der Entstehung mehrfach revidiert wurden, sollte stets die aktuelle Fassung vereinbart werden, um hier Auslegungsstreitigkeiten zu vermeiden.

Dokumente

In der hier vorliegenden Mustervertragsklausel ist die Abwicklung mittels Dokumentenakkreditiv vorgesehen. Bei der Zahlungsform Dokumente gegen Akkreditiv erteilt der Käufer (Empfänger der Warenlieferung) seiner Bank einen sogenannten Akkreditivauftrag. Die Bank des Importeurs prüft vor Abgabe ihres Zahlungsversprechens, ob der Käufer/Importeur die notwendige

Bonität aufweist (bzw. Kreditlinie hat), um die Verpflichtungserklärung der Bank zu rechtfertigen. Danach teilt sie dem Begünstigten bzw. dessen Bankverbindung schriftlich mit, dass sie gegen Vorlage von akkreditivkonformen Exportdokumenten die Zahlung ausführen wird. Dieser Vorgang wird „Akkreditiveröffnung" genannt.

Erst ab Wirksamwerden der Akkreditiveröffnung wird die Verpflichtung der Akkreditivbank begründet, gegenüber dem durch das Akkreditiv Begünstigten (Exporteur/Verkäufer) ein selbstständiges, durch die fristgerechte Einreichung bestimmter vorgeschriebener Dokumente bedingtes Schuldversprechen abzugeben.

Aufgrund dieses Schuldversprechens kann der Verkäufer – unabhängig sowohl von seinen Rechtsbeziehungen zum Käufer als auch von dem zwischen Käufer und Akkreditivbank bestehenden Rechtsverhältnis – die Zahlung des Akkreditivbetrages von der Akkreditivbank verlangen, sofern er dieser (gegebenenfalls durch Einschaltung seiner Bank (der „Avisbank")) die vorgeschriebenen Dokumente fristgerecht andient.

Für die beiden Vertragspartner des Außenhandelsgeschäfts bedeutet das Dokumentenakkreditiv eine weitgehende Sicherung ihrer Interessen. Der Exporteur beispielsweise kann – und dies unabhängig von der Zahlungsfähigkeit des Importeurs – in jedem Falle mit der Zahlung durch die Bank rechnen, wenn er ihr die ordnungsgemäßen Dokumente in der vorgesehenen Frist eingereicht hat. Seine Sicherung geht sogar noch weiter, wenn beispielsweise die Avisbank (Bank des Exporteurs) oder aber ein anderes, drittes Institut, im Auftrag der Akkreditivbank eine zusätzliche eigene Zahlungsverpflichtung (die sogenannte Bestätigung) hinzufügt und sich dadurch als Gesamtschuldnerin mit der Akkreditivbank verpflichtet.

Auch der Importeur hat bei Vereinbarung eines Dokumentenakkreditivs Vorteile. Für ihn ist sichergestellt, dass die Akkreditivbank erst nach sorgfältiger Prüfung der fristgemäß und akkreditivgerecht eingereichten Dokumente eine Bezahlung dieser Dokumente vornimmt. Vorteilhaft für beide Parteien ist auch, dass die Einheitlichen Richtlinien für Dokumentenakkreditive weltweit anerkannt und angewendet werden, was eine gleichmäßige Abwicklung des Dokumentenakkreditivs gewährleistet. Allerdings muss im Einzelfall untersucht werden, ob die eine oder andere Auslandsbank nicht eventuell grundsätzlich ausschließt, auf der Basis der Einheitlichen Richtlinien arbeiten zu wollen.

Bei Akkreditiven gibt es vier Grundformen der Ausgestaltung:

- Entweder ist es benutzbar bei Sicht bei der avisierenden oder einer anderen genannten Bank, der sogenannten Zahlstelle, bei Vorlage der Dokumente

- oder es berechtigt zur aufgeschobenen Zahlung (deferred payment), wobei die hinausgeschobene Zahlung erst eine vorab vereinbarte Anzahl von Tagen nach Vorlage der Dokumente fällig wird.
- Es kann auch gegen Akzept einer Wechseltratte genutzt werden (Akzeptakkreditiv)
- und zur freien Negoziierung, d.h. zum Ankauf von Sicht- oder Nachsichtwechseln durch eine frei wählbare Bank eingesetzt werden.

Der Normalfall des Akkreditivs ist ein „unbestätigtes" Akkreditiv, in dem die akkreditiveröffnende Bank (im Auftrage ihres Kunden) dem Begünstigten gegenüber zur Zahlung verpflichtet ist.

Trotz dieses Zahlungsversprechens der Akkreditivbank verbleibt immer ein Restrisiko der Nichtzahlung (Delcredererisiko), das sich aus dem sogenannten *Länderrisiko* (also nicht in erster Linie aus der Bonität der Bank) herleiten lässt.

Die sogenannten Länderrisiken (KT/ZM-Risiken), also die Möglichkeit, dass ein ausländischer Staat die Konvertierung seiner Währung (K) oder den Transfer von „harter" Währung aus dem Land (Transferrisiko) verbietet oder gar ein Zahlungsverbot (Z) oder Moratorium (M) verhängt, ist in manchen Problemländern der Welt offenkundig. Wenn der Exporteur in einer derartigen Situation sichergehen will, dass er trotz bestehender Länderrisiken die Zahlung aus dem Akkreditiv erhält, kann er von seinem Geschäftspartner verlangen, dass dieser von Anfang an dafür sorgt, dass das Akkreditiv nach Eröffnung zusätzlich (entweder im Auftrage und auf Kosten des Warenkäufers oder alternativ auch durch den Exporteur selber in die Wege geleitet und bezahlt) durch eine weitere Bank außerhalb des risikobehafteten Landes bestätigt" wird. In diesem Fall tritt die „Bestätigung" durch die Zweitbank als rechtlich selbstständiges Zahlungsversprechen (in Gesamtschuld) neben das eigentliche Ursprungsakkreditiv, sodass der Exporteur bei Vorlage akkreditivgerechter Dokumente wählen kann, bei welcher Bank er seine Zahlungsforderung vorbringt.

Akzept

35. Dokumente gegen Akzept: Diese Klausel stellt die Alternative zur Zahlungsbedingung „Akkreditiv" dar, die allerdings für den Exporteur – mangels abstrakten Zahlungsversprechens der Bank des Importeurs – weniger günstig ist und auch keine Absicherung seiner Kaufpreisforderung darstellt (wegen weiterer Details hierzu oben, Ziffer 33).

Es empfiehlt sich, dass der Exporteur diese Zahlungsbedingung grundsätzlich nur in Verbindung mit einer Bankenabwicklung einsetzt. Das Problem ist nämlich, dass der bloße Versand einer Handelsrechnung in Begleitung einer Tratte dazu führt, dass der ausländische Importeur die Tratte einfach liegen lässt, anstelle sie zu akzeptieren und dem Exporteur zurückzureichen. Werden dagegen die Dokumente im Wege eines bankenseitigen Dokumenteninkassos angedient und achtet die Bank (gegen Entgelt) darauf, dass der Importeur die Tratte akzeptiert, dann kann die Bank den akzeptierten Wechsel anschließend an den Exporteur (oder dessen Bank) zurückreichen.

Dieses Vorgehen wird auch kurz als „Dokumenteninkasso" bezeichnet. Es wird im Regelfall auf der Grundlage der „Einheitlichen Richtlinien für Inkassi - Revision 1995" – (ICC-Broschüre Nr. 522, in Kraft seit dem 1.1.1996) weltweit – soweit in den betroffenen Ländern anerkannt – abgewickelt. Diese Einheitlichen Richtlinien (nachfolgend „ERI" abgekürzt) fassen früheren Handelsbrauch weitgehend zusammen und werden deshalb heute *als Allgemeine Geschäftsbedingungen* zur Abwicklung von Inkassi bzw. als *kodifizierter Handelsbrauch* verstanden. Keinesfalls jedoch haben die Einheitlichen Richtlinien Gesetzescharakter; Verbindlichkeit zwischen den Parteien entfalten sie also nur, wenn ihre *Geltung ausdrücklich vereinbart* wird.

Neben den Parteien des Kaufvertrags (Exporteur und Importeur) werden auf Seiten der Geschäftspartner bei der Abwicklungsform „Dokumenteninkasso" also auch Kreditinstitute tätig. Grundsätzlich ist es zwar durchaus ausreichend, nur mit einem einzigen Kreditinstitut (z.B. mit der Bank des Importeurs) zu arbeiten. Die klassische Variante ist jedoch, dass auf Seiten beider Geschäftspartner die jeweilige Hausbank in die Abwicklung des Inkassos eingebunden wird. Folgende Konstellationen sind dabei denkbar:

Zwischen dem Exporteur/Verkäufer und der von ihm mit dem Dokumenteninkasso beauftragten Bank (Einreicherbank) liegt ein Dienstvertrag vor, der eine Geschäftsbesorgung zum Gegenstand hat (§§ 675, 611 ff. BGB). Die Einreicherbank (Bank des Exporteurs) ist daraus nur zur ordnungsgemäßen Durchführung des Inkassoauftrages verpflichtet, übernimmt aber *kein Erfolgsversprechen* gegenüber dem Exporteur, dass die Dokumente vom Importeur auch aufgenommen werden.

Die im Lande des Importeurs eingeschaltete Inkassobank nimmt für die Einreicherbank mit dem Inkasso eine Geschäftsbesorgung vor. Dabei wird die Inkassobank in der Form eines Unterauftrags im Sinne von § 644 Abs. 1 BGB von der Einreicherbank eingeschaltet, für die sie bei Andienung der Dokumente das Inkasso beim Importeur übernimmt.

Auf der Grundlage des Vorgesagten ist erkennbar, dass die eingeschalteten Banken nur auf der Seite des auftraggebenden Exporteurs tätig sind und auch nur – in ihrer jeweiligen rechtlichen Beziehung untereinander – zur vertragsgemäßen Interessenwahrung verpflichtet sind. Die Inkassobank muss dem Importeur weisungsgemäß die Dokumente zur vorgeschriebenen Zeit andienen und ihn auffordern, die Inkassosumme in der vom Exporteur bestimmten Weise zu bezahlen. Weitere Pflichten treffen die Banken nicht.

Die Bank ist weder zur Prüfung der Dokumente verpflichtet, noch übernimmt sie für deren Form und Richtigkeit die Haftung.

Nach Art. 7 der Einheitlichen Richtlinien (ERI) muss die Bank beim Inkasso dem Bezogenen die Dokumente in der Form vorlegen, in der sie die Dokumente empfangen hat. Das bedeutet – wie auch in Art. 2 der ERI festgeschrieben –, dass die Banken nur dazu verpflichtet sind, zu prüfen, ob die erhaltenen Dokumente den „im Inkassoauftrag aufgezählten Dokumenten zu entsprechen *scheinen*", wobei beim Fehlen irgendwelcher Dokumente der Inkassoauftraggeber zu verständigen ist. Ausdrücklich besagt Art. 2 Abs. 2 ERI, dass die Kreditinstitute keine Verpflichtung zur Prüfung der Dokumente selbst haben, sodass hierdurch bereits ein grundsätzliches Unterscheidungsmerkmal gegenüber dem Dokumentenakkreditiv besteht.

Nach Art. 9 ERI müssen bei Sicht zahlbare Dokumente durch die „vorlegende Bank" (das ist diejenige Inkassobank, die gegenüber dem Bezogenen die Vorlegung vornimmt) unverzüglich zur Zahlung vorgelegt werden. Nicht bei Sicht zahlbare Dokumente muss die vorlegende Bank im Falle verlangter Akzeptierung unverzüglich zur Akzeptierung und im Falle verlangter Zahlung nicht später als am betreffenden Fälligkeitsdatum zur Zahlung vorlegen (Wortlaut Art. 9 Abs. 2 ERI).

Zwar ist die Inkassobank zur Aushändigung der Dokumente an den Importeur vor bewirkter Zahlung der Ware nicht berechtigt. In der Praxis geschieht es jedoch zur Beschleunigung der Geschäftsabwicklung häufig, dass dem Importeur die *Dokumente* kurzfristig *„zu treuen Händen"* übergeben werden, damit dieser sie überprüfen kann. Weder erhält der Importeur damit bereits das Eigentum an der Ware übertragen, noch darf er die Ware bereits besichtigen. Da das Risiko besteht, dass der Importeur abredewidrig mit den Dokumenten umgeht, *haftet* die Inkassobank in solch einem Falle für missbräuchliche Verwendung oder den Verlust der Dokumente und muss sie in jedem Fall (wie aufgenommene Dokumente) bezahlen.

Die Art. 10 ff. ERI legen fest, wann und wie die Inkassopapiere an den Bezogenen ausgehändigt werden dürfen. Eine Besonderheit kann dann auftreten, wenn der Bezogene die Dokumente nicht oder nicht in voller Höhe zu bezahlen braucht und zwischen den Kaufvertragsparteien (Importeur/Exporteur) vereinbart wurde, dass der Warenempfänger die Ware treuhänderisch für den Auftraggeber des Inkassos zu halten und einen zukünftig erzielten Verkaufserlös umgehend an diesen abzuführen hat. In diesen Fällen erhält der Importeur die Warendokumente gegen eine Verpflichtungserklärung (sogenannter trust receipt), die keinen bestimmten Inhalts- und Formerfordernissen unterworfen ist und somit hinsichtlich ihrer Ausgestaltung beliebig von den Kaufvertragsparteien formuliert werden kann.

§ 10 Rechtswahl

10. Choice of Law[36]
This Agreement shall be governed by and construed in accordance with German law.   **German law shall apply. The UN Convention on the International Sale of Goods (CISG) shall not apply**[37]**.**

Rechtswahl

36. Festlegung der Geltung deutschen Rechts: Eine beliebte Vertragsklausel ist die Vereinbarung er Geltung eines bestimmten nationalen Rechts, das für alle Vertragsklauseln gelten soll. Es ist an dieser Stelle deutlich zu machen, worin die Möglichkeiten, aber auch die Risiken einer solchen *Rechtswahl* bestehen und welche Grundsätze dabei zu beachten sind.

Weltweit hat ein *Grundsatz* allgemeine Gültigkeit: der der sogenannten Parteiautonomie: Immer dann, wenn mindestens zwei Geschäftspartner sich über ihre jeweiligen Verpflichtungen und Rechte einigen – wie sie es beispielsweise bei Bestimmung ihrer jeweiligen Pflichten in einem grenzüberschreitenden Liefervertrag machen –, haben die Parteien die Möglichkeit, frei zu entscheiden, welches nationale Zivilrecht (also das des Exportlandes oder das des Importlandes) für ihren Vertrag zur Anwendung gelangen soll, falls es nötig wird, auf die Gesetze und Rechtsprechung zurückzugreifen (etwa weil es Streit über Haftungs- und sonstige Regelungen gibt). Die Parteien dürfen *frei* entscheiden, welches Recht gilt, sind also diesbezüglich *autonom.*

PRAXISTIPP

Zu beachten ist immer: Nur für den Bereich der schuldrechtlichen Verpflichtungen, also dort, wo aufgrund der schuldrechtlichen Versprechungen ein Partner berechtigt ist, vom Vertragspartner eine Leistung zu fordern – darf ein „Recht gewählt" werden. Es bleibt den Vertragspartnern überlassen zu entscheiden, welches nationale Schuldrecht für ihre Vertragsbeziehungen gelten soll.

Dabei ist es auch möglich, das Recht eines völlig *fremden* Staates zu wählen, zu dem die Vertragsparteien nicht von vornherein Bezug haben (z.B. vereinbaren der deutsche Importeur und der afrikanische Exporteur die Geltung schweizerischen Rechts für den Kaufvertrag). Diese hier genannte Möglichkeit der „Parteiautonomie" ist der weltweit anerkannte Grundsatz: die Parteien *dürfen* ein Recht wählen, wenn sie dies wollen. Sofern sie kein bestimmtes Recht wählen, kommen andere Grundsätze zur Anwendung.

Am günstigsten ist es für die Geschäftspartner, wenn sie in ihren Vereinbarungen eine klare, ausdrückliche Rechtswahl aufnehmen, wie sie hier im Mustervertrag ausgeführt wurde. Das für einen Vertrag zur Anwendung gelangende Recht muss im Wege einer übereinstimmenden Erklärung festgelegt werden.

Wenn die Geschäftspartner aber vergessen haben sollten, ein Recht für ihren Vertrag ausdrücklich zu bestimmen, dann kann sich möglicherweise „mit hinreichender Sicherheit" aus den Bestimmungen des übrigen Vertrags oder aus den sonstigen Umständen des Falles" ergeben, welches Recht für den Kaufvertrag gelten soll.

Bestimmte Indizien werden hier – nach weltweit entsprechend gehandhabter Praxis – herangezogen, um festzulegen, wie wohl der reale Parteiwille ist. Solche Indizien oder typischen Umstände können beispielsweise in der Bestimmung eines einheitlichen Gerichtsstands, der Vereinbarung eines Schiedsgerichts, der Vereinbarung der Geltung der Allgemeinen Geschäftsbedingungen des Im- oder Exporteurs oder auch in der Verwendung von Formularen liegen, wenn diese auf einer bestimmten Rechtsordnung aufbauen.

Deutlich werden muss hier folgendes: Am besten ist es stets, wenn die Vertragspartner eine klare, ausdrückliche Aussage zur Rechtswahl treffen. Es kann für eine der beiden Parteien ungünstig sein, wenn sonst Hilfsindizien herangezogen werden, die mangels klarer Parteiabsprache Lücken in der Vertragsabrede füllen sollen. Wichtig ist es auch zu erkennen, wie notwendig gerade auch aus diesem Aspekt heraus andere Vertragsabreden (Vereinbarung von Gerichtsstand, Schiedsgericht, AGB usw.) werden können, wenn es um das bloße Füllen von Lücken geht. Auf die Notwendigkeit klarer und ausdrücklicher Parteiabsprachen kann nicht ausdrücklich genug hingewiesen werden!

Denkbar ist auch der dritte Fall, dass die Vertragspartner weder eine ausdrückliche Rechtswahl getroffen haben noch dass es gelingt, mittels Indizien herauszufinden, was die Parteien gewählt hätten, wenn sie an die Notwendigkeit der Rechtswahl gedacht hätten.

Man behilft sich hier in der Praxis mit folgender Lösung: Es muss – mangels anderer Möglichkeiten – das Recht zur Anwendung gelangen, das mit der charakteristischen Vertragsleistung die *engste* Verbindung aufweist, das sogenannte center of gravity. Entscheidend ist in solchen Fällen also immer, wo die für den Vertrag charakteristische Leistung erbracht wird, also wo der Schwerpunkt des Vertragsverhältnisses liegt. Ist dieser Ort im Land des Exporteurs zu finden (z.B. weil eine Lieferklausel „ex works" vereinbart wurde), dann gilt mangels anderweitiger Rechtswahl nach dieser Regel das Recht des Exportlandes für den internationalen Liefervertrag. Liegt dagegen die für den

Vertrag charakteristische Leistung im Lande des Importeurs, so gilt das Recht des Importlandes.

Diese Grundkonzepte des „geltendes Rechts" bzw. der „Rechtswahl" waren früher in einem Anhang zum BGB, in den Art. 27 ff. EGBGB, geregelt. Mit Inkrafttreten der *Verordnung (EG) Nr. 593/2008 über das auf vertragliche Schuldverhältnisse anzuwendende Recht vom 17.6.2008,* meist kurz als ROM-I-VO bezeichnet, gibt es ein *EU-weit* in allen EU-Mitgliedstaaten unmittelbar geltendes neues Recht, das *in Deutschland* für alle seit dem 17.12.2009 abgeschlossenen grenzüberschreitenden Verträge in ihrem Anwendungsbereich die bis dahin geltenden Art. 27 bis 37 EGBGB abgelöst hat.

Das Prinzip der Rechtswahlfreiheit ist daher in Art. 3 Abs.1 Satz 1 ROM-I-VO enthalten. Danach unterliegt ein Schuldverhältnis, das eine Verbindung zu einem anderen Staat aufweist, dem von den (Vertrags-) Parteien gewählten Recht. Wer also mit seinen Vertragspartnern im Auslandsgeschäft grenzüberschreitende Verträge schließt, darf für diesen Vertrag grundsätzlich frei entscheiden, welches nationale Recht für diesen Vertrag gelten soll. Diese freie Entscheidung (vom Gesetz unbeeinflusste, freie und autonome Entscheidung der Geschäftspartner, *„Parteiautonomie"*) wird auch „Rechtswahl" genannt.

Dabei kann die Rechtswahl *ausdrücklich* oder konkludent getroffen werden, Art. 3 Abs.1 Satz 2 ROM-I-VO. Die ausdrücklich Rechtswahlvereinbarung kann in der Praxis unterschiedlich erfolgen, beispielsweise:

- ausdrücklich im Vertrag formuliert: „dieser Vertrag unterliegt deutschem Recht"
- oder in AGB: „alle unsere Geschäftsabschlüsse unterliegen deutschem Recht"
- oder in Formularverträgen
- oder aber auch durch Hinweis auf bestimmte Normen: „für das Gewährleistungsrecht gelten die Bestimmungen des deutschen BGB".

Die Rechtswahl setzt einen übereinstimmenden Willen beider Vertragspartner voraus; die Partner sind nach Art. 3 Abs.1 Satz 1 ROM-I-VO in ihrer Rechtswahl grundsätzlich frei. Wählbar ist *jede staatliche Ordnung,* und es kommt noch nicht einmal darauf an, dass das Geschäft, um das es bei der Rechtswahl geht, einen räumlichen oder sachlichen Bezug zu der gewählten Rechtsordnung haben muss. Unter „staatlichem" Recht sind beispielsweise Gesetze und Verordnungen, aber auch (z.B. in der anglo- amerikanischen Welt) das von Gerichten gesprochene Case Law zu verstehen.

Nicht unter *„staatliches"* Recht fällt das Regelwerk nichtstaatlicher Organisationen, wie etwa Richtlinien der ICC, Modellgesetze von UNCITRAL und UNIDROIT, Lex mercatoria usw. Diese nichtstaatlichen Regelwerke sind nur zur Regelung des *materiellen Rechts* zulässig, also dort, wo es um die Entstehung, Veränderung und den Untergang von Rechten geht (z.B. Entstehen eines Schadensersatzanspruches).

Es kann auch ein *„neutrales"* Recht gewählt werden Es kann beispielsweise bei einem Geschäft zwischen einem deutschen und einem französischen Unternehmer verabredet werden, dass das US-amerikanische Recht gelten soll, welches dann über die Entstehung und den Bestand von Rechten und Pflichten zu entscheiden hat. Dass solch eine Vereinbarung aber nur sinnvoll ist, wenn das Geschäft selber in einem Zusammenhang zum US-amerikanischen Recht steht (z.B. bei bestimmten Rohstoffgeschäften usw.), versteht sich dabei von selbst.

Sogar ein reines Inlandsgeschäft (Binnensachverhalt) könnte einem ausländischen Recht unterstellt werden (Verkäufer und Käufer sind in Deutschland ansässige Personen, aber das gesamte Kaufgeschäft hat Bezug zu einem ausländischen Recht), doch schränkt hier Art. 3 Abs.3 ROM-I-VO die Rechtswahl ein: ist das Geschäft mit nur einem einzigen Staat verbunden, bleiben (zusätzlich!) die zwingenden Bestimmungen der Rechtsordnung dieses Staates trotz der Wahl eines anderen Rechts *unberührt.*

Dies würde etwa dann gelten, wenn zwei deutsche Unternehmer einen in Deutschland geschlossenen Kaufvertrag über giftige Chemikalien schweizerischem Recht unterlegen. Das schweizerische Recht gilt dann zwar für den Geschäftsabschluss an sich, kann aber trotz Rechtswahl insoweit nicht zur Anwendung gelangen, als dessen Regelungen gegen etwaige zwingende Bestimmungen des deutschen Rechts verstoßen würden, die dann zwingend anzuwenden sind.

Dieser Aspekt des „Binnensachverhalts" macht deutlich, dass grundlegend geklärt werden muss, was eigentlich unter einem „internationalen Sachverhalt" zu verstehen ist, der die Rechtswahlbeschränkung des Art. 3 Abs.3 ROM-I-VO hinfällig machen würde.

Nach herrschender Meinung sind für die Beurteilung der Internationalität ausschließlich nur objektive Umstände maßgeblich, die auf den Leistungsaustausch zwischen den Geschäftspartnern bezogen sind und daher auch im Rahmen einer objektiven Anknüpfung nach Art 4 ROM-I-VO von Bedeutung sind. Anhaltspunkte für die objektive Anknüpfung sind danach etwa

- der gewöhnliche Aufenthaltsort der Geschäftspartner,
- der Erfüllungsort,
- der Ort, an dem der Vertragsgegenstand sich befindet (Ort der „Belegenheit der Sache") usw.

Nicht geeignet für die Anknüpfung ist dagegen die bloße Verlagerung der Vertragsabschlussortes in das Ausland, weil dies zu einer unzulässigen

Manipulation des geltenden Rechts führen könnte, und ebenfalls nicht entscheidend ist die Staatsangehörigkeit der Geschäftspartner.

Die freie Rechtswahl ist auch beschränkt durch die sogenannte Binnenmarktklausel nach Art 3 Abs.4 ROM-I-VO. Danach widersteht das Recht der EU als zwingendes Gemeinschaftsprivatrecht einer entgegenstehenden Rechtswahl von Vertragspartnern. Allerdings wird für die Anwendung dieser Vorschrift vorausgesetzt, dass – abgesehen von der Rechtswahlklausel selber – alle anderen Elemente des Sachverhalts zum Zeitpunkt der getroffenen Rechtswahl in einem Mitgliedstaat (oder in mehreren Mitgliedstaaten der EU) belegen sind.

Art 3 Abs. 4 ROM-I-VO kann nur zur Anwendung gelangen, wenn ein Recht gewählt wird, das außerhalb der EU gilt. Ein praktischer Anwendungsfall dieser Vorschrift ist beispielsweise das Handelsvertreterrecht der EU: Setzt ein deutscher Unternehmer einen belgischen Handelsvertreter für seinen Vertrieb ein und unterwirft er den Handelsvertretervertrag irgendeiner ausländischen Rechtsordnung, die z.B. keinen Ausgleichsanspruch des Handelsvertreters (aner-)kennt, dann ist die Rechtswahl diesbezüglich wegen Art 3 Abs.4 ROM-I-VO unbeachtlich und es kommt stattdessen das Sitzrecht des (belgischen) Handelsvertreters zur Anwendung, mithin eine Rechtsordnung, die das EU-weite Handelsvertreterrecht harmonisiert hat.

Eine Begrenzung der Rechtswahlfreiheit ergibt sich auch aus dem neuen Art 46 b EGBGB, der den durch bestimmte EG-Verbraucherschutzrichtlinien vorgesehenen *Verbraucherschutz* für Verträge sicherstellen soll, die einen engen Zusammenhang mit einem (EU-)Mitgliedstaat oder einem anderen Vertragsstaat der EWR (Island, Liechtenstein, Norwegen) aufweisen.

Wenn keine ausdrückliche Rechtswahl erfolgt, könnte sie dennoch *stillschweigend* erfolgt sein, Art. 3 Abs.1 Satz 2 ROM-I-VO. Eine stillschweigende Vereinbarung liegt vor, wenn sich diese eindeutig aus den Bestimmungen des Vertrags oder aus den Umständen des Falles ergibt. Dabei reicht es auch aus, wenn man in der Praxis auf Geschäftsbedingungen oder Handelsbräuche Bezug nimmt, wie etwa

- die Bezugnahme auf VOB oder die ADSp,
- die Verweisung auf einen anderen Vertrag, der eine Rechtswahlklausel enthält
- oder aber auch nur der Einsatz der deutschen Sprache als Vertragssprache bei Vertragsschluss zwischen im Inland ansässigen Personen im Inland.

Nach Art 3 Abs.1 Satz 2 ROM-I-VO gilt, dass die Rechtswahl immer dann, wenn sie nicht ausdrücklich vorgenommen wird, sich auch *„eindeutig aus den Bestimmungen des Vertrags oder aus den Umständen des Falles ergeben"* kann. Damit bestimmt diese Norm die sogenannte ausdrückliche wie auch die „konkludente" Rechtswahl innerhalb ein und desselben Satzes. Es wird allerdings nicht weiter definiert, was unter einer konkludenten Rechtswahl zu verstehen ist.

Konkludente Rechtswahl

Dies ist der Moment, in dem „Indizien" herangezogen werden müssen, die für die Geltung des einen oder des anderen nationalen Rechts sprechen. Derartige Indizien werden von der Rechtsprechung gebildet, und so finden sich auf der Basis der deutschen ober- und höchstrichterlichen Rechtsprechung folgende Merkmale, die für eine konkludente Rechtswahl eingesetzt werden können.

Einheitlicher Gerichtsstand

So kann die von beiden Geschäftspartnern übereinstimmend erfolgte *Festlegung auf ein und denselben Gerichtsstand,* der bei Streitigkeiten aus dem Geschäft angerufen werden soll, ein klares Indiz auch für die Wahl des Rechts sein (nämlich der Rechtsordnung, die am Gerichtsstand gilt).

Dagegen stellt es kein Indiz für eine konkludente Rechtswahl dar, wenn lediglich einer der Geschäftspartner seine Gerichtsstandswahl formularmäßig vorträgt, etwa indem er dies so auf seiner Rechnung vermerkt. Gleiches gilt für die Vereinbarung eines Erfüllungsortes, der nicht als Indiz für eine entsprechende Rechtswahl anerkannt ist.

Fester Schiedsgerichtsort

So, wie es ein Indiz darstellt, den ordentlichen Gerichtsstand an einem staatlichen Gericht zu begründen, kann auch die *Verabredung eines festen Schiedsgerichts* mit einem festen Tagungsort ein Indiz für eine konkludente Rechtswahl darstellen, während es kein hilfreiches Indiz ist, wenn lediglich eine Schiedsabrede getroffen wurde, in der die Geltung der ICC Rules of Arbitration als Schiedsordnung festgelegt sind.

Vertragsklauseln als Indizien

Auch Vertragsklauseln, auf denen das Geschäft der Geschäftspartner basiert, können Indizien für eine konkludente Rechtswahl enthalten.

- So kann es nach höchstrichterlicher Rechtsprechung des BGH ausreichend sein, im Vertrag der Geschäftspartner auf bestimmte Rechtsregeln und Normen Bezug zu nehmen, um hieraus zu entnehmen, dass damit dann auch gleich eine konkludente Rechtswahl zugunsten des in den Urkunden erwähnten Rechts getroffen wurde. Dies wird noch begünstigt, wenn gar eine besondere Formvorschrift berücksichtigt wird (wie etwa eine notarielle Beurkundung, die beispielsweise im deutschen Recht eine deutlich stärker hervorgehobene Rolle spielt als in den anderen weltweiten Rechtsordnungen).
- Auch die Vereinbarung und Anerkennung der AGB eines der beiden Vertragspartner kann eine konkludente Rechtswahl bedeuten, wenn diese AGB sich an den Regeln einer bestimmten Rechtsordnung orientieren und darauf Bezug nehmen.

- Kein eindeutiges Indiz dagegen ist nach überwiegender Auffassung die Auswahl der Vertragssprache, die allenfalls unterstützend herangezogen werden kann. Begründet wird dies meist damit, dass im Wirtschaftsleben häufig eine gängige Weltwirtschaftssprache genutzt wird, der Gebrauch des Englischen aber im Regelfall meist nicht dazu führen soll, dass dem Vertrag britisches Recht zugrunde gelegt werden soll. Ähnlich wird argumentiert, wenn der Abschlussort des Geschäfts, die Vertragswährung oder aber die Staatsangehörigkeit der Geschäftspartner als geeignetes Indiz verworfen wird.

Nachträgliche Rechtswahl

Eine *nachträgliche* Rechtswahl ist möglich, Art. 3 Abs.2 ROM-I-VO. Durch eine nachträgliche Rechtswahl wird bewirkt, dass der Vertrag rückwirkend neu aus dem Blickwinkel des neu vereinbarten Rechts betrachtet werden muss. Allerdings werden die Formgültigkeit des Vertrags sowie Rechte Dritter durch diese nachträgliche Rechtwahl nicht berührt, Art. 3 Abs.2 Satz 2 ROM-I-VO.

Keine Rechtswahl

Wenn keine Rechtswahl getroffen wurde und sich das geltende Recht auch nicht anders ermitteln lässt, dann gilt nach Art. 4 ROM-I-VO in einfacher und grober Unterscheidung:

- für *Kaufverträge über bewegliche Sachen* das Recht des Staates, in dem der Verkäufer seinen gewöhnlichen Aufenthalt hat
- bei *Dienstleistungsverträgen* das Recht des Staates, in dem der Dienstleister seinen gewöhnlichen Aufenthalt hat
- bei Verträgen, die ein dingliches Recht an unbeweglichen Sachen zum Gegenstand haben, das Recht das Staates, in dem die Immobilie liegt
- bei *Vertriebsverträgen* das Recht des Staates, in dem die Vertriebsperson ihren gewöhnlichen Aufenthalt hat

Immer, wenn die Katalogauflistung des Art. 3 Abs. 1 und 2 ROM-I-VO keine ausdrückliche Erkenntnis darüber bringt, welches Recht zur Anwendung gelangt, hilft Art. 4 Abs.4 ROM-I-VO weiter: In allen Zweifelsfällen kommt das Recht des Staates zur Anwendung, zu dem der Vertrag die engste Verbindung aufweist. Diese Auffangvorschrift entspricht dem früheren Art. 28 EGBGB, der durch die Neuregelung der ROM-I-VO außer Kraft gesetzt wurde.

Diese dritte und letzte Stufe bei der Ermittlung des im internationalen Geschäft anzuwendenden Rechts ist die Stufe des „center of gravity". Es wird ermittelt, wo der Schwerpunkt des Geschäfts liegt, und zwar insbesondere in der Weise, dass man feststellt, an welchem Ort (also innerhalb welcher Rechtsordnung) die für den Vertrag charakteristische Leistung erbracht wird.

Für den Kaufvertrag, der auf der einen Seite die Lieferung (mit allem Drum und Dran) durch den Geschäftspartner vorsieht, während die andere Seite meist lediglich die Zahlung bewirken muss, würde man beispielsweise die

„charakteristische Leistung" in der Lieferung (und nicht in der Zahlung) sehen. Mithin würde also ganz generell der Grundsatz gelten, dass mangels Rechtswahl stets das Recht des Verkäufers zur Anwendung gelangt.

Wenn man als deutscher Unternehmer über Art 4 Abs.1 Satz 1 a ROM-I-VO für Kaufverträge über bewegliche Güter – mangels ausdrücklicher und mangels hypothetischer Rechtswahl – letztlich zur Anwendung „deutschen" Rechts gelangt, bedeutet dies wegen der Besonderheit des „internationalen" Warenkaufgeschäfts, dass nicht etwa die Kaufrechtsregeln der §§ 433 ff. BGB, sondern stattdessen das UN-Kaufrecht (CISG) zur Anwendung gelangt. Die Anwendbarkeit des UN-Übereinkommens zum Internationalen Warenkauf (UN-Kaufrecht; CISG) ist nach dessen Art.1 Abs.1 lit. b nämlich immer dann gegeben, wenn die Regeln des IPR zur Anwendung des Rechts eines Vertragsstaates führen. Allerdings besteht bei der Anwendung des UN-Kaufrechts die hinlänglich bekannte Möglichkeit, die Geltung dieses Abkommens/Gesetzes teilweise oder gänzlich für sein eigenes Geschäft auszuschließen und erst damit dann zu der Geltung der Kaufrechtsregeln des BGB zu gelangen.

Ausweichklausel

Eine Ausweichklausel enthält Art. 4 Abs.3 ROM-I-VO. Danach gilt: „Ergibt sich aus der Gesamtheit der Umstände, dass der Vertrag eine offensichtlich engere Verbindung zu einem anderen (als nach Abs. 1 oder 2) bestimmten Staat aufweist, so ist das Recht dieses anderen Staats anzuwenden". Diese Ausweichklausel kann leicht missbräuchlich verstanden und eingesetzt werden und darf daher nur zurückhaltend genutzt werden. Die Vermutung des geltenden Rechts nach Art. 4 Abs. 1 und 2 ROM-I-VO kann durch eine derartige „Ausweichvermutung nach Art. 4 Abs.3" nur verdrängt werden, wenn besondere Umstände beinahe zwingend das Abweichen von der Regelanknüpfung rechtfertigen. Dies kann ausnahmsweise infrage kommen

- bei anderen Leistungsorten,
- ausländischem Lageort des Vertragsgegenstands
- oder auch bei Mitwirkung öffentlicher Institutionen beim Zustandekommen des Vertrags (z.B. bei Beurkundungen usw.).
- Nicht infrage kommen aber der Abschlussort des Vertrags, die Staatsangehörigkeit der Vertragspartner und die Vertragssprache.

Bestimmte Vertragstypen

Die ROM-I-VO nennt für bestimmte Vertragstypen weitere Regeln, die *die Ausnahme vom Grundprinzip der freien Rechtswahl* darstellen.

Wenn bei *Beförderungsverträgen* keine Rechtswahl getroffen wurde, gilt das Recht des Landes, in dem der Beförderer seinen gewöhnlichen Aufenthaltsort hat, Art 5 ROM-I-VO. Im Übrigen legt Erwägungsgrund 22 für die Anwendbarkeit der ROM-I-VO fest: „In Bezug auf die Auslegung von „Güterbeförderungsverträgen" ist keine inhaltliche Abweichung von Art. 4 Abs. 4 Satz 3 des Übereinkommens von Rom beabsichtigt. Folglich sollten als Güterbeförderungsverträge *auch Charterverträge* für eine einzige Reise und andere Verträge gelten, die in der Hauptsache der Güterbeförderung dienen. Für die Zwecke dieser Verordnung sollte der Begriff *„Absender"* eine Person bezeichnen, die mit dem Beförderer einen Beförderungsvertrag abschließt, und der Begriff *„Beförderer"* die Vertragspartei, die sich zur Beförderung der Güter verpflichtet, unabhängig davon, ob sie die Beförderung selbst durchführt".

Bei *Verbraucherverträgen* legt Art. 6 ROM-I-VO fest, dass das Recht des Aufenthaltsortes des Verbrauchers zur Anwendung gelangen muss. Nach Erwägungsgrund 27 sollen verschiedene „Ausnahmen von der allgemeinen Kollisionsnorm für Verbraucherverträge vorgesehen werden. Eine solche Ausnahme, bei der die allgemeinen Regeln nicht gelten, sollten Verträge sein, die ein dingliches Recht an unbeweglichen Sachen oder die Miete oder Pacht unbeweglicher Sachen zum Gegenstand haben, mit Ausnahme von Verträgen über Teilzeitnutzungsrechte an Immobilien".

Für *Versicherungsverträge* gibt es komplexe Bestimmungen; im Wesentlichen lautet die Aussage, dass das Recht des Aufenthaltsortes des Versicherers gilt, Art. 7 Abs.3 ROM-I-VO.

Schließlich gilt für *Arbeitsverträge* – mangels Rechtswahl – das Recht des Landes, in dem der Arbeitnehmer in Erfüllung seines Vertrags seine Arbeit verrichtet, Art. 8 Abs.2 ROM-I-VO.

Alle genannten Vertragstypen haben jeweils zusätzliche Merkmale und Ausführungsvorschriften. Festzuhalten ist noch, dass nach Art. 19 ROM-I-VO unter *„gewöhnlicher Aufenthalt"* im Sinne der oben genannten Vorschriften

- bei Gesellschaften, Vereinen und *juristischen* Personen der Ort ihrer Hauptverwaltung
- und bei *natürlichen* Personen, die im Rahmen ihrer beruflichen Tätigkeit handeln, das Recht des Sitzes der Hauptniederlassung maßgeblich ist.

Schranken der Rechtswahl

Dieser Grundsatz hat allerdings Schranken. So kann die freie Rechtswahl zu fehlerhaften Ergebnissen führen, wenn dadurch zwingende Vorschriften desjenigen Rechts gänzlich ausgeschlossen würden, mit dem der Vertrag am engsten verbunden ist. Grundsätzlich sollen nämlich wichtige Anliegen des privaten wie auch des allgemeinen Interesses berücksichtigt und zum Ausgleich gebracht werden. Der Grundsatz der freien Rechtswahl hat daher Einschränkungen.

Eine Einschränkung der freien Rechtswahl ergibt sich schon immer dann, wenn das Vertragsverhältnis gar keinen Auslandsbezug aufweist. So sind Tatsachen, die einen Auslandsbezug begründen können, meist auch solche, die für die objektive Anknüpfung nach Art. 4 der ROM-I-VO („mangels Rechtswahl anzuwendendes Recht") bedeutsam sind. Hierzu können der gewöhnliche Aufenthalt einer Partei oder auch die Niederlassung eines der Vertragspartner ausschlaggebend sein. Auch der ausländische Erfüllungsort kann ein relevanter Umstand sein, ebenso wie der Abschlussort des Geschäfts eine Auswirkung auf das gewählte Recht haben kann. Allerdings kann das alles nicht ausreichen, wenn der Leistungsaustausch selbst nur Inlandsbezüge aufweist.

Ferner findet die Möglichkeit der freien Rechtswahl ihre Grenze auch in Verbraucher- und in Arbeitsverträgen sowie gelegentlich auch in Beförderungs- und Versicherungsverträgen. Für Verbraucher- und Arbeitnehmerverträge gilt, dass die Rechtswahl nicht den Schutz verkürzen darf, den die zwingenden Vorschriften desjenigen Rechts gewährleisten, das ohne Rechtswahl und bei objektiver Anknüpfung zum Zuge käme, Art. 6 Abs.2 und Art. 8 Abs.1 ROM-I-VO. Umgekehrt gilt aber auch: Gewährleistet das gewählte Recht einen weiter gehenden Schutz als die zwingenden Vorschriften des objektiv ermittelten Verbraucher- oder Arbeitsvertragsrechts, dann kommt das gewählte Recht zur Anwendung.

Grundsätzlich umfasst die Rechtswahl den gesamten schuldrechtlichen Teil des Vertrags, nicht aber beispielsweise „sachenrechtliche" Bestimmungen (vgl. Art 43 EGBGB). Dieser Gedanke wurde bereits an anderer Stelle deutlich (siehe oben, Ziffer 19): Der Eigentumsvorbehalt richtet sich hinsichtlich seiner sachenrechtlichen Wirkungen (also der Frage, ob und wie er hinsichtlich des Sicherungsrechts auch im Ausland wirkt) immer nur nach dem Recht des Landes, innerhalb dessen Rechtsordnung die Ware gerade liegt. An diesem Grundprinzip ändert sich auch dann nichts, wenn die Geschäftspartner ausdrücklich etwas anderes vereinbaren!

Außerdem *begrenzen zwingende* Vorschriften das Recht der Parteien, ihren Vertrag einem bestimmten Recht zu unterwerfen. So bestimmt Art. 6 EGBGB ausdrücklich, was in anderen Staaten auch ohne eine solche ausdrückliche Gesetzesgrundlage gilt: Ein ausländisches Recht ist nicht anwendbar, wenn seine Anwendung zu einem Ergebnis führt, welches mit wesentlichen Grundsätzen des heimischen Rechts offensichtlich unvereinbar ist (weil es etwa gegen verfassungsrechtliche geschützte Grundrechte oder die Prinzipien der öffentlichen Ordnung verstößt). Außerdem gelten diese *schuldrechtlichen* Grundsätze nicht für *Sachenrechte* (z.B. Fragen des Eigentums oder Eigentumsvorbehalts).

Rechtsausschluss

37. Ausschluss des UN-Kaufrechts: Es kommt in der Praxis oft vor, dass die Geltung des UN-Kaufrechts (des CISG) abbedungen wird. Der Ausschluss geschieht mit der Vermutung, dass die Regelungen des UN- Kaufrechts nachteilig für den deutschen Exporteur seien, und zugleich in der Hoffnung, dass die Bestimmungen des BGB sachgerechter eingesetzt werden können.

Dem sind einige Argumente entgegen zu setzen. Zum einen ist das BGB mit seinen „deutschen" Bestimmungen im weltweiten Geschäftsverkehr oft unbekannt, da die meisten Staaten der Welt entweder englischen oder französischen Rechtsprinzipien folgen. Dies ist aus historischen Gründen so und liegt auch in der Tatsache begründet, dass entweder das British Empire oder aber die Kolonialmacht Frankreich wesentliche Teile der wirtschaftlich interessanten Welt mit ihrem (älteren) Wirtschaftsrecht konfrontierten und bis heute Einfluss auf die dort geltenden Regelungen haben.

Des Weiteren ist zwar das UN-Kaufrecht in seinem Grundkonzept in vielfacher Weise an englischen Rechtsprinzipien ausgerichtet (was letztlich auch dazu geführt hat, dass die meisten dem englischen Recht folgenden Staaten der Welt die Konvention auch bis heute gar nicht ratifiziert haben...). Damit wurde durch die deutsche Ratifikation im Jahre 1988 eine Art Fremdkörper ins deutsche Rechtssystem geholt, die seit Inkrafttreten des UN-Kaufrechts mehrere Jahre lang für Deutschland auch für zwei widersprüchliche, nebeneinander her bestehende „Kaufgesetze" gesorgt hat: das Spezialgesetz für internationale Warenkaufgeschäfte auf der einen Seite, und das subsidiäre BGB mit seinen Kaufrechtsregeln auf der anderen Seite. Wer das „UN-Kaufrecht" ausschloss, landete beim BGB. Das dann wieder weltweit nicht verstanden wurde... – ein Teufelskreis also.

Mit der großen Schuldrechtsreform des Jahres 2002 gelang es Deutschland, seine wichtigsten Normen des BGB, soweit sie in deutlichem Widerspruch zum UN-Kaufrecht (CISG) standen, zu reformieren. Heute ist es sehr genau zu überdenken und im Einzelfall zu prüfen, ob der pauschale Ausschluss des CISG noch sinnvoll ist. Im Interesse der Rechtssicherheit im weltweiten Geschäft zumindest ist es in den meisten Fällen wohl besser, von einem Ausschluss des CISG abzusehen.

Dann gilt: wer verabredet, dass *„deutsches Recht gilt"*, legt sich für sein internationales Kaufgeschäft automatisch auf das CISG fest, das als Spezialgesetz Vorrang vor den allgemeinen Bestimmungen des BGB hat. Wer diesen Satz in irgendeiner Weise erweitert oder einschränkt, setzt das UN-Kaufrecht/CISG diesbezüglich möglicherweise außer Kraft (teilweise oder ganz). Dieser Aspekt ist oben in unterschiedlichem Zusammenhang bereits mehrfach erläutert worden und ist darauf zurück zu führen, dass Art. 6 CISG den teilweisen oder gänzlichen Ausschluss des UN-Kaufrechts grundsätzlich ermöglicht. Im Ergebnis ist daher gut zu überlegen, was hinsichtlich des „geltenden Rechts" zu tun ist. Schließlich: Wie in Ziffer 36 bereits ausgeführt, braucht ein deutscher Exporteur im Grunde gar nichts zu tun oder ausdrücklich zu regeln. Sagt er nämlich nichts ausdrücklich zum geltenden Recht, wird es in fast allen Exportgeschäften automatisch darauf hinaus laufen, dass (wegen des Schwerpunktes des Geschäfts) „sein" Recht zur Anwendung gelangt. Und das ist – mangels anders lautender Verabredung – dann das CISG, das weltweit bekannt ist, derzeit in 80 Staaten der Welt gilt und damit ein hohes Maß an Rechtssicherheit beschert.

§ 11 Gerichtsstand

11. Place of Jurisdiction[38]
Place of jurisdiction shall be Köln. **Alternatively: The parties agree to submit to the non-exclusive/exclusive jurisdiction of the courts in...... (place) as regards any claim or matter arising under this Agreement.** **The courts of ..... (place) shall have jurisdiction over all disputes arising from the Agreement. However, we may also select a different place of jurisdiction as it may appear appropriate.**

Gerichtsstand

38. Vereinbarung eines Gerichtsstands: Da die *außergerichtlichen* Möglichkeiten der Rechtsverfolgung im Auslandsgeschäft oft nicht ausreichend sind, ist zu prüfen, ob prozessuale Verfahren vor zuständigen Gerichten eingeleitet werden können, um Verfolgungsmaßnahmen mit Aussicht auf Erfolg durchzuführen. In diesem Zusammenhang geht es um die Klärung der Frage, ob eine Gerichtsstandsvereinbarung (mit einem eventuell vor dem vereinbarten Gericht durchgeführten Verfahren) letztlich auch zu dem gewünschten Erfolg führt: Letztlich geht es darum, mithilfe eines Gerichtsurteils auch „zu seinem Recht zu kommen". Hilft dabei die Gerichtsstandsvereinbarung weiter?

Für deutsche Kläger ist zu beachten, dass die Möglichkeit der inländischen (deutschen) Gerichtsbarkeit ihre *Grenzen* an der Immunität fremder Staaten findet. Geht es um Streitfälle mit Auslandsbezug, dann muss neben der örtlichen und sachlichen Zuständigkeit des angerufenen deutschen Gerichts vor allem dessen internationale Zuständigkeit überprüft werden. Gelegentlich kann es für den deutschen Exporteur sinnvoller sein, von vornherein – trotz eigentlich vorhandener Zuständigkeit eines inländischen Gerichts – die ausschließliche Zuständigkeit eines ausländischen Gerichts auszubedingen. Dies ist insbesondere dann empfehlenswert, wenn die Vollstreckung eines deutschen Titels im Ausland deshalb nicht möglich ist, weil im Ausland keine Anerkennung des inländischen (deutschen) Urteils erfolgt. Die Prozessführung im Ausland, welche an sich schon nicht unproblematisch sein kann, kann für die deutsche Prozesspartei zumindest eine größere Chance der Vollstreckbarkeit eines im Ausland erstrittenen Titels bedeuten.

Es wird angesichts dieser Problematik nachfolgend dargestellt, wann die internationale Zuständigkeit deutscher oder ausländischer Gerichte von vornherein vorhanden ist und wie sich gegebenenfalls eine Gerichtsstandsvereinbarung der Parteien in Außenhandelsverträgen auswirkt.

Häufig wird in den Außenhandelsvertrag eine Klausel aufgenommen, nach der bestimmt wird, an welchem Ort ein etwa notwendiges Gerichtsverfahren gegen den Vertragspartner durchgeführt werden soll.

Eine solche *Gerichtsstandvereinbarung* hat den Vorteil, dass von vornherein feststeht, welches Gericht einen Streitfall zu entscheiden hat. Vorteilhaft kann dies vor allem für die Partei sein, welche ihren Geschäfts- und/oder Wohnsitz am Ort des Gerichts hat: Es entfallen Kosten für Anfahrt zum Gerichtstermin, es ist leichter, „vor Ort" Termine wahrzunehmen, statt zu Gerichtsterminen ins Ausland reisen zu müssen, und es wird das sogenannte *Prozessrisiko* weitgehend gering gehalten, da es erfahrungsgemäß leichter ist, sich im eigenen Prozessrecht zurechtzufinden als in demjenigen eines ausländischen Staates.

Problematisch ist jedoch – weltweit – die *Vollstreckung* von Gerichtsentscheidungen. So ist es nur in sehr wenigen Staaten der Welt möglich, deutsche Gerichtsentscheidungen auch im Ausland durchzusetzen. Ein hohes *Risiko* besteht also darin, dass ein einmal – langwierig und eventuell teuer – erstrittenes Gerichtsurteil im Ausland nicht vollstreckt werden kann, weil es an der bloßen *Anerkennung* der Entscheidung mangelt. Dieses für beinahe alle Staaten bestehende Problem, dass die eigenen Gerichtsentscheidungen im Ausland nicht akzeptiert werden und eine Vollstreckung auf der Grundlage dieser Urteile nicht möglich ist, hat dazu geführt, im Außenhandel meist den Weg über *Schiedsverfahren* zu gehen, wenn ein Streitfall zwischen Außenhandelsvertragsparteien mithilfe einer Institution geklärt und beendet werden muss.

PRAXISTIPP

Bei der Wahl eines Gerichtsstands ist zu beachten, dass eine Verabredung des Gerichtsstands im Inland („Gerichtsstand ist Köln") im Auslandsgeschäft fehlerhaft ist, wenn eine deutsche Gerichtsentscheidung im Ausland gar nicht durchsetzbar ist.
Da deutsche Gerichtsentscheidungen nur innerhalb der EU sicher vollstreckt werden können und in weiteren Staaten der Welt nur gelegentlich oder unter bestimmten Voraussetzungen, sollte mit einer Gerichtsstandsvereinbarung in internationalen Verträgen sorgfältig umgegangen werden.

Für die Formulierung einer Gerichtsstandsvereinbarung in einem Vertrag bedeutet dies in der Konsequenz:

- wenn erkennbar ist, dass ein in Deutschland erstrittenes Gerichtsurteil im Ausland nicht vollstreckbar ist (was außerhalb des Europäischen Binnenmarktes beinahe in den meisten Staaten der Welt der Fall ist), macht es auch keinen Sinn, „Gerichtsstand ist X-Stadt in Deutschland" zu vereinbaren. Mangels Vollstreckungsmöglichkeit ist diese Variante dann aussichtslos.

- wenn dagegen der Geschäftspartner in einem EU-Staat ansässig ist, kann aufgrund der Europäischen Gerichtsstands- und Vollstreckungsverordnung EuGVVO) von einer gesicherten Vollstreckbarkeit von Gerichtsentscheidungen ausgegangen werden. Im EU-Binnenmarktsgeschäft ist daher eine Gerichtsstandsvereinbarung unproblematisch.
- wenn der Geschäftspartner in einem Drittland (außerhalb der EU) ansässig ist und gegen ihn prozessiert werden soll, ist es einfacher, den Gerichtsstand beim ausländischen Schuldner zu haben. Auch wenn damit vielleicht geringfügig höheres Prozessrisiko verbunden sein sollte, ist doch zumindest die Problematik der Vollstreckbarkeit verhindert.

Also würde die Gerichtsstandsvereinbarung lauten: „Gerichtsstand ist Köln", allerdings nur, wenn der Geschäftspartner in der EU ansässig ist. Die Gerichtsstandsvereinbarung würde unterbleiben – oder aber es würde von vornherein der Gerichtsstand beim Geschäftspartner verabredet – wenn der Partner außerhalb der EU ansässig ist.

Liegt *eine vertragliche Gerichtsstandsvereinbarung nicht vor*, dann ist in der Stufenfolge der Prüfung zu untersuchen, ob möglicherweise ein sogenannter besonderer Gerichtsstand vorliegt. Hierzu nennt die ZPO beispielsweise den besonderen Gerichtsstand des Aufenthaltsortes (§ 20 ZPO), der Niederlassung (§ 21 ZPO), der Mitgliedschaft (beispielsweise in Gemeinden, Korporationen, Gesellschaften oder anderen Vereinen, vgl. § 22 ZPO), des Vermögens und des Streitobjekts (§ 23 ZPO), der Erbfolge (§ 27 ZPO), der unerlaubten Handlung (§ 32 ZPO), des Hauptprozesses (§ 34 ZPO) usw.

Auch *ausschließliche Gerichtsstände* (z.B. bei Grundslücken, § 24 ZPO) werden von der Zivilprozessordnung als zu beachtende Gerichtsstände benannt, sofern die Vertragsparteien keine eigene Wahl des Gerichtsstands (nach § 38 ZPO) getroffen haben.

Liegt weder eine vertragliche Gerichtsstandsabrede (Prorogation) im Sinne des § 38 ZPO noch ein besonderer oder ausschließlicher Gerichtsstand vor, dann ist für Streitigkeiten immer an dem Ort der richtige Gerichtsstand begründet, an dem der Schuldner seinen Wohnsitz hat (vgl. §§ 12 und 13 ZPO).

Der Begriff des *forum non conveniens* (also des „unpassenden Gerichtsstands") hat sich im angloamerikanischen Recht gebildet. Nach dieser (englischen) Lehre kann ein Gericht seine internationale Zuständigkeit ablehnen, wenn es zwar an sich zuständig zur Streitentscheidung wäre, dem Gericht die Durchführung des Verfahrens aber aus besonderen Gründen unangemessen (unreasonable) erscheint, weil beispielsweise eine Partei durch die Gerichtsstandsvereinbarung unangemessen benachteiligt wird.

Als entscheidendes Kriterium zieht man heran, ob der *Gerichtsstand* grundsätzlich *überhaupt geeignet* ist (appropriate and convenient forum), wobei dieser Umstand der Eignung vom Gericht selbst entschieden wird. Gelegentlich erklären sich Gerichte, die durch Gerichtsstandsvereinbarung der Parteien für zuständig erklärt wurden, für *non convenient* (ungeeignet/unpassend), weil sie keinen Sachzusammenhang zwischen dem Streitfall und dem Ort der Streitentscheidung erkennen können (oftmals auch nur mit dem Gedanken, unnötige Arbeit, die von ausländischen Streitparteien aufgebürdet wird, abzuweisen).

§ 12 Schiedsklausel

12. Arbitration[39]
Any dispute or claim arising out of this Agreement shall be finally settled by arbitration in ..... (place) pursuant to the rules of...... (e.g.: ICC Rules for Arbitration) by which each party agrees to be bound. **Any dispute among the parties hereto in conjunction with the agreement of ..... (date) with regard to .... (item) shall be subject to the decision of an arbitration panel excluding ordinary court proceedings. The arbitration panel may decide with binding effect.** **The arbitration panel shall be formed for each individual dispute/generally .... and shall consist of .... (number) arbitrators and one chairman. The chairman shall be ...... (name).** **Each Party hereto shall name one arbitrator; the arbitrators appointed shall appoint a chairman who shall be a qualified judge.** **The arbitration panel shall decide on the proceedings in its reasonable discretion and in accordance with the provisions on arbitration proceedings as they are set out in the ICC Rules for Arbitration of ..... (date).**

Schiedsklausel

39. Schiedsklausel: Die Problematik der Vollstreckbarkeit vermeidet eine Schiedsgerichtsklausel von vornherein weitgehend, weil in derzeit 149 Staaten der Welt (Stand 2014) die gegenseitige Anerkennung und Vollstreckbarkeit von Schiedsgerichtsurteilen gesichert ist. Daher wird in der Praxis häufiger eine Schiedsgerichtsklausel – ansteller einer Gerichtsstandsvereinbarung – verabredet.

PRAXISTIPP

Schiedsverfahren haben gegenüber Verfahren vor ordentlichen Gerichten den sehr entscheidenden Vorteil, dass Schiedsurteile weltweit überwiegend vollstreckt werden können. Insofern ist der Schiedsverfahrenklausel – im Vergleich zur Gerichtsstandsvereinbarung – in internationalen Geschäften der Vorzug zu geben.

Eine Schiedsklausel (auch: Schiedsgerichtsvereinbarung) ist ein eigener Vertrag zwischen den Vertragspartnern, der meist – in der Form von nur wenigen Sätzen – mit dem übrigen internationalen Kaufvertrag verknüpft ist. Inhalt des Schiedsvertrags ist die Begründung der Zuständigkeit eines Schiedsgerichts *unter Ausschluss* der ansonsten zuständigen staatlichen Gerichte. Ruft eine der Vertragsparteien im Streitfalle dennoch ein staatliches Gericht um Hilfe und Klärung an, so weist das angerufene staatliche Gericht eine Klage als unzulässig ab.

In einem *Schiedsvertrag* regeln die Außenhandelsvertragspartner den Ablauf des Schiedsverfahrens. Der Vertrag legt fest, dass Streitigkeiten aus dem Außenhandelsgeschäft dem Schiedsgericht zur Entscheidung vorgelegt werden müssen. Dieses Schiedsgericht muss aus mindestens *zwei* Schiedsrichtern bestehen, wobei jeder der Vertragspartner das Recht hat, jeweils einen Schiedsrichter zu benennen.

Beide benannten Schiedsrichter einigen sich sodann auf die Benennung eines sogenannten *Obmanns* (Vorsitzenden), damit dadurch das Schiedsgericht mit einer ungeraden Anzahl von Personen besetzt ist.

Dieser Obmann, der die Befähigung zum Richteramt haben sollte, weil er schließlich prozessrechtlich relevante Vorgänge steuern soll und auch materiell- rechtliche Sach- und Fachkompetenz haben sollte, ist meist ein Rechtsanwalt, gelegentlich auch der Präsident einer Industrie- und Handelskammer und sitzt dem Schiedsrichterkollegium als Präsident (Obmann) vor. Er hat für die Anhörung der streitenden Parteien zu sorgen, Termine anzusetzen, den streitigen Sachverhalt zu ermitteln und gemeinsam mit dem Kollegium Beweiserhebungen durchzuführen.

Das Schiedsgericht hat stets sicherzustellen, dass das Verfahren *geheim* bleibt und die Öffentlichkeit ausgeschlossen ist. Gelingt es den Schiedsrichtern nicht, einen Vergleich zwischen den Parteien zu erzielen, dann ergeht nach Beratung des Schiedsrichterkollegiums ein *Schiedsspruch*, der vom Obmann zu verfassen und mit einer Begründung der Entscheidung zu versehen ist. Das Schiedsgericht entscheidet auch über die Kosten des Verfahrens.

Ein Schiedsspruch hat unter den Parteien die Wirkung eines rechtskräftigen Urteils, wie es auch vor staatlichen Gerichten der Fall wäre. Es kann also nicht mehr mit Rechtsmitteln (z.B. Berufung) angegriffen werden. Da somit das Schiedsverfahren *nur eine Instanz* kennt, liegt – zumindest für die unterlegene Partei – darin ein mitunter nicht unerhebliches Prozessrisiko, da ein aus Sicht der unterlegenen Partei ungünstiger oder gar fehlerhafter Spruch nicht mehr angreifbar ist.

In der deutschen Zivilprozessordnung ist allerdings die Möglichkeit eröffnet, einen Schiedsspruch mit Klage vor staatlichen Gerichten anzugreifen, wenn etwa kein gültiger Schiedsvertrag bestand oder das Verfahre unter Verletzung wesentlicher Grundsätze des deutschen Rechts durchgeführt wurde.

Auch hier wird also erkennbar, wie wichtig es ist, zur Durchsetzung der eigenen Rechte einen möglichst einwandfreien Schiedsvertrag abzuschließen und auch auf eine korrekte Durchführung des Verfahrens zu achten.

Die Vollstreckung von Schiedssprüchen im Ausland ist möglich, wenn zwischen Deutschland und dem betroffenen Ausland ein entsprechendes Vollstreckungsübereinkommen der UNO besteht, was in 149 Staaten der Welt, also bei im Grunde allen wichtigen Zielländern deutscher Exporte, der Fall ist. Besteht Unsicherheit über diesen Punkt der Vollstreckbarkeit, sollte von vornherein vereinbart werden, dass das Schiedsgericht im Lande des *Schuldners* tagt, da ein dort gefälltes Urteil wie ein inländisches Urteil anerkannt und damit ohne weiteres vollstreckbar sein kann.

Das Schiedsgerichtsverfahren ersetzt ein Verfahren vor staatlichen Gerichten. Die Vorteile für die Geschäftspartner (und zugleich Parteien des Schiedsverfahrens) liegen darin, dass sie durch die Bestimmung der Schiedsrichter mit einer größeren *Sachkompetenz* ihres Schiedsgerichts rechnen können.

PRAXISTIPP

Schiedsverfahren haben nicht nur den Vorteil, dass Urteile leichter vollstreckbar sind, sondern darüber hinaus u.a. auch den Vorzug der oft höheren Sachkompetenz der Richter, der geheimen Verfahrensdurchführung sowie der weltweit einheitlich handhabbaren Verfahrensordnung, wenn man sich auf die Anwendung der ICC Rules for Arbitration einigt.

Dies liegt vor allem darin begründet, dass die benannten Schiedsrichter entweder Branchenkenner oder aber auch Gutachter sein können, die mit der Materie gut vertraut sind; jedenfalls kann ihr Fachwissen größer sein als das eines sogenannten gesetzlichen Richters, der mit einem viel breiteren Wissen – und damit in Detailfragen eventuell überforderten Kenntnisstand – zu seinen Entscheidungen gelangen muss.

Oft wird auch eine *raschere Verfahrensabwicklung* erwartet, da es ja keinen Rechtsstreit über sonst mögliche Instanzen gibt. Auch wenn es beim Schiedsverfahren nur eine Instanz gibt, so ist doch damit nicht unbedingt gesagt, dass das Verfahren besonders schnell abgewickelt werden kann; es kommt wohl sehr auf den Einzelfall an.

Auch die *Kosten* des Schiedsverfahrens sind nicht etwa grundsätzlich niedriger als bei Verfahren vor staatlichen Gerichten. Im Gegenteil kann es wegen der privat zu bezahlenden Schiedsrichter durchaus teurer werden, und wenn man sein Verfahren nicht auf der Grundlage einer anerkannten Verfahrensordnung (etwa die ICC-Schiedsgerichtsordnung von 2011) abwickelt, gibt es keine allgemeingültige Gebührenordnung. Ein sehr wichtiger Vorteil der Verfahren ist schließlich, dass Schiedsverfahren *geheim* sind – ein nicht zu unterschätzender Grundsatz, wenn es um die Verhandlung von streitigen Geschäftsgeheimnissen o.Ä. geht und die Öffentlichkeit ausgeschlossen sein soll.

Teil 4: Anhang

1. UN-Kaufgesetz

**Übereinkommen der Vereinten Nationen
über Verträge über den
internationalen Warenkauf**
(UNCITRAL-Kaufrechtsabkommen)
(vom 11. April 1980)

[in Deutschland gültig seit dem 1.1.1991 als *„Gesetz über den internationalen Warenkauf"*, im Buchtext abgekürzt zitiert als „CISG" = Convention on the International Sale of Goods]

[Präambel]

Die Vertragsstaaten dieses Übereinkommens -

im Hinblick auf die allgemeinen Ziele der Entschließungen, die von der Sechsten Außerordentlichen Tagung der Generalversammlung der Vereinten Nationen über die Errichtung einer neuen Weltwirtschaftsordnung angenommen worden sind,

in der Erwägung, dass die Entwicklung des internationalen Handels auf der Grundlage der Gleichberechtigung und des gegenseitigen Nutzens ein wichtiges Element zur Förderung freundschaftlicher Beziehungen zwischen den Staaten ist,

in der Meinung, dass die Annahme einheitlicher Bestimmungen, die auf Verträge über den internationalen Warenkauf Anwendung finden und die verschiedenen Gesellschafts-, Wirtschafts- und Rechtsordnungen berücksichtigen, dazu beitragen würde, die rechtlichen Hindernisse im internationalen Handel zu beseitigen und seine Entwicklung zu fördern

haben Folgendes vereinbart:

Teil I
Anwendungsbereich und Allgemeine Bestimmungen

Kapitel I: Anwendungsbereich

Artikel 1

(1) Dieses Übereinkommen ist auf Kaufverträge über Waren zwischen Parteien anzuwenden, die ihre Niederlassung in verschiedenen Staaten haben,
a) wenn diese Staaten Vertragsstaaten sind oder
b) wenn die Regeln des Internationalen Privatrechts zur Anwendung des Rechts eines Vertragsstaates führen.

(2) Die Tatsache, dass die Parteien ihre Niederlassung in verschiedenen Staaten haben, wird nicht berücksichtigt, wenn sie sich nicht aus dem Vertrag, aus früheren Geschäftsbeziehungen oder aus Verhandlungen oder Auskünften ergibt, die vor oder bei Vertragsabschluss zwischen den Parteien geführt oder von ihnen erteilt worden sind.

(3) Bei Anwendung dieses Übereinkommens wird weder berücksichtigt, welche Staatsangehörigkeit die Parteien haben, noch ob sie Kaufleute oder Nichtkaufleute sind, oder ob der Vertrag handelsrechtlicher oder zivilrechtlicher Art ist.

Artikel 2

Dieses Übereinkommen findet keine Anwendung auf den Kauf
a) von Ware für den persönlichen Gebrauch oder den Gebrauch in der Familie oder im Haushalt, es sei denn, dass der Verkäufer vor oder bei Vertragsabschluss weder wusste noch wissen musste, dass die Ware für einen solchen Gebrauch gekauft wurde,
b) bei Versteigerungen,
c) aufgrund von Zwangsvollstreckung- oder anderen gerichtlichen Maßnahmen,
d) von Wertpapieren oder Zahlungsmitteln,
e) von Seeschiffen, Binnenschiffen, Luftkissenfahrzeugen oder Luftfahrzeugen,
f) von elektrischer Energie.

Artikel 3

(1) Den Kaufverträgen stehen Verträge über die Lieferung herzustellender oder zu erzeugender Ware gleich, es sei denn, dass der Besteller einen wesentlichen Teil der für die Herstellung oder Erzeugung notwendigen Stoffe selbst zur Verfügung zu stellen hat.

(2) Dieses Übereinkommen ist auf Verträge nicht anzuwenden, bei denen der überwiegende Teil der Pflichten der Partei, welche die Ware liefert, in der Ausführung von Arbeiten oder anderen Dienstleistungen besteht.

Artikel 4

Dieses Übereinkommen regelt ausschließlich den Abschluss des Kaufvertrags und die aus ihm erwachsenden Rechte und Pflichten des Verkäufers und des Käufers. Soweit in diesem Übereinkommen nicht ausdrücklich etwas anderes bestimmt ist, betrifft es insbesondere nicht

a) die Gültigkeit des Vertrags oder einzelner Vertragsbestimmungen oder die Gültigkeit von Handelsbräuchen,
b) die Wirkungen, die der Vertrag auf das Eigentum an der verkauften Ware hat.

Artikel 5

Dieses Übereinkommen findet keine Anwendung auf die Haftung des Verkäufers für den durch die Ware verursachten Tod oder die Körperverletzung einer Person.

Artikel 6

Die Parteien können die Anwendung dieses Übereinkommens ausschließen oder, vorbehaltlich des Artikels 12, von seinen Bestimmungen abweichen oder deren Wirkung ändern.

Kapitel II: Allgemeine Bestimmungen

Artikel 7

(1) Bei der Auslegung dieses Übereinkommens sind sein internationaler Charakter und die Notwendigkeit zu berücksichtigen, seine einheitliche Anwendung und die Wahrung des guten Glaubens im internationalen Handel zu fördern.

(2) Fragen, die in diesem Übereinkommen geregelte Gegenstände betreffen, aber in diesem Übereinkommen nicht ausdrücklich entschieden werden, sind nach den allgemeinen Grundsätzen, die diesem Übereinkommen zugrunde liegen, oder mangels solcher Grundsätze nach dem Recht zu entscheiden, das nach den Regeln des internationalen Privatrechts anzuwenden ist.

Artikel 8

(1) Für die Zwecke dieses Übereinkommens sind Erklärungen und das sonstige Verhalten einer Partei nach deren Willen auszulegen, wenn die andere Partei diesen Willen kannte oder darüber nicht in Unkenntnis sein konnte.

(2) Ist Absatz 1 nicht anwendbar, so sind Erklärungen und das sonstige Verhalten einer Partei so auszulegen, wie eine vernünftige Person der gleichen Art wie die andere Partei sie unter den gleichen Umständen aufgefasst hätte.

(3) Um den Willen einer Partei oder die Auffassung festzustellen, die eine vernünftige Person gehabt hätte, sind alle erheblichen Umstände zu berücksichtigen, insbesondere die Verhandlungen zwischen den Parteien, die zwischen ihnen entstandenen Gepflogenheiten, die Handelsbräuche und das spätere Verhalten der Parteien.

Artikel 9

(1) Die Parteien sind an die Handelsbräuche, mit denen sie sich einverstanden erklärt haben, und an die Gepflogenheiten gebunden, die zwischen ihnen entstanden sind.

(2) Haben die Parteien nichts anderes vereinbart, so wird angenommen, dass sie sich in ihrem Vertrag oder bei seinem Abschluss stillschweigend auf Handelsbräuche bezogen haben, die sie kannten oder kennen mussten und die im internationalen Handel den Parteien von Verträgen dieser Art in dem betreffenden Geschäftszweig weithin bekannt sind und von ihnen regelmäßig beachtet werden.

Artikel 10

Für die Zwecke dieses Übereinkommens ist,

a) falls eine Partei mehr als eine Niederlassung hat, die Niederlassung maßgebend, die unter Berücksichtigung der vor oder bei Vertragsabschluss den Parteien bekannten oder von ihnen in Betracht gezogenen Umständen die engste Beziehung zu dem Vertrag und zu seiner Erfüllung hat;
b) falls eine Partei keine Niederlassung hat, ihr gewöhnlicher Aufenthalt maßgebend.

Artikel 11

Der Kaufvertrag braucht nicht schriftlich geschlossen oder nachgewiesen zu werden und unterliegt auch sonst keinen Formvorschriften. Er kann auf jede Weise bewiesen werden, auch durch Zeugen.

Artikel 12

Die Bestimmungen der Artikel 11 und 29 oder des Teils II dieses Übereinkommens, die für den Abschluss eines Kaufvertrages, seine Änderung oder Aufhebung durch Vereinbarung oder für ein Angebot, eine Annahme oder eine sonstige Willenserklärung eine andere als die schriftliche Form gestatten, gelten nicht, wenn eine Partei ihre Niederlassung in einem Vertragsstaat hat, der eine Erklärung nach Artikel 96 abgegeben hat. Die Parteien dürfen von dem vorliegenden Artikel weder abweichen noch seine Wirkung ändern.

Artikel 13

Für die Zwecke dieses Übereinkommens umfasst der Ausdruck „schriftlich" auch Mitteilungen durch Telegramm oder Fernschreiben.

Teil II
Abschluss des Vertrags

Artikel 14

(1) Der an eine oder mehrere bestimmte Personen gerichtete Vorschlag zum Abschluss eines Vertrags stellt ein Angebot dar, wenn er bestimmt genug ist und den Willen des Anbietenden zum Ausdruck bringt, im Falle der Annahme gebunden zu sein. Ein Vorschlag ist bestimmt genug, wenn er die Ware bezeichnet und ausdrücklich oder stillschweigend die Menge und den Preis festsetzt oder deren Festsetzung ermöglicht.

(2) Ein Vorschlag, der nicht an eine oder mehrere bestimmte Personen gerichtet ist, gilt nur als Aufforderung, ein Angebot abzugeben, wenn nicht die Person, die den Vorschlag macht, das Gegenteil deutlich zum Ausdruck bringt.

Artikel 15

(1) Ein Angebot wird wirksam, sobald es dem Empfänger zugeht.

(2) Ein Angebot kann, selbst wenn es unwiderruflich ist, zurückgenommen werden, wenn die Rücknahmeerklärung dem Empfänger vor oder gleichzeitig mit dem Angebot zugeht.

Artikel 16

(1) Bis zum Abschluss des Vertrags kann ein Angebot widerrufen werden, wenn der Widerruf dem Empfänger zugeht, bevor dieser eine Annahmeerklärung abgesandt hat.

(2) Ein Angebot kann jedoch nicht widerrufen werden,

a) wenn es durch Bestimmung einer festen Frist zur Annahme oder auf andere Weise zum Ausdruck bringt, dass es unwiderruflich ist, oder
b) wenn der Empfänger vernünftigerweise darauf vertrauen konnte, dass das Angebot unwiderruflich ist, und er im Vertrauen auf das Angebot gehandelt hat.

Artikel 17

Ein Angebot erlischt, selbst wenn es unwiderruflich ist, sobald dem Anbietenden eine Ablehnung zugeht.

Artikel 18

(1) Eine Erklärung oder ein sonstiges Verhalten des Empfängers, das eine Zustimmung zum Angebot ausdrückt, stellt eine Annahme dar. Schweigen oder Untätigkeit allein stellen keine Annahme dar.

(2) Die Annahme eines Angebots wird wirksam, sobald die Äußerung der Zustimmung dem Anbietenden zugeht. Sie wird nicht wirksam, wenn die Äußerung der Zustimmung dem Anbietenden nicht innerhalb der von ihm gesetzten Frist oder, bei Fehlen einer solchen Frist, innerhalb einer angemessenen Frist zugeht; dabei sind die Umstände des Geschäfts einschließlich der Schnelligkeit der vom Anbietenden gewählten Übermittlungsart zu berücksichtigen. Ein mündliches Angebot muss sofort angenommen werden, wenn sich aus den Umständen nichts anderes ergibt.

(3) Äußert jedoch der Empfänger aufgrund des Angebots, der zwischen den Parteien entstandenen Gepflogenheiten oder der Handelsbräuche seine Zustimmung durch eine Handlung, die sich z.B. auf die Absendung der Ware oder die Bezahlung des Preises bezieht, ohne den Anbietenden davon zu unterrichten, so ist die Annahme zum Zeitpunkt der Handlung wirksam, sofern diese innerhalb der in Absatz 2 vorgeschriebenen Frist vorgenommen wird.

Artikel 19

(1) Eine Antwort auf ein Angebot, die eine Annahme darstellen soll, aber Ergänzungen, Einschränkungen oder sonstige Änderungen enthält, ist eine Ablehnung des Angebots und stellt ein Gegenangebot dar.

(2) Eine Antwort auf ein Angebot, die eine Annahme darstellen soll, aber Ergänzungen oder Abweichungen enthält, welche die Bedingungen des Angebots nicht wesentlich ändern, stellt jedoch eine Annahme dar, wenn der Anbietende das Fehlen der Übereinstimmung nicht unverzüglich mündlich beanstandet oder eine entsprechende Mitteilung

absendet. Unterlässt er dies, so bilden die Bedingungen des Angebots mit den in der Annahme enthaltenen Änderungen den Vertragsinhalt.

(3) Ergänzungen oder Abweichungen, die sich insbesondere auf Preis, Bezahlung, Qualität und Menge der Ware, auf Ort und Zeit der Lieferung, auf den Umfang der Haftung der einen Partei gegenüber der anderen oder auf die Beilegung von Streitigkeiten beziehen, werden so gesehen, als änderten sie die Bedingungen des Angebots wesentlich.

Artikel 20

(1) Eine vom Anbietenden in einem Telegramm oder einem Brief gesetzte Annahmefrist beginnt mit Aufgabe des Telegramms oder mit dem im Brief angegebenen Datum oder, wenn kein Datum angegeben ist, mit dem auf dem Umschlag angegebenen Datum zu laufen. Eine vom Anbietenden telefonisch, durch Fernschreiben oder eine andere sofortige Übermittlungsart gesetzte Annahmefrist beginnt zu laufen, sobald das Angebot dem Empfänger zugeht.

(2) Gesetzliche Feiertage oder arbeitsfreie Tage, die in die Laufzeit der Annahmefrist fallen, werden bei der Fristberechnung mitgezählt. Kann jedoch die Mitteilung der Annahme am letzten Tag der Frist nicht an die Anschrift des Anbietenden zugestellt werden, weil dieser Tag am Ort der Niederlassung des Anbietenden auf einen gesetzlichen Feiertag oder arbeitsfreien Tag fällt, so verlängert sich die Frist bis zum ersten darauf folgenden Arbeitstag.

Artikel 21

(1) Eine verspätete Annahme ist dennoch als Annahme wirksam, wenn der Anbietende unverzüglich den Annehmenden in diesem Sinne mündlich unterrichtet oder eine entsprechende schriftliche Mitteilung absendet.

(2) Ergibt sich aus dem eine verspätete Annahme enthaltenden Brief oder anderen Schriftstück, dass die Mitteilung nach den Umständen, unter denen sie abgesandt worden ist, bei normaler Beförderung dem Anbietenden rechtzeitig zugegangen wäre, so ist die verspätete Annahme als Annahme wirksam, wenn der Anbietende nicht unverzüglich den Annehmenden mündlich davon unterrichtet, dass er sein Angebot als erloschen betrachtet, oder eine entsprechende schriftliche Mitteilung absendet.

Artikel 22

Eine Annahme kann zurückgenommen werden, wenn die Rücknahmeerklärung dem Anbietenden vor oder in dem Zeitpunkt zugeht, in dem die Annahme wirksam geworden wäre.

Artikel 23

Ein Vertrag ist in dem Zeitpunkt geschlossen, in dem die Annahme eines Angebots nach diesem Übereinkommen wirksam wird.

Artikel 24

Für die Zwecke dieses Teils des Übereinkommens „geht" ein Angebot, eine Annahmeerklärung oder sonstige Willenserklärung dem Empfänger „zu", wenn sie ihm mündlich gemacht wird oder wenn sie auf anderem Weg ihm persönlich, an seiner Niederlassung oder Postanschrift oder, wenn dieses fehlen, an seinem gewöhnlichen Aufenthaltsort zugestellt wird.

Teil III
Warenkauf

Kapitel I: Allgemeine Bestimmungen

Artikel 25

Eine von einer Partei begangene Vertragsverletzung ist wesentlich, wenn sie für die andere Partei solchen Nachteil zur Folge hat, dass ihr im Wesentlichen entgeht, was sie nach dem Vertrag hätte erwarten dürfen, es sei denn, dass die vertragsbrüchige Partei diese Folge nicht vorausgesehen hat und eine vernünftige Person der gleichen Art diese Folge unter den gleichen Umständen auch nicht vorausgesehen hätte.

Artikel 26

Eine Erklärung, dass der Vertrag aufgehoben wird, ist nur wirksam, wenn sie der anderen Partei mitgeteilt wird.

Artikel 27

Soweit in diesem Teil des Übereinkommens nicht ausdrücklich etwas anderes bestimmt wird, nimmt bei einer Anzeige, Aufforderung oder sonstigen Mitteilung, die eine Partei gemäß diesem Teil mit den nach den Umständen geeigneten Mitteln macht, eine Verzögerung oder ein Irrtum bei der Übermittlung der Mitteilung oder deren Nichteintreffen dieser Partei nicht das Recht, sich auf die Mitteilung zu berufen.

Artikel 28

Ist eine Partei nach diesem Übereinkommen berechtigt, von der anderen Partei die Erfüllung einer Verpflichtung zu verlangen, so braucht ein Gericht eine Entscheidung auf Erfüllung in Natur nur zu fällen, wenn es dies auch nach seinem eigenen Recht bei gleichartigen Kaufverträgen täte, die nicht unter dieses Übereinkommen fallen.

Artikel 29

(1) Ein Vertrag kann durch bloße Vereinbarung der Parteien geändert oder aufgehoben werden.

(2) Enthält ein schriftlicher Vertrag eine Bestimmung, wonach jede Änderung oder Aufhebung durch Vereinbarung schriftlich zu erfolgen hat, so darf er nicht auf andere Weise geändert oder aufgehoben werden. Eine Partei kann jedoch aufgrund ihres Verhaltens davon ausgeschlossen sein, sich auf eine solche Bestimmung zu berufen, soweit die andere Partei sich auf dieses Verhalten verlassen hat.

Kapitel II: Pflichten des Verkäufers

Artikel 30

Der Verkäufer ist nach Maßgabe des Vertrags und dieses Übereinkommens verpflichtet, die Ware zu liefern, die sie betreffenden Dokumente zu übergeben und das Eigentum an der Ware zu übertragen.

Abschnitt I: Lieferung der Ware und Übergabe der Dokumente

Artikel 31

Hat der Verkäufer die Ware nicht an einem anderen bestimmten Ort zu liefern, so besteht seine Lieferpflicht in Folgendem:

a) Erfordert der Kaufvertrag eine Beförderung der Ware, so hat sie der Verkäufer dem ersten Beförderer zur Übermittlung an den Käufer zu übergeben;
b) bezieht sich der Vertrag in Fällen, die nicht unter Buchstabe a fallen, auf bestimmte Ware oder auf herzustellende oder zu erzeugende Ware und wussten die Parteien bei Vertragsabschluss, dass die Ware sich an einem bestimmten Ort befand oder dort herzustellen oder zu erzeugen war, so hat der Verkäufer die Ware dem Käufer an diesem Ort zur Verfügung zu stellen;

c) in den anderen Fällen hat der Verkäufer die Ware dem Käufer an dem Ort zur Verfügung zu stellen, an dem der Verkäufer bei Vertragsabschluss seine Niederlassung hatte.

Artikel 32

(1) Übergibt der Verkäufer nach dem Vertrag oder diesem Übereinkommen die Ware einem Beförderer und ist die Ware nicht deutlich durch daran angebrachte Kennzeichen oder durch Beförderungsdokumente oder auf andere Weise dem Vertrag zugeordnet, so hat der Verkäufer dem Käufer die Versendung anzuzeigen und dabei die Ware im Einzelnen zu bezeichnen.

(2) Hat der Verkäufer für die Beförderung der Ware zu sorgen, so hat er die Verträge zu schließen, die zur Beförderung an den festgesetzten Ort mit den nach den Umständen angemessenen Beförderungsmitteln und zu den für solche Beförderungen üblichen Bedingungen erforderlich sind.

(3) Ist der Verkäufer nicht zum Abschluss einer Transportversicherung verpflichtet, so hat er dem Käufer auf dessen Verlangen alle ihm verfügbaren, zum Abschluss einer solchen Versicherung erforderlichen Auskünfte zu erteilen.

Artikel 33

Der Verkäufer hat die Ware zu liefern,

a) wenn ein Zeitpunkt im Vertrag bestimmt ist oder aufgrund des Vertrags bestimmt werden kann, zu diesem Zeitpunkt,
b) wenn ein Zeitpunkt im Vertrag bestimmt ist oder aufgrund des Vertrags bestimmt werden kann, jederzeit innerhalb dieses Zeitraums, sofern sich nicht aus den Umständen ergibt, dass der Käufer den Zeitpunkt zu wählen hat, oder
c) in allen anderen Fällen innerhalb einer angemessenen Frist nach Vertragsabschluss.

Artikel 34

Hat der Verkäufer Dokumente zu übergeben, die sich auf die Ware beziehen, so hat er sie zu dem Zeitpunkt, an dem Ort und in der Form zu übergeben, die im Vertrag vorgesehen sind. Hat der Verkäufer die Dokumente bereits vorher übergeben, so kann er bis zu dem für die Übergabe vorgesehenen Zeitpunkt jede Vertragswidrigkeit der Dokumente beheben, wenn die Ausübung dieses Rechts dem Käufer nicht unzumutbare Unannehmlichkeiten oder unverhältnismäßige Kosten verursacht. Der Käufer behält jedoch das Recht, Schadensersatz nach diesem Übereinkommen zu verlangen.

Abschnitt II: Vertragsmäßigkeit der Ware und Rechte oder Ansprüche Dritter

Artikel 35

(1) Der Verkäufer hat Ware zu liefern, die in Menge, Qualität und Art sowie hinsichtlich Verpackung oder Behältnis den Anforderungen des Vertrags entspricht.

(2) Haben die Parteien nichts anderes vereinbart, so entspricht die Ware dem Vertrag nur,
a) wenn sie sich für die Zwecke eignet, für die Ware der gleichen Art gewöhnlich gebraucht wird;
b) wenn sie sich für einen bestimmten Zweck eignet, der dem Verkäufer bei Vertragsabschluss ausdrücklich oder auf andere Weise zur Kenntnis gebracht wurde, sofern sich nicht aus den Umständen ergibt, dass der Käufer auf die Sachkenntnis und das Urteilsvermögen des Verkäufers nicht vertraute oder vernünftigerweise nicht vertrauen konnte;
c) wenn sie die Eigenschaften einer Ware besitzt, die der Verkäufer dem Käufer als Probe oder Muster vorgelegt hat;
d) wenn sie in der für Ware dieser Art üblichen Weise oder, falls es eine solche Weise nicht gibt, in einer für die Erhaltung und den Schutz der Ware angemessenen Weise verpackt ist.

(3) Der Verkäufer haftet nach Absatz 2 Buchstaben a bis d nicht für eine Vertragswidrigkeit der Ware, wenn der Käufer bei Vertragsabschluss diese Vertragswidrigkeit kannte oder nicht in Unkenntnis sein konnte.

Artikel 36

(1) Der Verkäufer haftet nach dem Vertrag und diesem Übereinkommen für eine Vertragswidrigkeit, die im Zeitpunkt des Übergangs der Gefahr auf den Käufer besteht, auch wenn die Vertragswidrigkeit erst nach diesem Zeitpunkt offenbar wird.

(2) Der Verkäufer haftet auch für eine Vertragswidrigkeit, die nach dem in Abs. 1 angegebenen Zeitpunkt eintritt und auf die Verletzung einer seiner Pflichten zurückzuführen ist, einschließlich der Verletzung einer Garantie dafür, dass die Ware für eine bestimmte Zeit für den üblichen Zweck oder für einen bestimmten Zweck geeignet bleiben oder besondere Eigenschaften oder Merkmale behalten wird.

Artikel 37

Bei vorzeitiger Lieferung der Ware behält der Verkäufer bis zu dem für die Lieferung festgesetzten Zeitpunkt das Recht, fehlende Teile nachzuliefern, eine fehlende Menge auszugleichen, für nicht vertragsgemäße Ware Ersatz zu liefern oder die Vertragswidrigkeit der gelieferten Ware zu beheben, wenn die Ausübung dieses Rechts dem Käufer nicht unzumutbare Unannehmlichkeiten oder unverhältnismäßige Kosten verursacht. Der Käufer behält jedoch das Recht, Schadensersatz nach diesem Übereinkommen zu verlangen.

Artikel 38

(1) Der Käufer hat die Ware innerhalb einer so kurzen Frist zu untersuchen oder untersuchen zu lassen, wie es die Umstände erlauben.

(2) Erfordert der Vertrag eine Beförderung der Ware, so kann die Untersuchung bis nach dem Eintreffen der Ware am Bestimmungsort aufgeschoben werden.

(3) Wird die Ware vom Käufer umgeleitet oder von ihm weiter versandt, ohne dass er ausreichend Gelegenheit hatte, sie zu untersuchen, und kannte der Verkäufer bei Vertragsabschluss die Möglichkeit einer solchen Umleitung oder Weiterversicherung oder musste er sie kennen, so kann die Untersuchung bis nach dem Eintreffen der Ware an ihrem neuen Bestimmungsort aufgeschoben werden.

Artikel 39

(1) Der Käufer verliert das Recht, sich auf eine Vertragswidrigkeit der Ware zu berufen, wenn er sie dem Verkäufer nicht innerhalb einer angemessenen Frist nach dem Zeitpunkt, in dem er sie festgestellt hat oder hätte feststellen müssen, anzeigt und dabei die Art der Vertragswidrigkeit genau bezeichnet.

(2) Der Käufer verliert in jedem Fall das Recht, sich auf die Vertragswidrigkeit der Ware zu berufen, wenn er sie nicht spätestens innerhalb von zwei Jahren, nachdem ihm die Ware tatsächlich übergeben worden ist, dem Verkäufer anzeigt, es sei denn, dass diese Frist mit einer vertraglichen Garantiefrist unvereinbar ist.

Artikel 40

Der Verkäufer kann sich auf die Artikel 38 und 39 nicht berufen, wenn die Vertragswidrigkeit auf Tatsachen beruht, die er kannte oder über die er nicht in Unkenntnis sein konnte und die er dem Käufer nicht offenbart hat.

Artikel 41

Der Verkäufer hat Ware zu liefern, die frei von Rechten oder Ansprüchen Dritter ist, es sei denn, dass der Käufer eingewilligt hat, die mit einem solchen Recht oder Anspruch belastete Ware anzunehmen. Beruhen jedoch solche Rechte oder Ansprüche auf gewerblichem oder anderem geistigen Eigentum, so regelt Art. 42 die Verpflichtung des Verkäufers.

Artikel 42

(1) Der Verkäufer hat Ware zu liefern, die frei von Rechten oder Ansprüchen Dritter ist, die auf gewerblichem oder anderem geistigen Eigentum beruhen und die der Verkäufer bei Vertragsabschluss kannte oder über die er nicht in Unkenntnis sein konnte, vorausgesetzt, das Recht oder der Anspruch beruht auf gewerblichem oder anderem geistigen Eigentum

a) nach dem Recht des Staates in dem die Ware weiterverkauft oder in dem sie in anderer Weise verwendet wird, wenn die Parteien bei Vertragsabschluss in Betracht gezogen haben, dass die Ware dort weiterverkauft oder verwendet wird, oder
b) in jedem anderen Falle nach dem Recht des Staates, in dem der Käufer seine Niederlassung hat.
c)
d) (2) Die Verpflichtung des Verkäufers nach Abs. 1 erstreckt sich nicht auf Fälle,
e) in denen der Käufer im Zeitpunkt des Vertragsabschlusses das Recht oder den Anspruch kannte oder darüber nicht in Unkenntnis sein konnte, oder
f) in denen das Recht oder der Anspruch sich daraus ergibt, dass der Verkäufer sich nach technischen Zeichnungen, Entwürfen, Formeln oder sonstigen Angaben gerichtet hat, die der Käufer zur Verfügung gestellt hat.

Artikel 43

(1) Der Käufer kann sich auf Art. 41 oder 42 nicht berufen, wenn er dem Verkäufer das Recht oder den Anspruch des Dritten nicht innerhalb einer angemessenen Frist nach dem Zeitpunkt, in dem er davon Kenntnis erlangt hat oder hätte erlangen müssen, anzeigt und dabei genau bezeichnet, welcher Art das Recht oder der Anspruch des Dritten ist.

(2) Der Verkäufer kann sich nicht auf Abs. 1 berufen, wenn er das Recht oder den Anspruch des Dritten und seine Art kannte.

Artikel 44

Ungeachtet des Artikels 39 Absatz 1 und des Artikels 43 Absatz 1 kann der Käufer den Preis nach Artikel 50 herabsetzen oder Schadensersatz, außer für entgangenen Gewinn, verlangen, wenn er eine vernünftige Entschuldigung dafür hat, dass er die erforderliche Anzeige unterlassen hat.

Abschnitt III: Rechtsbehelfe des Käufers wegen Vertragsverletzung durch den Verkäufer

Artikel 45

(1) Erfüllt der Verkäufer eine seiner Pflichten nach dem Vertrag oder diesem Übereinkommen nicht, so kann der Käufer
a) die in Artikel 46 bis 52 vorgesehenen Rechte ausüben;
b) Schadensersatz nach Artikel 74 bis 77 verlangen.

(2) Der Käufer verliert das Recht, Schadensersatz zu verlangen, nicht dadurch, dass er andere Rechtsbehelfe ausübt.

(3) Übt der Käufer einen Rechtsbehelf wegen Vertragsverletzung aus, so darf ein Gericht oder Schiedsgericht dem Verkäufer keine zusätzliche Frist gewähren.

Artikel 46

(1) Der Käufer kann vom Verkäufer Erfüllung seiner Pflichten verlangen, es sei denn, dass der Käufer einen Rechtsbehelf ausgeübt hat, der mit diesem Verlangen unvereinbar ist.

(2) Ist die Ware nicht vertragsgemäß, so kann der Käufer Ersatzlieferung nur verlangen, wenn die Vertragswidrigkeit eine wesentliche Vertragsverletzung darstellt und die Ersatzlieferung entweder zusammen mit einer Anzeige nach Artikel 39 oder innerhalb einer angemessenen Frist danach verlangt wird.

(3) Ist die Ware nicht vertragsgemäß, so kann der Käufer den Verkäufer auffordern, die Vertragswidrigkeit durch Nachbesserung zu beheben, es sei denn, dass dies unter Berücksichtigung aller Umstände unzumutbar ist. Nachbesserung muss entweder zusammen mit einer Anzeige nach Artikel 39 oder innerhalb einer angemessenen Frist danach verlangt werden.

Artikel 47

(1) Der Käufer kann dem Verkäufer eine angemessene Nachfrist zur Erfüllung seiner Pflichten setzen.

(2) Der Käufer kann vor Ablauf dieser Frist keinen Rechtsbehelf wegen Vertragsverletzung ausüben, außer wenn er vom Verkäufer die Anzeige erhalten hat, dass dieser seine Pflichten nicht innerhalb der so gesetzten Frist erfüllen wird. Der Käufer behält jedoch das Recht, Schadensersatz wegen verspäteter Erfüllung zu verlangen.

Artikel 48

(1) Vorbehaltlich des Artikels 49 kann der Verkäufer einen Mangel in der Erfüllung seiner Pflichten auch nach dem Liefertermin auf eigene Kosten beheben, wenn dies keine unzumutbare Unannehmlichkeiten noch Ungewissheit über die Erstattung seiner Auslagen durch den Verkäufer verursacht. Der Käufer behält jedoch das Recht, Schadensersatz nach diesem Übereinkommen zu verlangen.

(2) Fordert der Verkäufer den Käufer auf, ihm mitzuteilen, ob er die Erfüllung annehmen will, und entspricht der Käufer der Aufforderung nicht innerhalb einer angemessenen Frist, so kann der Verkäufer innerhalb der in seiner Aufforderung angegebenen Frist erfüllen. Der Käufer kann vor Ablauf dieser Frist keinen Rechtsbehelf ausüben, der mit der Erfüllung durch den Verkäufer unvereinbar ist.

(3) Zeigt der Verkäufer dem Käufer an, dass er innerhalb einer bestimmten Frist erfüllen wird, so wird vermutet, dass die Anzeige eine Aufforderung an den Käufer nach Absatz 2 enthält, seine Entscheidung mitzuteilen.

(4) Eine Aufforderung oder Anzeige des Verkäufers nach Absatz 2 oder 3 ist nur wirksam, wenn der Käufer sie erhalten hat.

Artikel 49

(1) Der Käufer kann die Aufhebung des Vertrags erklären,
a) wenn die Nichterfüllung einer dem Verkäufer nach dem Vertrag oder diesem Übereinkommen obliegenden Pflicht eine wesentliche Vertragsverletzung darstellt oder
b) wenn im Falle der Nichtlieferung der Verkäufer die Ware nicht innerhalb der vom Käufer nach Artikel 47 Absatz 1 gesetzten Nachfrist liefert oder wenn er erklärt, dass er nicht innerhalb der so gesetzten Frist liefern wird.

(2) Hat der Verkäufer die Ware geliefert, so verliert jedoch der Käufer sein Recht, die Aufhebung des Vertrags zu erklären, wenn er
a) im Falle der verspäteten Lieferung die Aufhebung nicht innerhalb einer angemessenen Frist erklärt, nachdem er erfahren hat, dass die Lieferung erfolgt ist, oder
b) im Falle einer anderen Vertragsverletzung als verspäteter Lieferung die Aufhebung nicht innerhalb einer angemessenen Frist erklärt,
   aa nachdem er die Vertragsverletzung kannte oder kennen musste,
   bb nachdem eine vom Käufer nach Artikel 47 Absatz 1 gesetzte Nachfrist abgelaufen ist oder nachdem der Verkäufer erklärt hat, dass er seine Pflichten nicht innerhalb der Nachfrist erfüllen wird, oder

cc nachdem eine vom Verkäufer nach Artikel 48 Absatz 2 gesetzte Frist abgelaufen ist oder nachdem der Käufer erklärt hat, dass er die Erfüllung nicht annehmen wird.

Artikel 50

Ist die Ware nicht vertragsgemäß, so kann der Käufer unabhängig davon, ob der Kaufpreis bereits gezahlt worden ist oder nicht, den Preis in dem Verhältnis herabsetzen, in dem der Wert, den die tatsächlich gelieferte Ware im Zeitpunkt der Lieferung hatte, zu dem Wert steht, den die vertragsgemäße Ware zu diesem Zeitpunkt gehabt hätte. Behebt jedoch der Verkäufer nach Artikel 37 oder 48 einen Mangel in der Erfüllung seiner Pflichten oder weigert sich der Käufer, Erfüllung durch den Verkäufer nach den genannten Artikeln anzunehmen, so kann der Käufer den Preis nicht herabsetzen.

Artikel 51

(1) Liefert der Verkäufer nur einen Teil der Ware oder ist nur ein Teil der gelieferten Ware vertragsgemäß, so gelten für den Teil, der fehlt oder der nicht vertragsgemäß ist, die Artikel 46 bis 50.

(2) Der Käufer kann nur dann die Aufhebung des gesamten Vertrags erklären, wenn die unvollständige oder nicht vertragsgemäße Lieferung eine wesentliche Vertragsverletzung darstellt.

Artikel 52

(1) Liefert der Verkäufer die Ware vor dem festgesetzten Zeitpunkt, so steht es dem Käufer frei, sie anzunehmen oder die Annahme zu verweigern.

(2) Liefert der Verkäufer eine größere als die vereinbarte Menge, so kann der Käufer die zuviel gelieferte Menge annehmen oder ihre Annahme verweigern. Nimmt der Käufer die zuviel gelieferte Menge ganz oder teilweise an, so hat er sie entsprechend dem vertraglichen Preis zu bezahlen.

Kapitel III: Pflichten des Käufers

Artikel 53

Der Käufer ist nach Maßgabe des Vertrags und dieses Übereinkommens verpflichtet, den Kaufpreis zu zahlen und die Ware anzunehmen.

Abschnitt I: Zahlung des Kaufpreises

Artikel 54

Zur Pflicht des Käufers, den Kaufpreis zu zahlen, gehört es auch, die Maßnahmen zu treffen und die Formalitäten zu erfüllen, die der Vertrag oder Rechtsvorschriften erfordern, damit Zahlung geleistet werden kann.

Artikel 55

Ist ein Vertrag gültig geschlossen worden, ohne dass er den Kaufpreis ausdrücklich oder stillschweigend festsetzt oder dessen Festsetzung ermöglicht, so wird mangels gegenteiliger Anhaltspunkte vermutet, dass die Parteien sich stillschweigend auf den Kaufpreis bezogen haben, der bei Vertragsabschluss allgemein für derartige Ware berechnet wurde, die in dem betreffenden Geschäftszweig unter vergleichbaren Umständen verkauft wurde.

Artikel 56

Ist der Kaufpreis nach dem Gewicht der Ware festgesetzt, so bestimmt er sich im Zweifel nach dem Nettogewicht.

Artikel 57

(1) Ist der Käufer nicht verpflichtet, den Kaufpreis an einem anderen bestimmten Ort zu zahlen, so hat er ihn dem Verkäufer wie folgt zu zahlen:

a) am Ort der Niederlassung des Verkäufers oder,
b) wenn die Zahlung gegen Übergabe der Ware oder von Dokumenten zu leisten ist, an dem Ort, an dem die Übergabe stattfindet.

(2) Der Verkäufer hat alle mit der Zahlung zusammenhängenden Mehrkosten zu tragen, die durch einen Wechsel seiner Niederlassung nach Vertragsabschluss entstehen.

Artikel 58

(1) Ist der Käufer nicht verpflichtet, den Kaufpreis zu einer bestimmten Zeit zu zahlen, so hat er den Preis zu zahlen, sobald ihm der Verkäufer entweder die Ware oder die Dokumente, die zur Verfügung darüber berechtigen, nach dem Vertrag und diesem Übereinkommen zur Verfügung gestellt hat. Der Verkäufer kann die Übergabe der Ware oder der Dokumente von der Zahlung abhängig machen.

(2) Erfordert der Vertrag eine Beförderung der Ware, so kann der Verkäufer sie mit der Maßgabe versenden, dass die Ware oder die Dokumente, die zur Verfügung darüber berechtigen, dem Käufer nur gegen Zahlung des Kaufpreises zu übergeben sind.

(3) Der Käufer ist nicht verpflichtet, den Kaufpreis zu zahlen, bevor er Gelegenheit gehabt hat, die Ware zu untersuchen, es sei denn, die von den Parteien vereinbarten Lieferungs- oder Zahlungsmodalitäten bieten hierzu keine Gelegenheit.

Artikel 59

Der Käufer hat den Kaufpreis zu dem Zeitpunkt, der in dem Vertrag festgesetzt oder nach dem Vertrag und diesem Übereinkommen bestimmbar ist, zu zahlen, ohne dass es einer Aufforderung oder der Einhaltung von Formalitäten seitens des Verkäufers bedarf.

Abschnitt II: Abnahme

Artikel 60

Die Pflicht des Käufers zur Annahme besteht darin,
a) alle Handlungen vorzunehmen, die vernünftigerweise von ihm erwartet werden können, damit dem Verkäufer die Lieferung ermöglicht wird, und
b) die Ware zu übernehmen.

Abschnitt III: Rechtsbehelfe des Verkäufers wegen Vertragsverletzung durch den Käufer

Artikel 61

(1) Erfüllt der Käufer eine seiner Pflichten nach dem Vertrag oder diesem Übereinkommen nicht, so kann der Verkäufer
a) die in Artikel 62 bis 65 vorgesehenen Rechte ausüben;
b) Schadensersatz nach Artikel 74 bis 77 verlangen.

(2) Der Verkäufer verliert das Recht, Schadensersatz zu verlangen, nicht dadurch, dass er andere Rechtsbehelfe ausübt.

(3) Übt der Verkäufer einen Rechtsbehelf wegen Vertragsverletzung aus, so darf ein Gericht oder Schiedsgericht dem Käufer keine zusätzliche Frist gewähren.

Artikel 62

Der Verkäufer kann vom Käufer verlangen, dass er den Kaufpreis zahlt, die Ware annimmt sowie seine sonstigen Pflichten erfüllt, es sei denn, dass der Verkäufer einen Rechtsbehelf ausgeübt hat, der mit diesem Verlangen unvereinbar ist.

Artikel 63

(1) Der Verkäufer kann dem Käufer eine angemessene Nachfrist zur Erfüllung seiner Pflichten setzen.

(2) Der Verkäufer kann vor Ablauf dieser Frist keinen Rechtsbehelf wegen Vertragsverletzung ausüben, außer wenn er vom Käufer die Anzeige erhalten hat, dass dieser seine Pflichten nicht innerhalb der so gesetzten Frist erfüllen wird. Der Verkäufer verliert dadurch jedoch nicht das Recht, Schadensersatz wegen verspäteter Erfüllung zu verlangen.

Artikel 64

(1) Der Verkäufer kann die Aufhebung des Vertrags erklären,
- a) wenn die Nichterfüllung einer dem Käufer nach dem Vertrag oder diesem Übereinkommen obliegenden Pflicht eine wesentliche Vertragsverletzung darstellt, oder
- b) wenn der Käufer nicht innerhalb der vom Verkäufer nach Artikel 63 Absatz 1 gesetzten Nachfrist seine Pflicht zur Zahlung des Kaufpreises oder zur Annahme der Ware erfüllt oder wenn er erklärt, dass er dies nicht innerhalb der so gesetzten Frist tun wird.

(2) Hat der Käufer den Kaufpreis gezahlt, so verliert jedoch der Verkäufer sein Recht, die Aufhebung des Vertrags zu erklären, wenn er
- a) im Falle verspäteter Erfüllung durch den Käufer die Aufhebung nicht erklärt, bevor er erfahren hat, dass erfüllt worden ist oder
- b) im Falle einer anderen Vertragsverletzung als verspäteter Erfüllung durch den Käufer die Aufhebung nicht innerhalb einer angemessenen Zeit erklärt,
  - aa nachdem der Verkäufer die Vertragsverletzung kannte oder kennen musste, oder
  - bb nachdem eine vom Verkäufer nach Artikel 63 Absatz 1 gesetzte Nachfrist abgelaufen ist, oder nachdem der Käufer erklärt hat, dass er seine Pflichten nicht innerhalb der Nachfrist erfüllen wird.

Artikel 65

(1) Hat der Käufer nach dem Vertrag die Form, die Maße oder andere Merkmale der Ware näher zu bestimmen und nimmt er diese Spezifizierung nicht zu dem vereinbarten Zeitpunkt oder innerhalb einer angemessenen Frist nach Eingang einer Aufforderung durch den Verkäufer vor, so kann der Verkäufer unbeschadet aller ihm zustehenden sonstigen Rechte die Spezifizierung nach den Bedürfnissen des Käufers, soweit ihm diese bekannt sind, selbst vornehmen.

(2) Nimmt der Verkäufer die Spezifizierung selbst vor, so hat er dem Käufer deren Einzelheiten mitzuteilen und ihm eine angemessene Frist zu setzen, innerhalb deren der Käufer eine abweichende Spezifizierung vornehmen kann. Macht der Käufer nach Eingang einer solchen Mitteilung von dieser Möglichkeit innerhalb der so gesetzten Frist keinen Gebrauch, so ist die vom Verkäufer vorgenommene Spezifizierung verbindlich.

Kapitel IV: Übergang der Gefahr

Artikel 66

Untergang oder Beschädigung der Ware nach Übergang der Gefahr auf den Käufer befreit diesen nicht von der Pflicht, den Kaufpreis zu zahlen, es sei denn, dass der Untergang oder die Beschädigung auf eine Handlung oder Unterlassung des Verkäufers zurückzuführen ist.

Artikel 67

(1) Erfordert der Kaufvertrag eine Beförderung der Ware und ist der Verkäufer nicht verpflichtet, sie an einem bestimmten Ort zu übergeben, so geht die Gefahr auf den Käufer über, sobald die Ware gemäß dem Kaufvertrag dem ersten Beförderer zur Übermittlung an den Käufer übergeben wird. Hat der Verkäufer dem Beförderer die Ware an einem bestimmten Ort zu übergeben, so geht die Gefahr erst auf den Käufer über, wenn die Ware dem Beförderer an diesem Ort übergeben wird. Ist der Verkäufer befugt, die Dokumente, die zur Verfügung über die Ware berechtigen, zurückzubehalten, so hat dies keinen Einfluss auf den Übergang der Gefahr.

(2) Die Gefahr geht jedoch erst auf den Käufer über, wenn die Ware eindeutig dem Vertrag zugeordnet ist, sei es durch an der Ware angebrachte Kennzeichen, durch Beförderungsdokumente, durch eine Anzeige an den Käufer oder auf andere Weise.

Artikel 68

Wird Ware, die sich auf dem Transport befindet, verkauft, so geht die Gefahr im Zeitpunkt des Vertragsabschlusses auf den Käufer über. Die Gefahr wird jedoch bereits im Zeitpunkt der Übergabe der Ware an den Beförderer, der die Dokumente über den Beförderungsvertrag ausgestellt hat, von dem Käufer übernommen, falls die Umstände diesen Schluss nahe legen. Wenn dagegen der Verkäufer bei Abschluss des Kaufvertrages wusste oder wissen musste, dass die Ware untergegangen oder beschädigt war und er dies dem Käufer nicht offenbart hat, geht der Untergang oder die Beschädigung zulasten des Verkäufers.

Artikel 69

(1) In den durch Artikel 67 und 68 nicht geregelten Fällen geht die Gefahr auf den Käufer über, sobald er die Ware übernimmt oder, wenn er sie nicht rechtzeitig übernimmt, in dem Zeitpunkt, in dem ihm die Ware zur Verfügung gestellt wird und er durch Nichtannahme eine Vertragsverletzung begeht.

(2) Hat jedoch der Käufer die Ware an einem anderen Ort als einer Niederlassung des Verkäufers zu übernehmen, so geht die Gefahr über, sobald die Lieferung fällig ist und der Käufer Kenntnis davon hat, dass ihm die Ware an diesem Ort zur Verfügung steht.

(3) Betrifft der Vertrag Ware, die noch nicht individualisiert ist, so gilt sie erst dann als dem Käufer zur Verfügung gestellt, wenn sie eindeutig dem Vertrag zugeordnet worden ist.

Artikel 70

Hat der Verkäufer eine wesentliche Vertragsverletzung begangen, so berühren die Artikel 67, 68 und 69 nicht die dem Käufer wegen einer solchen Verletzung zustehenden Rechtsbehelfe.

Kapitel V: Gemeinsame Bestimmungen über die Pflichten des Verkäufers und des Käufers

Abschnitt 1: Vorweggenommene Vertragsverletzung und Verträge über aufeinander folgende Lieferungen

Artikel 71

(1) Eine Partei kann die Erfüllung ihrer Pflichten aussetzen, wenn sich nach Vertragsabschluss herausstellt, dass die andere Partei einen wesentlichen Teil ihrer Pflichten nicht erfüllen wird

a) wegen eines schwerwiegenden Mangels ihrer Fähigkeit, den Vertrag zu erfüllen, oder ihrer Kreditwürdigkeit oder
b) wegen ihres Verhaltens bei der Vorbereitung der Erfüllung oder bei der Erfüllung des Vertrags.

(2) Hat der Verkäufer die Ware bereits abgesandt, bevor sich die in Absatz 1 bezeichneten Gründe herausstellen, so kann er sich der Übergabe der Ware an den Käufer widersetzen, selbst wenn der Käufer ein Dokument hat, das ihn berechtigt, die Ware zu erlangen. Der vorliegende Absatz betrifft nur die Rechte auf die Ware im Verhältnis zwischen Käufer und Verkäufer.

(3) Setzt eine Partei vor oder nach der Absendung der Ware die Erfüllung aus, so hat sie dies der anderen Partei sofort anzuzeigen; sie hat die Erfüllung fortzusetzen, wenn die andere Partei für die Erfüllung ihrer Pflichten ausreichende Gewähr gibt.

Artikel 72

(1) Ist schon vor dem für die Vertragserfüllung festgesetzten Zeitpunkt offensichtlich, dass eine Partei eine wesentliche Vertragsverletzung begehen wird, so kann die andere Partei die Aufhebung des Vertrags erklären.

(2) Wenn es die Zeit erlaubt und es nach den Umständen vernünftig ist, hat die Partei, welche die Aufhebung des Vertrags erklären will, dies der anderen Partei anzuzeigen, um ihr zu ermöglichen, für die Erfüllung ihrer Pflichten ausreichende Gewähr zu geben.

(3) Absatz 2 ist nicht anzuwenden, wenn die andere Partei erklärt hat, dass sie ihre Pflichten nicht erfüllen wird.

Artikel 73

(1) Sieht ein Vertrag aufeinander folgende Lieferungen von Ware vor und begeht eine Partei durch Nichterfüllung einer eine Teillieferung betreffenden Pflicht eine wesentliche Vertragsverletzung in Bezug auf diese Teillieferung, so kann die andere Partei die Aufhebung des Vertrags in Bezug auf diese Teillieferung erklären.

(2) Gibt die Nichterfüllung einer eine Teillieferung betreffenden Pflicht durch eine der Parteien der anderen Partei triftigen Grund zu der Annahme, dass eine wesentliche Vertragsverletzung in Bezug auf künftige Teillieferungen zu erwarten ist, so kann die andere Partei innerhalb angemessener Frist die Aufhebung des Vertrags für die Zukunft erklären.

(3) Ein Käufer, der den Vertrag in Bezug auf eine Lieferung als aufgehoben erklärt, kann gleichzeitig die Aufhebung des Vertrags in Bezug auf bereits erhaltene Lieferungen oder in Bezug auf künftige Lieferungen erklären, wenn diese Lieferungen wegen des zwischen ihnen bestehenden Zusammenhangs nicht mehr für den Zweck verwendet werden können, den die Parteien im Zeitpunkt des Vertragsabschlusses in Betracht gezogen haben.

Abschnitt II: Schadensersatz

Artikel 74

Als Schadensersatz für die durch eine Partei begangene Vertragsverletzung ist der der anderen Partei infolge der Vertragsverletzung entstandene Verlust, einschließlich des entgangenen Gewinns, zu ersetzen. Dieser Schadensersatz darf jedoch den Verlust nicht übersteigen, den die vertragsbrüchige Partei bei Vertragsabschluss als mögliche Folge der Vertragsverletzung vorausgesehen hat oder unter Berücksichtigung der Umstände, die sie kannte oder kennen musste, hätte voraussehen müssen.

Artikel 75

Ist der Vertrag aufgehoben und hat der Käufer einen Deckungskauf oder der Verkäufer einen Deckungsverkauf in angemessener Weise und innerhalb eines angemessenen Zeitraums nach der Aufhebung vorgenommen, so kann die Partei, die Schadensersatz verlangt, den Unterschied zwischen dem im Vertrag vereinbarten Preis und dem Preis des Deckungskaufs oder des Deckungsverkaufs sowie jeden weiteren Schadensersatz nach Artikel 74 verlangen.

Artikel 76

(1) Ist der Vertrag aufgehoben und hat die Ware einen Marktpreis, so kann die Schadensersatz verlangende Partei, wenn sie keinen Deckungskauf oder Deckungsverkauf nach Artikel 75 vorgenommen hat, den Unterschied zwischen dem im Vertrag vereinbarten Preis und dem Marktpreis zur Zeit der Aufhebung sowie jeden weiteren Schadensersatz nach Artikel 74 verlangen. Hat jedoch die Partei, die Schadensersatz verlangt, den Vertrag aufgehoben, nachdem sie die Ware übernommen hat, so gilt der Marktpreis zur Zeit der Übernahme und nicht der Marktpreis zur Zeit der Aufhebung.

(2) Als Marktpreis im Sinne von Absatz 1 ist maßgebend der Marktpreis, der an dem Ort gilt, an dem die Lieferung der Ware hätte erfolgen sollen, oder, wenn dort ein Marktpreis nicht besteht, der an einem angemessenen Ersatzort geltende Marktpreis; dabei sind Unterschiede in den Kosten der Beförderung der Ware zu berücksichtigen.

Artikel 77

Die Partei, die sich auf eine Vertragsverletzung beruft, hat alle den Umständen nach angemessenen Maßnahmen zur Verringerung des aus der Vertragsverletzung folgenden Verlustes, einschließlich des entgangenen Gewinns, zu treffen. Versäumt sie dies, so kann die vertragsbrüchige Partei Herabsetzung des Schadensersatzes in Höhe des Betrages verlangen, um den der Verlust hätte verringert werden sollen.

Abschnitt III: Zinsen

Artikel 78

Versäumt eine Partei, den Kaufpreis oder einen anderen fälligen Betrag zu zahlen, so hat die andere Partei für diese Beträge Anspruch auf Zinsen, unbeschadet eines Schadensersatzanspruchs nach Artikel 74.

Abschnitt IV: Befreiungen

Artikel 79

(1) Eine Partei hat für die Nichterfüllung einer ihrer Pflichten nicht einzustehen, wenn sie beweist, dass die Nichterfüllung auf einem außerhalb ihres Einflussbereichs liegenden Hinderungsgrund beruht und dass von ihr vernünftigerweise nicht erwartet werden konnte, den Hinderungsgrund bei Vertragsabschluss in Betracht zu ziehen oder den Hinderungsgrund oder seine Folgen zu vermeiden oder zu überwinden.

(2) Beruht die Nichterfüllung einer Partei auf der Nichterfüllung durch einen Dritten, dessen sie sich zur völligen oder teilweisen Vertragserfüllung bedient, so ist diese Partei von der Haftung nur befreit,

a) wenn sie nach Absatz 1 befreit ist und
b) wenn der Dritte selbst ebenfalls nach Absatz 1 befreit wäre, sofern Absatz 1 auf ihn Anwendung fände.

(3) Die in diesem Artikel vorgesehene Befreiung gilt für die Zeit, während der der Hinderungsgrund besteht.

(4) Die Partei, die nicht erfüllt, hat den Hinderungsgrund und seine Auswirkung auf ihre Fähigkeit zu erfüllen der anderen Partei mitzuteilen. Erhält die andere Partei die Mitteilung nicht innerhalb einer angemessenen Frist, nachdem die nicht erfüllende Partei den Hinderungsgrund kannte oder kennen musste, so haftet sie für den aus diesem Nichterhalt entstehenden Schaden.

(5) Dieser Artikel hindert die Parteien nicht, ein anderes als das Recht auszuüben, Schadensersatz nach diesem Übereinkommen zu verlangen.

Artikel 80

Eine Partei kann sich auf die Nichterfüllung von Pflichten durch die andere Partei nicht berufen, soweit diese Nichterfüllung durch ihre Handlung oder Unterlassung verursacht wurde.

Abschnitt V: Wirkungen der Aufhebung

Artikel 81

(1) Die Aufhebung des Vertrags befreit beide Parteien von ihren Vertragspflichten, mit Ausnahme etwaiger Schadensersatzpflichten. Die Aufhebung berührt nicht Bestimmungen des Vertrags über die Beilegung von Streitigkeiten oder sonstige Bestimmungen des Vertrags, welche die Rechte und Pflichten der Parteien nach Vertragsaufhebung regeln.

(2) Hat eine Partei den Vertrag ganz oder teilweise erfüllt, so kann sie ihre Leistung von der anderen Partei zurückfordern. Sind beide Parteien zur Rückgabe verpflichtet, so sind die Leistungen Zug um Zug zurückzugeben.

Artikel 82

(1) Der Käufer verliert das Recht, die Aufhebung des Vertrags zu erklären oder vom Verkäufer Ersatzlieferung zu verlangen, wenn es ihm unmöglich ist, die Ware im wesentlichen in dem Zustand zurückzugeben, in dem er sie erhalten hat.

(2) Absatz 1 findet keine Anwendung,

a) wenn die Unmöglichkeit, die Ware zurückzugeben oder sie im Wesentlichen in dem Zustand zurückzugeben, in dem der Käufer sie erhalten hat, nicht auf einer Handlung oder Unterlassung des Käufers beruht,
b) wenn die Ware ganz oder teilweise infolge der in Artikel 38 vorgesehenen Untersuchung untergegangen oder verschlechtert worden ist, oder wenn der Käufer die Ware ganz oder teilweise im normalen Geschäftsverkehr verkauft oder der normalen Verwendung entsprechend verbraucht oder verändert hat, bevor er die Vertragswidrigkeit entdeckt hat oder hätte entdecken müssen.

Artikel 83

Der Käufer, der nach Artikel 82 das Recht verloren hat, die Aufhebung des Vertrags zu erklären oder vom Verkäufer Ersatzlieferung zu verlangen, behält alle anderen Rechtsbehelfe, die ihm nach dem Vertrag und diesem Übereinkommen zustehen.

Artikel 84

(1) Hat der Verkäufer den Kaufpreis zurückzuzahlen, so hat er außerdem vom Tag der Zahlung an auf den Betrag Zinsen zu zahlen.

(2) Der Käufer schuldet dem Verkäufer den Gegenwert aller Vorteile, die er aus der Ware oder einem Teil der Ware gezogen hat,

a) wenn er die Ware ganz oder teilweise zurückgeben muss oder
b) wenn es ihm unmöglich ist, die Ware ganz oder teilweise zurückzugeben oder sie ganz oder teilweise im Wesentlichen in dem Zustand zurückzugeben, in dem er sie erhalten hat, er aber dennoch die Aufhebung des Vertrags erklärt oder vom Verkäufer Ersatzlieferung verlangt hat.

Abschnitt VI: Erhaltung der Ware

Artikel 85

Nimmt der Käufer die Ware nicht rechtzeitig an oder versäumt er, falls Zahlung des Kaufpreises und Lieferung der Ware Zug um Zug erfolgen sollen, den Kaufpreis zu zahlen, und hat der Verkäufer die Ware noch in Besitz oder ist er sonst in der Lage, über sie zu verfügen, so hat der Verkäufer die den Umständen angemessenen Maßnahmen zu ihrer Erhaltung zu treffen. Er ist berechtigt, die Ware zurückzubehalten, bis ihm der Käufer seine angemessenen Aufwendungen erstattet hat.

Artikel 86

(1) Hat der Käufer die Ware empfangen und beabsichtigt er, ein nach dem Vertrag oder diesem Übereinkommen bestehendes Zurückweisungsrecht auszuüben, so hat er die den Umständen angemessenen Maßnahmen zu ihrer Erhaltung zu treffen. Er ist berechtigt, die Ware zurückzubehalten, bis ihm der Verkäufer seine angemessenen Aufwendungen erstattet hat.

(2) Ist die dem Käufer zugesandte Ware ihm am Bestimmungsort zur Verfügung gestellt worden und übt er das Recht aus, sie zurückzuweisen, so hat er sie für Rechnung des Verkäufers in Besitz zu nehmen, sofern dies ohne Zahlung des Kaufpreises und ohne unzumutbare Unannehmlichkeiten oder unverhältnismäßige Kosten möglich ist. Dies gilt nicht, wenn der Verkäufer oder eine Person, die befugt ist, die Ware für Rechnung des Verkäufers in Obhut zu nehmen, am Bestimmungsort anwesend ist. Nimmt der Käufer die Ware nach diesem Absatz in Besitz, so werden seine Rechte und Pflichten durch Absatz 1 geregelt.

Artikel 87

Eine Partei, die Maßnahmen zur Erhaltung der Ware zu treffen hat, kann die Ware auf Kosten der anderen Partei in den Lagerräumen eines Dritten einlagern, sofern daraus keine unverhältnismäßigen Kosten entstehen.

Artikel 88

(1) Eine Partei, die nach Artikel 85 oder 86 zur Erhaltung der Ware verpflichtet ist, kann sie auf jede geeignete Weise verkaufen, wenn die andere Partei die Inbesitznahme oder die Rücknahme der Ware oder die Zahlung des Kaufpreises oder der Erhaltungskosten ungebührlich hinauszögert, vorausgesetzt, dass sie der anderen Partei ihre Verkaufsabsicht in vernünftiger Weise angezeigt hat.

(2) Ist die Ware einer raschen Verschlechterung ausgesetzt oder würde ihre Erhaltung unverhältnismäßige Kosten verursachen, so hat die Partei, der nach Artikel 85 oder 86 die Erhaltung der Ware obliegt, sich in angemessener Weise um ihren Verkauf zu bemühen. Soweit möglich, hat sie der anderen Partei ihre Verkaufsabsicht anzuzeigen.

(3) Hat eine Partei die Ware verkauft, so kann sie aus dem Erlös des Verkaufs den Betrag behalten, der den angemessenen Kosten der Erhaltung und des Verkaufs der Ware entspricht. Den Überschuss schuldet sie der anderen Partei.

Teil IV. Schlussbestimmungen

(Art 89 bis 101)

nicht abgedruckt

2. Einführungsgesetz zum Bürgerlichen Gesetzbuch

in der Fassung der Bekanntmachung vom 21.9.1994 (BGBl. I S. 2494, ber. 1997. I S., zuletzt geändert durch Gesetz vom 20.9.2013

(*Auszüge,* soweit für das Verständnis des Buches erforderlich, im Buchtext abgekürzt als „EGBGB")

Übersicht:

Internationales Privatrecht (Art. 3 - 49 EGBGB)

1. Abschnitt	Verweisung (Art. 3 - 6) *Art. 3 (Allgemeine Verweisungsvorschriften)* *Art. 4 (Rück- und Weiterverweisung, Rechtsspaltung)* *Art. 5 (Personalstatut)* *Art. 6 (Öffentliche Ordnung (ordre public))*
2. Abschnitt	Recht der natürlichen Personen und der Rechtsgeschäfte (Art. 7 - 12) *Art. 7 (Rechtsfähigkeit und Geschäftsfähigkeit)* *Art. 9 (Todeserklärung)* *Art. 10 (Name)* *Art. 11 (Form von Rechtsgeschäften)* *Art. 12 (Schutz des anderen Vertragsteils)*
3. Abschnitt	Familienrecht (Art. 13 - 24)
4. Abschnitt	Erbrecht (Art. 25 - 26)
5. Abschnitt 1. Unterabschnitt	Schuldrecht (Art. 27 - 42) Vertragliche Schuldverhältnisse (Art. 27 - 37)
2. Unterabschnitt	Außervertragliche Schuldverhältnisse (Art. 38 - 42) *Art. 38 (Ungerechtfertigte Bereicherung)* *Art. 39 (Geschäftsführung ohne Auftrag)* *Art. 40 (Unerlaubte Handlung)* *Art. 41 (Wesentlich engere Verbindung)* *Art. 42 (Rechtswahl)*
6. Abschnitt	Sachenrecht (Art. 43 - 46) *Art. 43 (Rechte an einer Sache)* *Art. 44 (Grundstücksimmissionen)* *Art. 45 (Transportmittel)* *Art. 46 (Wesentlich engere Verbindung)*

Artikel 4
Rück- und Weiterverweisung, Rechtsspaltung

(1) Wird auf das Recht eines anderen Staates verwiesen, so ist auch dessen Internationales Privatrecht anzuwenden, sofern dies nicht dem Sinn der Verweisung widerspricht. Verweist das Recht des anderen Staates auf deutsches Recht zurück, so sind die deutschen Sachvorschriften anzuwenden.

(2) Soweit die Parteien das Recht eines Staates wählen können, können sie nur auf die Sachvorschriften verweisen.

(3) Wird auf das Recht eines Staates mit mehreren Teilrechtsordnungen verwiesen, ohne die maßgebende zu bezeichnen, so bestimmt das Recht dieses Staates, welche Teilrechtsordnung anzuwenden ist. Fehlt eine solche Regelung, so ist die Teilrechtsordnung anzuwenden, mit welcher der Sachverhalt am engsten verbunden ist.

Artikel 5
Personalstatut

(1) Wird auf das Recht des Staates verwiesen, dem eine Person angehört, und gehört sie mehreren Staaten an, so ist das Recht desjenigen dieser Staaten anzuwenden, mit dem die Person am engsten verbunden ist, insbesondere durch ihren gewöhnlichen Aufenthalt oder durch den Verlauf ihres Lebens. Ist die Person auch Deutscher, so geht diese Rechtsstellung vor.

(2) Ist eine Person staatenlos oder kann ihre Staatsangehörigkeit nicht festgestellt werden, so ist das Recht des Staates anzuwenden, in dem sie ihren gewöhnlichen Aufenthalt oder, mangels eines solchen, ihren Aufenthalt hat.

(3) Wird auf das Recht des Staates verwiesen, in dem eine Person ihren Aufenthalt oder ihren gewöhnlichen Aufenthalt hat, und ändert eine nicht voll geschäftsfähige Person den Aufenthalt ohne den Willen des gesetzlichen Vertreters, so führt diese Änderung allein nicht zur Anwendung eines anderen Rechts.

Artikel 6
Öffentliche Ordnung (ordre public)

Eine Rechtsnorm eines anderen Staates ist nicht anzuwenden, wenn ihre Anwendung zu einem Ergebnis führt, das mit wesentlichen Grundsätzen des deutschen Rechts offensichtlich unvereinbar ist. Sie ist insbesondere nicht anzuwenden, wenn die Anwendung mit den Grundrechten unvereinbar ist.

Artikel 11
Form von Rechtsgeschäften

(1) Ein Rechtsgeschäft ist formgültig, wenn es die Formerfordernisse des Rechts, das auf das seinen Gegenstand bildende Rechtsverhältnis anzuwenden ist, oder des Rechts des Staates erfüllt, in dem es vorgenommen wird.

(2) Wird ein Vertrag zwischen Personen geschlossen, die sich in verschiedenen Staaten befinden, so ist er formgültig, wenn er die Formerfordernisse des Rechts, das auf das seinen Gegenstand bildende Rechtsverhältnis anzuwenden ist, oder des Rechts eines dieser Staaten erfüllt.

(3) Wird der Vertrag durch einen Vertreter geschlossen, so ist bei Anwendung der Absätze 1 und 2 der Staat maßgebend, in dem sich der Vertreter befindet.

(4) Verträge, die ein dingliches Recht an einem Grundstück oder ein Recht zur Nutzung eines Grundstücks zum Gegenstand haben, unterliegen den zwingenden Formvorschriften des Staates, in dem das Grundstück belegen ist, sofern diese nach dem Recht dieses Staates ohne Rücksicht auf den Ort des Abschlusses des Vertrags und auf das Recht, dem er unterliegt, anzuwenden sind.

(5) Ein Rechtsgeschäft, durch das ein Recht an einer Sache begründet oder über ein solches Recht verfügt wird, ist nur formgültig, wenn es die Formerfordernisse des Rechts erfüllt, das auf das seinen Gegenstand bildende Rechtsverhältnis anzuwenden ist.

Artikel 38
Ungerechtfertigte Bereicherung

(1) Bereicherungsansprüche wegen erbrachter Leistung unterliegen dem Recht, das auf das Rechtsverhältnis anzuwenden ist, auf das die Leistung bezogen ist.

(2) Ansprüche wegen Bereicherung durch Eingriff in ein geschütztes Interesse unterliegen dem Recht des Staates, in dem der Eingriff geschehen ist.

(3) In sonstigen Fällen unterliegen Ansprüche aus ungerechtfertigter Bereicherung dem Recht des Staates, in dem die Bereicherung eingetreten ist.

Artikel 39
Geschäftsführung ohne Auftrag

(1) Gesetzliche Ansprüche aus der Besorgung eines fremden Geschäfts unterliegen dem Recht des Staates, in dem das Geschäft vorgenommen worden ist.

(2) Ansprüche aus der Tilgung einer fremden Verbindlichkeit unterliegen dem Recht, das auf die Verbindlichkeit anzuwenden ist.

Artikel 40
Unerlaubte Handlung

(1) Ansprüche aus unerlaubter Handlung unterliegen dem Recht des Staates, in dem der Ersatzpflichtige gehandelt hat. Der Verletzte kann verlangen, dass anstelle dieses Rechts das Recht des Staates angewandt wird, in dem der Erfolg eingetreten ist. Das Bestimmungsrecht kann nur im ersten Rechtszug bis zum Ende des frühen ersten Termins oder dem Ende des schriftlichen Vorverfahrens ausgeübt werden.

(2) Hatten der Ersatzpflichtige und der Verletzte zur Zeit des Haftungsereignisses ihren gewöhnlichen Aufenthalt in demselben Staat, so ist das Recht dieses Staates anzuwenden. Handelt es sich um Gesellschaften, Vereine oder juristische Personen, so steht dem gewöhnlichen Aufenthalt der Ort gleich, an dem sich die Hauptverwaltung oder, wenn eine Niederlassung beteiligt ist, an dem sich diese befindet.

(3) Ansprüche, die dem Recht eines anderen Staates unterliegen, können nicht geltend gemacht werden, soweit sie

1. wesentlich weiter gehen als zur angemessenen Entschädigung des Verletzten erforderlich,
2. offensichtlich anderen Zwecken als einer angemessenen Entschädigung des Verletzten dienen oder
3. haftungsrechtlichen Regelungen eines für die Bundesrepublik Deutschland verbindlichen Übereinkommens widersprechen.

(4) Der Verletzte kann seinen Anspruch unmittelbar gegen einen Versicherer des Ersatzpflichtigen geltend machen, wenn das auf die unerlaubte Handlung anzuwendende Recht oder das Recht, dem der Versicherungsvertrag unterliegt, dies vorsieht.

Artikel 41
Wesentlich engere Verbindung

(1) Besteht mit dem Recht eines Staates eine wesentlich engere Verbindung als mit dem Recht, das nach den Artikeln 38 bis 40 Abs. 2 maßgebend wäre, so ist jenes Recht anzuwenden.

(2) Eine wesentlich engere Verbindung kann sich insbesondere ergeben

1. aus einer besonderen rechtlichen oder tatsächlichen Beziehung zwischen den Beteiligten im Zusammenhang mit dem Schuldverhältnis oder
2. in den Fällen des Artikels 38 Abs. 2 und 3 und des Artikels 39 aus dem gewöhnlichen Aufenthalt der Beteiligten in demselben Staat im Zeitpunkt des rechtserheblichen Geschehens; Artikel 40 Abs. 2 Satz 2 gilt entsprechend.

Artikel 42
Rechtswahl

Nach Eintritt des Ereignisses, durch das ein außervertragliches Schuldverhältnis entstanden ist, können die Parteien das Recht wählen, dem es unterliegen soll. Rechte Dritter bleiben unberührt.

Artikel 43
Rechte an einer Sache

(1) Rechte an einer Sache unterliegen dem Recht des Staates, in dem sich die Sache befindet.

(2) Gelangt eine Sache, an der Rechte begründet sind, in einen anderen Staat, so können diese Rechte nicht im Widerspruch zu der Rechtsordnung dieses Staates ausgeübt werden.

(3) Ist ein Recht an einer Sache, die in das Inland gelangt, nicht schon vorher erworben worden, so sind für einen solchen Erwerb im Inland Vorgänge in einem anderen Staat wie inländische zu berücksichtigen.

Artikel 45
Transportmittel

(1) Rechte an Luft-, Wasser- und Schienenfahrzeugen unterliegen dem Recht des Herkunftsstaats. Das ist

1. bei Luftfahrzeugen der Staat ihrer Staatszugehörigkeit,
2. bei Wasserfahrzeugen der Staat der Registereintragung, sonst des Heimathafens oder des Heimatorts,
3. bei Schienenfahrzeugen der Staat der Zulassung.

(2) Die Entstehung gesetzlicher Sicherungsrechte an diesen Fahrzeugen unterliegt dem Recht, das auf die zu sichernde Forderung anzuwenden ist. Für die Rangfolge mehrerer Sicherungsrechte gilt Artikel 43 Abs. 1.

Artikel 46
Wesentlich engere Verbindung

Besteht mit dem Recht eines Staates eine wesentlich engere Verbindung als mit dem Recht, das nach den Artikeln 43 bis 45 maßgebend wäre, so ist jenes Recht anzuwenden.

3. ROM-I-Verordnung

VERORDNUNG (EG) Nr. 593/2008 des Europäischen Parlaments
und des Rates vom 17. Juni 2008 über
das auf vertragliche Schuldverhältnisse anzuwendende Recht (Rom I)

(Auszug)

Kapitel I
Anwendungsbereich

Artikel 1
Anwendungsbereich

(1) Diese Verordnung gilt für vertragliche Schuldverhältnisse in Zivil- und Handelssachen, die eine Verbindung zum Recht verschiedener Staaten aufweisen. Sie gilt insbesondere nicht für Steuer- und Zollsachen sowie verwaltungsrechtliche Angelegenheiten.

(2) Vom Anwendungsbereich dieser Verordnung ausgenommen sind:

a) der Personenstand sowie die Rechts-, Geschäfts- und Handlungsfähigkeit von natürlichen Personen, unbeschadet des Artikels 13;

b) Schuldverhältnisse aus einem Familienverhältnis oder aus Verhältnissen, die nach dem auf diese Verhältnisse anzuwendenden Recht vergleichbare Wirkungen entfalten, einschließlich der Unterhaltspflichten;

c) Schuldverhältnisse aus ehelichen Güterständen, aus Güterständen aufgrund von Verhältnissen, die nach dem auf diese Verhältnisse anzuwendenden Recht mit der Ehe vergleichbare Wirkungen entfalten, und aus Testamenten und Erbrecht;

d) Verpflichtungen aus Wechseln, Schecks, Eigenwechseln und anderen handelbaren Wertpapieren, soweit die Verpflichtungen aus diesen anderen Wertpapieren aus deren Handelbarkeit entstehen;

e) Schieds- und Gerichtsstandsvereinbarungen;

f) Fragen betreffend das Gesellschaftsrecht, das Vereinsrecht und das Recht der juristischen Personen, wie die Errichtung durch Eintragung oder auf andere Weise, die Rechts- und Handlungsfähigkeit, die innere Verfassung und die Auflösung von Gesellschaften, Vereinen und juristischen Personen sowie die persönliche Haftung der Gesellschafter und der Organe für die Verbindlichkeiten einer Gesellschaft, eines Vereins oder einer juristischen Person;

g) die Frage, ob ein Vertreter die Person, für deren Rechnung er zu handeln vorgibt, Dritten gegenüber verpflichten kann, oder ob ein Organ einer Gesellschaft, eines Vereins oder einer anderen juristischen Person diese Gesellschaft, diesen Verein oder diese juristische Person gegenüber Dritten verpflichten kann;

h) die Gründung von „Trusts" sowie die dadurch geschaffenen Rechtsbeziehungen zwischen den Verfügenden, den Treuhändern und den Begünstigten;

i) Schuldverhältnisse aus Verhandlungen vor Abschluss eines Vertrags;

j) Versicherungsverträge aus von anderen Einrichtungen als den in Artikel 2 der Richtlinie 2002/83/EG des Europäischen Parlaments und des Rates vom 5. November 2002 über Lebensversicherungen (1) genannten Unternehmen durchgeführten Geschäften, deren Zweck darin besteht, den unselbstständig oder selbstständig tätigen Arbeitskräften eines Unternehmens oder einer Unternehmensgruppe oder den Angehörigen eines Berufes oder einer Berufsgruppe im Todes- oder Erlebensfall oder bei Arbeitseinstellung

oder bei Minderung der Erwerbstätigkeit oder bei arbeitsbedingter Krankheit oder Arbeitsunfällen Leistungen zu gewähren.

(3) Diese Verordnung gilt unbeschadet des Artikels 18 nicht für den Beweis und das Verfahren.

(4) Im Sinne dieser Verordnung bezeichnet der Begriff „Mitgliedstaat" die Mitgliedstaaten, auf die diese Verordnung anwendbar ist. In Artikel 3 Absatz 4 und Artikel 7 bezeichnet der Begriff jedoch alle Mitgliedstaaten.

Artikel 2
Universelle Anwendung

Das nach dieser Verordnung bezeichnete Recht ist auch dann anzuwenden, wenn es nicht das Recht eines Mitgliedstaats ist.

Kapitel II
Einheitliche Kollisionsnormen

Artikel 3
Freie Rechtswahl

(1) Der Vertrag unterliegt dem von den Parteien gewählten Recht. Die Rechtswahl muss ausdrücklich erfolgen oder sich eindeutig aus den Bestimmungen des Vertrags oder aus den Umständen des Falles ergeben. Die Parteien können die Rechtswahl für ihren ganzen Vertrag oder nur für einen Teil desselben treffen.

(2) Die Parteien können jederzeit vereinbaren, dass der Vertrag nach einem anderen Recht zu beurteilen ist als dem, das zuvor entweder aufgrund einer früheren Rechtswahl nach diesem Artikel oder aufgrund anderer Vorschriften dieser Verordnung für ihn maßgebend war. Die Formgültigkeit des Vertrags im Sinne des Artikels 11 und Rechte Dritter werden durch eine nach Vertragsschluss erfolgende Änderung der Bestimmung des anzuwendenden Rechts nicht berührt.

(3) Sind alle anderen Elemente des Sachverhalts zum Zeitpunkt der Rechtswahl in einem anderen als demjenigen Staat belegen, dessen Recht gewählt wurde, so berührt die Rechtswahl der Parteien nicht die Anwendung derjenigen Bestimmungen des Rechts dieses anderen Staates, von denen nicht durch Vereinbarung abgewichen werden kann.

(4) Sind alle anderen Elemente des Sachverhalts zum Zeitpunkt der Rechtswahl in einem oder mehreren Mitgliedstaaten belegen, so berührt die Wahl des Rechts eines Drittstaats durch die Parteien nicht die Anwendung der Bestimmungen des Gemeinschaftsrechts – gegebenenfalls in der von dem Mitgliedstaat des angerufenen Gerichts umgesetzten Form –, von denen nicht durch Vereinbarung abgewichen werden kann.

(5) Auf das Zustandekommen und die Wirksamkeit der Einigung der Parteien über das anzuwendende Recht finden die Artikel 10, 11 und 13 Anwendung.

Artikel 4
Mangels Rechtswahl anzuwendendes Recht

(1) Soweit die Parteien keine Rechtswahl gemäß Artikel 3 getroffen haben, bestimmt sich das auf den Vertrag anzuwendende Recht unbeschadet der Artikel 5 bis 8 wie folgt:

a) Kaufverträge über bewegliche Sachen unterliegen dem Recht des Staates, in dem der Verkäufer seinen gewöhnlichen Aufenthalt hat.

b) Dienstleistungsverträge unterliegen dem Recht des Staates, in dem der Dienstleister seinen gewöhnlichen Aufenthalt hat.

c) Verträge, die ein dingliches Recht an unbeweglichen Sachen sowie die Miete oder Pacht unbeweglicher Sachen zum Gegenstand haben, unterliegen dem Recht des Staates, in dem die unbewegliche Sache belegen ist.

d) Ungeachtet des Buchstabens c unterliegt die Miete oder Pacht unbeweglicher Sachen für höchstens sechs aufeinander folgende Monate zum vorübergehenden privaten Gebrauch dem Recht des Staates, in dem der Vermieter oder Verpächter seinen gewöhnlichen Aufenthalt hat, sofern der Mieter oder Pächter eine natürliche Person ist und seinen gewöhnlichen Aufenthalt in demselben Staat hat.

e) Franchiseverträge unterliegen dem Recht des Staates, in dem der Franchisenehmer seinen gewöhnlichen Aufenthalt hat.

f) Vertriebsverträge unterliegen dem Recht des Staates, in dem der Vertriebshändler seinen gewöhnlichen Aufenthalt hat.

g) Verträge über den Kauf beweglicher Sachen durch Versteigerung unterliegen dem Recht des Staates, in dem die Versteigerung abgehalten wird, sofern der Ort der Versteigerung bestimmt werden kann.

h) Verträge, die innerhalb eines multilateralen Systems geschlossen werden, das die Interessen einer Vielzahl Dritter am Kauf und Verkauf von Finanzinstrumenten im Sinne von Artikel 4 Absatz 1 Nummer 17 der Richtlinie 2004/39/EG nach nicht diskretionären Regeln und nach Maßgabe eines einzigen Rechts zusammenführt oder das Zusammenführen fördert, unterliegen diesem Recht.

(2) Fällt der Vertrag nicht unter Absatz 1 oder sind die Bestandteile des Vertrags durch mehr als einen der Buchstaben a bis h des Absatzes 1 abgedeckt, so unterliegt der Vertrag dem Recht des Staates, in dem die Partei, welche die für den Vertrag charakteristische Leistung zu erbringen hat, ihren gewöhnlichen Aufenthalt hat.

(3) Ergibt sich aus der Gesamtheit der Umstände, dass der Vertrag eine offensichtlich engere Verbindung zu einem anderen als dem nach Absatz 1 oder 2 bestimmten Staat aufweist, so ist das Recht dieses anderen Staates anzuwenden.

(4) Kann das anzuwendende Recht nicht nach Absatz 1 oder 2 bestimmt werden, so unterliegt der Vertrag dem Recht des Staates, zu dem er die engste Verbindung aufweist.

4. Glossar

Akkreditiv: siehe unter: Dokumentenakkreditiv

AKP-Staaten: Die derzeit 77 Staaten aus Afrika, der Karibik und dem Pazifikraum haben sich mit der EG auf ein AKP-EG-Partnerschaftsabkommen geeinigt. Das am 23.06.2000 in Cotonou unterzeichnete Abkommen ist am 01.04.2003 in Kraft getreten. Der neue Vertrag löst das alte sogenannte Lomé-Abkommen ab, das 1975 in Lomé unterzeichnet worden war.

Aktive Veredelung: Die aktive Veredelung ist ein Zollverfahren mit wirtschaftlicher Bedeutung, das es ermöglicht, Nichtgemeinschaftswaren ohne Abgabenbelastung zum Zwecke der Veredelung in das Zollgebiet der Gemeinschaft einzuführen. Voraussetzung ist u.a., dass die aus den eingeführten Waren hergestellten Erzeugnisse grundsätzlich in ein Drittland exportiert werden müssen.

Akzept: Durch das Akzept des Importeurs (oder aber durch dessen Bank) wird ein Handelswechsel, den der Exporteur seiner Exportrechnung beifügt und dem Importeur zur Unterschrift (das „Akzept") vorlegt, zu einem eigenständigen, abstrakten Zahlungsversprechen, das der Exporteur beschleunigt und vereinfacht durchsetzen kann.

Allgemeines Präferenzsystem (APS) oder General System of Preferences (GSP): Zollvergünstigung gegenüber z.Zt. 178 Entwicklungsländern, die die EG einseitig gewährt. Nachweispapiere sind das Ursprungszeugnis nach Formblatt A und die Ursprungserklärung auf der Rechnung in bestimmten Fällen.

Alternative Streitbeilegung: Verfahren, bei dem Streitigkeiten zwischen den Außenhandelspartnern nicht vor einem ordentlichen (staatlichen Gericht), sondern stattdessen entweder vor einem (privaten) Schiedsgericht oder aber im Wege der Mediation gelöst werden.

Anwendbares Recht: Im grenzüberschreitenden Geschäftsverkehr stellt sich immer die Frage, nach welchem nationalen Recht sich die gegenseitigen Verpflichtungen der Geschäftspartner bestimmen. Es kann ein Recht gewählt werden („es gilt deutsches Recht"). Falls dies versäumt wird, gilt in der Regel das Recht des Exporteurs.

A.TR.: Präferenznachweis im Warenverkehr mit der Türkei, Nachweis der Freiverkehrseigenschaft einer Ware (kein Ursprungsnachweis!).

Ausfuhr: Körperliches Verbringen einer Ware in ein Land außerhalb des Europäischen Binnenmarktes.

Ausstellung von Präferenznachweisen: Die Ausstellung des Präferenznachweises EUR. 1 obliegt den Zollbehörden des Ausfuhrlandes. Die EUR. 1 wird auf schriftlichen Antrag erteilt. Die Ursprungserklärung auf der Rechnung anstelle einer EUR. 1 wird unter Beachtung der Anwendungsvoraussetzungen vom Ausführer eigenverantwortlich erstellt.

Ausreichende Be- oder Verarbeitung: Eine Be- oder Verarbeitung ist immer dann ausreichend, also ursprungsbegründend, wenn die genau definierten Ursprungsregeln der Verarbeitungsliste eingehalten werden. Eine Minimalbehandlung kann nie eine ausreichende Be- oder Verarbeitung sein.

Bankgarantie: siehe unter: Garantie

Be- oder Verarbeitung: Ohne Be- oder Verarbeitung in der EG kann grundsätzlich kein Präferenzursprung EG eines Erzeugnisses erreicht werden. Der reine Handel mit einer Ware ohne Ursprung und sei die Wertsteigerung in der EG noch so hoch, führt nie zum Präferenzursprung der Ware. Ebenso verleiht die Überführung in den zoll- und steuerrechtlich freien Verkehr (d.h. die Zahlung der Zölle und anderen Einfuhrabgaben) nie dazu, dass die Präferenzursprungseigenschaft einer Ware begründet wird. Es handelt sich in diesem Fall nur um eine Ware des zollrechtlich freien Verkehrs (sogenannte Gemeinschaftsware), für die gegebenenfalls eine Präferenz im Rahmen einer Zollunion in Anspruch genommen werden könnte (z.B. Ausfuhr mit A.TR. in die Türkei).

Befreiung vom Präferenznachweis: Grundsätzlich ist der Präferenzursprung einer Ware förmlich nachzuweisen (siehe Nachweisprinzip). Ausnahmen von diesem Ursprungsnachweis bestehen nur für Kleinsendungen und persönliches Reisegepäck nichtkommerzieller Art bis zu bestimmten Wertgrenzen.

Bietungsgarantie: Wird bei ausländischen öffentlichen Ausschreibungen von der ausschreibenden Stelle verlangt, zur Absicherung von etwaigen Schäden, falls der Bietende – nach Zuschlag – sein Gebot nicht erfüllt.

Codenummer: 11-stellige Zahl im Elektronischen Zolltarif (siehe auch „Position", „Harmonisiertes System", „Kapitel").

Dokumentenakkreditiv: Unbedingtes, abstraktes Zahlungsversprechen der Bank des ausländischen Importeurs, gerichtet an den Exporteur als dem Begünstigten des Akkreditivs. Versprochen wird die Bezahlung des Kaufpreises lediglich unter der Voraussetzung, dass der Exporteur über seine Bank akkreditivgerechte Exportdokumente vorlegt. Der Exporteur weiß also, dass er auf jeden Fall sein Geld (den Exporterlös) erhalten wird, wenn er die abgesprochenen Exportdokumente ordnungsgemäß anfertigt und der Bank vorlegt.

Dokumenteninkasso: Verfahrensweg ähnlich wie beim Dokumentenakkreditiv, mit dem Unterschied, dass es kein eigenständiges abstraktes Zahlungsversprechen der Bank gibt. Stattdessen wird lediglich zugesichert, dass die Bank die Exportdokumente nur Zug um Zug gegen Zahlung des Kaufpreises aushändigt.

Dokumentationsprinzip (auch Nachweisprinzip): Der günstige Präferenzzollsatz wird nur bei Vorlage des vorgeschriebenen Präferenznachweises (Dokuments) gewährt. Andere Nachweise, z.B. Ursprungszeugnisse der Handelskammern, sind nicht zugelassen.

EFTA-Staaten (European Free Trade Association): Staaten der Europäischen Freihandelszone (Schweiz, Liechtenstein, Norwegen, Island). Die EFTA-Regelungen werden größtenteils durch EWR-Regelungen überlagert.

Einfuhrabgaben: Zölle, Einfuhrumsatzsteuer, Verbrauchsteuern

Einfuhr: Körperliches Verbringen von Waren aus einem Drittland in die EG.

Eigentumsvorbehalt: Zahlungssicherung des Exporteurs. Der Exporteur verabredet mit dem ausländischen Abnehmer, dass die Ware an den Importeur unter der aufschiebenden Bedingung des Eigentumsvorbehalts steht, bis der Kaufpreis endgültig bezahlt wird. Sehr problematische Form der Zahlungssicherung, da sie im Ausland häufig wie ein Pfandrecht registriert werden muss und oft auch – z.B. bei Insolvenz des Importeurs – kein Aussonderungsrecht gewährt.

Einheitliche Richtlinien: Der Begriff wird meist pauschal genutzt, wenn es um das Regelwerk der Internationalen Handelskammer (siehe dort) zur Abwicklung von Dokumentenakkreditiven (siehe dort) oder Dokumenteninkassi geht.

Einheitspapier: EG-einheitlicher Vordruck, der grundsätzlich in allen Fällen des Warenverkehrs zwischen der Gemeinschaft und Drittländern zu verwenden ist (z.B. als Einfuhrzollanmeldung, Versandanmeldung, Ausfuhranmeldung etc.).

Electronic Commerce: Neue Form der Abwicklung internationaler Geschäfte. In der Regel werden Geschäfte anstelle des Austauschs von Geschäftsbriefen oder Faxformularen im Wege elektronischer Nachrichtenübermittlung (z.B. durch E-Mail) abgesprochen und abgewickelt.

Ermächtigter Ausführer: Bewilligungsbedürftiges Verfahren, welches die Erstellung von Ursprungserklärungen auf der Rechnung ohne Wertbegrenzung im Warenverkehren mit bestimmten Ländern erlaubt. Diese Ursprungserklärungen werden dann anstelle der Warenverkehrsbescheinigung EUR. 1 von den Zollbehörden im Rahmen der Einfuhrabfertigung anerkannt. Anträge sind beim örtlich zuständigen Hauptzollamt zu stellen. Im Warenverkehr der EG mit Tunesien und Marokko besteht die Bewilligung jedoch nicht in der Form einer Ursprungserklärung auf der Rechnung ohne Wertgrenze, sondern in Form vorausbehandelter Warenverkehrsbescheinigungen EUR. 1.

Erzeugnis: Die hergestellte Ware, auch wenn sie zur späteren Verwendung in einem anderen Herstellungsvorgang bestimmt ist.

Europäische Gemeinschaft für Kohle und Stahl (EGKS): Vertrag zwischen den Mitgliedstaaten der EG zur Schaffung eines gemeinsamen Marktes für Kohle und Stahl 1951 gegründet. Die Geltungsdauer dieses Vertrags endete am 23.07.2002. Das Warenspektrum ist aber weiterhin interessant für den Warenverkehr EG-Türkei.

Europäische Gemeinschaft (EG): Zusammenschluss von 27 europäischen Staaten (Belgien, Bulgarien, Dänemark, Deutschland, Spanien, Frankreich, Griechenland, Irland, Italien, Luxemburg, Niederlande, Österreich, Portugal, Finnland, Schweden, Großbritannien, Rumänien, Polen, Tschechische Republik, Ungarn, Slowakische Republik,

Slowenien, Estland, Lettland, Litauen, Malta, Zypern). Die für das Zollwesen wichtigste Vorschrift des EG-Vertrags lautet: „Grundlage der Gemeinschaft ist eine Zollunion, die sich auf den gesamten Warenaustausch erstreckt; sie umfasst das Verbot, zwischen den Mitgliedstaaten Ein- und Ausfuhrzölle und Abgaben gleicher Wirkung zu erheben, sowie die Einführung eines gemeinsamen Zolltarifs gegenüber dritten Ländern."

Europäische Union (EU): Am 1. Mai 1999 trat der Vertrag von Amsterdam zur Änderung des Vertrags über die Europäische Union (Vertrag von Maastricht) in Kraft. Danach gründet die EU auf drei Säulen, die mit unterschiedlichen Regeln und Verfahren ausgestattet sind: Die „Europäischen Gemeinschaften" (Europäische Gemeinschaft als EG, Europäische Gemeinschaft für Kohle und Stahl als EGKS, Europäische Atomgemeinschaft als EAG), die „Gemeinsame Außen- und Sicherheitspolitik" und die „Zusammenarbeit der Justiz- und Innenminister". Im Gegensatz zur EG ist die EU keine „juristische Person". Internationale Verträge werden daher weiter von der EG unterzeichnet. Folglich ist auch der Begriff **EG oder Europäische Gemeinschaft** bei der Erstellung von Lieferantenerklärungen, Ursprungserklärungen auf der Rechnung und Warenverkehrsbescheinigungen EUR. 1 zu verwenden.

EUR. 1: Die Warenverkehrsbescheinigung EUR. 1 ist ein vorgeschriebener Vordruck und wird von der Zollbehörde für Ursprungswaren ausgestellt. Der Zollbehörde ist dazu ein Antrag vorzulegen, der Bestandteil des Vordrucks ist.

EUR. 2: Formblatt für den Nachweis der Präferenzursprungseigenschaft im Warenverkehr mit bestimmten Ländern. Es wird eigenverantwortlich durch den Exporteur ohne zollamtliche Mitwirkung erstellt und ersetzt die EUR. 1. Im Exportbereich aus der Sicht der EG ist es nicht mehr zu verwenden.

EWR: Europäischer Wirtschaftsraum (EU-Mitgliedstaaten und Island, Norwegen und Liechtenstein) mit besonderen Präferenzregelungen und der Möglichkeit der sogenannten vollen Kumulierung. Die Schweiz gehört nicht zum EWR.

Export: Körperliches Verbringen einer Ware in ein Land außerhalb der EG.

Factoring: Methode der Exportfinanzierung, bei der der Exporteur zur Bilanzentlastung und Liquiditätsbeschaffung seine Exportforderungen (auch nur teilweise möglich) an eine Factoringbank verkauft. Vorteil u.a.: Das Zahlungsausfallrisiko geht auf die vorfinanzierende Bank über (echtes Factoring).

Forfaitierung: Ähnlich wie das Factoring ist auch die Forfaitierung ein Verkauf einer Exportforderung. Die Forfaitierung wird genutzt, wenn der Exporteur bestimmte Länderrisiken wie auch Schuldnerrisiken aus Exportgeschäften an eine Bank verkauft, die die Exportforderung (je nach Risiko) mit einem Abschlag (Diskont) in die eigenen Bücher übernimmt. Der Exporteur hat damit das Forderungsausfallrisiko der jeweils verkauften Forderung komplett abgegeben und seine Liquiditätslage verbessert.

Formblatt A: Das Ursprungszeugnis nach Formblatt A ist der vorgeschriebene Präferenznachweis für die Gewährung von Präferenzzollsätzen im Rahmen des APS. Das Formblatt A wird grundsätzlich nur für die Einfuhr von Waren aus Entwicklungsländern in die EG verwendet. Für die vorübergehende Ausfuhr von Waren in Entwicklungsländer wird gegebenenfalls nur eine EUR. 1 für Kumulierungszwecke ausgestellt.

Förmlicher Präferenznachweis: Vorgeschriebener Präferenznachweis (z.B. Warenverkehrsbescheinigung EUR. 1 oder Ursprungserklärung auf der Rechnung), der nur in der im jeweiligen Ursprungsprotokoll vorgeschriebenen Form als ordnungsgemäßer Präferenznachweis zu einer Zollsatzvergünstigung führt. Ausnahme siehe unter Befreiungen vom Präferenznachweis.

Garantien: Werden im Auslandsgeschäft meist als Bankgarantien eingesetzt, wobei sich die Bank des jeweiligen Schuldners verpflichtet, einem Begünstigten gegenüber eine Geldzahlung zu erbringen, falls eine bestimmte Bedingung nicht eintritt. – So ist die meist gebrauchte sogenannte Zahlungsgarantie ein Zahlungsversprechen der Bank des Importeurs an den Exporteur, diesem die Exportforderung zu bezahlen, falls der Importeur nicht zahlt.

Gemeinschaftswaren: Waren, die sich im zollrechtlich freien Verkehr der EG befinden. Sie können sowohl Ursprungswaren als auch Nichtursprungswaren der EG sein.

Gerichtsstandsvereinbarung: Verabredung eines Gerichtsortes, an dem geklagt werden muss, falls ein Streit zwischen den Geschäftspartnern nur noch mit gerichtlicher Hilfe entschieden werden kann.

Gültigkeitsfrist für Präferenzursprungsnachweise: Es ist zu unterscheiden zwischen Vorlagefrist und Gültigkeitsfrist. Präferenzursprungsnachweise bleiben nach dem Datum der Ausstellung im Ausfuhrland für die in den Ursprungsprotokollen bzw. den anderen Ursprungsregelungen vorgeschriebene Zeit (in der Paneuropäischen Freihandelszone vier Monate, sonst teilweise fünf oder zehn Monate) gültig und sind innerhalb dieser Frist den Zollbehörden des Einfuhrlandes vorzulegen.

Harmonisiertes System (HS): Weltweit angewandtes System zur Bezeichnung und Codierung von Waren (= die ersten sechs Stellen der Codenummer).

Herstellen: Jede Be- oder Verarbeitung einschließlich Zusammenbau oder besondere Vorgänge.

Identitätsprinzip: Gleichartige Vormaterialien mit und ohne Ursprungseigenschaft sind getrennt zu lagern. In Ausnahmefällen kann auf die physische Trennung dieser Vormaterialien verzichtet werden. Die Hauptzollämter können dafür die sogenannte buchmäßige Trennung bewilligen.

Import: Körperliches Verbringen von Waren aus einem Drittland in die EG.

Incoterms: Standardisierte Lieferbedingungen (siehe dort) der Internationalen Handelskammer in Paris, die für sämtliche Warenkaufgeschäfte von Geschäftspartnern zugrunde gelegt werden können. Da diese Klauseln freiwillig genutzt werden, muss ihre Anwendung ausdrücklich verabredet werden, möglichst immer in jedem Einzelgeschäft ausdrücklich (also nicht nur pauschal im „Kleingedruckten", da diese Verabredung im Auslandsrecht oft nicht anerkannt wird).

Internationale Handelskammer: Auch „ICC" (für „International Chamber of Commerce") abgekürzt. Private Organisation, die verschiedene Schriften publiziert hat, die für internationale Geschäfte zugrunde gelegt werden können. Am bekanntesten sind die sogenannten Incoterms (siehe dort), die ICC Schiedsverfahrensregeln und die Einheitlichen Richtlinien für Dokumentenakkreditive und -inkassi.

Internationales Privatrecht: Summe aller nationalen Rechtsregeln eines Staates, die zur Klärung von Rechtsfragen in grenzüberschreitenden Sachverhalten und Fragestellungen heranzuziehen sind.

Kapitel: Kapitel der Nomenklatur des Harmonisierten Systems (HS) zur Bezeichnung und Codierung der Waren (die ersten zwei Ziffern der Position bzw. der Codenummer).

KT/ZM-Risiken: Konvertierungs- und Transferrisiko sowie die Risiken eines Zahlungsverbots oder Moratoriums.

Lieferantenerklärung (LE): Grundsätzlich eine Erklärung eines Lieferanten in der EG über den Präferenzursprung einer Ware oder über bereits durchgeführte, aber noch nicht ursprungsbegründende Be- oder Verarbeitungen. Seit 01.01.1999 können auch für türkische Ursprungswaren Lieferantenerklärungen in der Türkei erstellt werden, um für Zwecke der Kumulierung in der Paneuropäischen Freihandelszone verwendet zu werden.

Lieferbedingungen: Wesentliche Vertragbedingung im Kaufvertrag von Ex- und Importeur, die festlegt, welche Partei in welchem Umfang die Kosten der Warenlieferung trägt und ab welchem Moment die Sachgefahr (Risiko des Verlusts der Ware, der Beschädigung usw.) vom Verkäufer auf den Käufer übergeht. Üblicherweise nutzt man im Außenhandel wegen der weltweiten Bekanntheit und Interpretation die sogenannten Incoterms (siehe dort) der Internationalen Handelskammer.

Liefergarantie: Die Liefer- (und Leistungs-) Garantie ist eine Variante der normalen Zahlungsgarantie der Bank des Exporteurs. Erbringt der Exporteur seine Lieferung nämlich nicht oder jedenfalls nicht vertragsgemäß, kann der Importeur, der die Liefergarantie zu seinen Gunsten erhalten hat, die Bank des Exporteurs auf Zahlung einer versprochenen Geldsumme in Anspruch nehmen.

Lieferung: Verbringen einer Ware von einem Ort innerhalb der EG an einen anderen Ort innerhalb der EG (auch innerhalb Deutschlands).

Made in Germany: Diese Herkunftsbezeichnung hat nichts mit dem Ursprung einer Ware zu tun.

Maßgebende Einheit: Maßgebende Einheit für die Anwendung eines Ursprungsprotokolls oder einer ähnlichen Regelung ist die für die Einreihung in die Position des Harmonisierten Systems maßgebende Einheit jedes Erzeugnisses.

Nichtgemeinschaftswaren: Waren, die in das Zollgebiet der EG eingeführt worden sind und für die die Zollformalitäten noch nicht erfüllt worden sind. Die Waren sind noch nicht „verzollt".

Paneuropäische Freihandelszone: Zone, in der folgende Länder den Handel mit Präferenzursprungswaren aufgrund multilateraler bzw. bilateraler Abkommen und den entsprechenden Ursprungsprotokollen geregelt haben (z.B. Europa-Abkommen zwischen der EG und Rumänien und Protokoll Nr. 4 über die Bestimmung des Begriffs „Erzeugnisse mit Ursprung in" oder „Ursprungserzeugnisse"): EG, Schweiz, Norwegen, Island, Liechtenstein.

Parteiautonomie: Innerhalb schuldrechtlicher Verpflichtungsgeschäfte steht es den Parteien frei, „autonom" alles das vertraglich zu regeln, was sie möchten, soweit sie nicht gegen bestehende Rechtsregeln verstoßen. Der Begriff der Parteiautonomie steht meist in Verbindung mit der sogenannten Rechtswahl: Danach steht es den Geschäftspartnern frei, festzulegen, welches nationale Recht für ihr Geschäft gelten soll.

Passive Veredelung: Im passiven Veredelungsverkehr können Gemeinschaftswaren, die zur Durchführung von Veredelungsvorgängen vorübergehend aus dem Zollgebiet der EG ausgeführt worden sind, und die aus diesen Veredelungsvorgängen entstandenen Erzeugnisse unter vollständiger oder teilweiser Befreiung von Einfuhrabgaben in den zollrechtlich freien Verkehr übergeführt werden. Bei der Inanspruchnahme der Ausnahme vom Territorialitätsprinzip in Höhe von 10% ist dieses Verfahren anzuwenden.

Präferenzberechtigte Waren: Nur für präferenzberechtigte Waren wird bei der Einfuhr eine Vergünstigung in Form des Präferenzzollsatzes gewährt. Die Präferenzberechtigung ist abhängig von der nachgewiesenen präferenzrechtlichen Eigenschaft einer Ware (z.B. Ursprungseigenschaft bei Freihandelszonen oder Freiverkehrseigenschaft bei Zollunionen).

Präferenznachweis: Urkunde, die eine zollbegünstigte Überführung der Waren in den zollrechtlich freien Verkehr ermöglicht (z.B. EUR. 1, A.TR., Formblatt A).

Präferenzsysteme: Die WTO bietet als Ausnahme von der Meistbegünstigungsklausel drei Systeme für Zollsatzpräferenzen an: die Zollunion, die Freihandelszone oder die einseitige Gewährung von Präferenzen zugunsten bestimmter Entwicklungsländer.

Präferenzursprung: Ursprung eines Erzeugnisses nach den vorgeschriebenen Präferenzursprungsregeln. Sind diese Regeln nicht erfüllt, hat das betreffende Erzeugnis keinen Präferenzursprung. Gleichwohl kann es exportiert werden, wenn andere Vorschriften (z.B. Außenwirtschaftsrecht) dem nicht entgegenstehen. Es kommt lediglich nicht zu einer Zollsatzvergünstigung im Einfuhrland.

Präferenzzollsatz: Begünstigter Zollsatz im Vergleich zum Drittlandszollsatz, teilweise auch auf 0% reduziert. Der Präferenzzollsatz wird nur gewährt, wenn alle Voraussetzungen der jeweiligen Präferenzregelungen erfüllt sind.

Rechtswahl: Wahl eines bestimmten nationalen Rechts für das grenzüberschreitende Geschäft.

Schiedsgerichtsverfahren: Alternatives Verfahren zur Streitentscheidung, die im Auslandsgeschäft ganz besondere Vorzüge hat. Während sich nämlich Urteile von staatlichen Gerichten weltweit kaum vollstrecken lassen, können Schiedsgerichtsentscheidungen weltweit in der Regel problemlos auch vollstreckt werden.

Sendung: Erzeugnisse, die entweder gleichzeitig von einem Ausführer an einen Empfänger oder mit einem einzigen Frachtpapier oder - bei Fehlen eines solchen Papiers - mit einer einzigen Rechnung vom Ausführer an den Empfänger versandt werden.

TARIC: Integrierter Zolltarif der EG, auf dem der national Elektronische Zolltarif beruht. Im Internet zu finden unter www.zoll.de > Links > TARIC.

Transitursprungszeugnis: Ursprungszeugnisse nach Formblatt A können unter den in der ZK-DVO genannten Voraussetzungen im sogenannten Transitverfahren EG-EFTA mit Norwegen und der Schweiz erstellt werden.

Übertragbares Akkreditiv: Besonders geeignete Finanzierungsform im Außenhandel, die keine neue Kreditaufnahme bei einer Bank erfordert. Der Einsazt eignet sich aber nur besonders gut aus Sicht von Exporthändlern, die zum Einkauf einer Ware im Ausland (ohne Inanspruchnahme eines Kredits bei ihrer eigenen Bank) einfach ein Akkreditiv, das ihnen aus dem Weiterverkauf der Ware an einen Endabnehmer gestellt wurde, übertragen lassen.

UNCITRAL: Uno-Ausschuss für internationales Handelsrecht in Wien, der wesentliche Arbeiten für den Außenhandel erstellt hat, u.a. das sogenannte UN-Kaufrecht, das in vielen Staaten der Welt (auch Deutschland) als Gesetz gilt.

Unmittelbare Beförderung: Die Gewährung von Präferenzen setzt u.a. voraus, dass grundsätzlich das Erzeugnis unmittelbar zwischen der EG und dem Partnerstaat befördert wird. Wird die unmittelbare Beförderung nicht nachgewiesen, entfällt die Präferenz und es kommt zur Erhebung der Einfuhrabgaben nach dem Drittlandszollsatz. Ausnahmen für Zwischenlagerungen oder untypische Transportwege können unter den in den Ursprungsprotokollen oder den anderen Rechtsgrundlagen vorgeschriebenen Möglichkeiten gewährt werden.

Ursprung: Einen Ursprung einer Ware an sich gibt es nicht. Es gibt immer nur einen Ursprung im Sinne einer bestimmten Regelung. Zu unterscheiden ist zwischen dem nichtpräferenziellen Ursprung und dem präferenziellen Ursprung. Der nichtpräferenzielle Ursprung bestimmt sich nach den Ursprungsregeln des Zollkodex. Sind diese erfüllt, kann bei den Industrie- und Handelskammern ein allgemeines Ursprungszeugnis beantragt werden. Die präferenziellen Ursprungsregeln sind grundsätzlich in Ursprungsprotokollen zu zwischenstaatlichen Abkommen niedergelegt. Sind diese erfüllt, kann bei den Zollstellen eine Warenverkehrsbescheinigung EUR. 1 beantragt werden oder seitens des Exporteurs gegebenenfalls eine Ursprungserklärung auf der Rechnung erstellt werden oder durch den Lieferanten eine Lieferantenerklärung ausgestellt werden.

Ursprungsland: Land, in dem die letzte ursprungsbegründende Be- oder Verarbeitung im Sinne der Ursprungsregeln stattgefunden hat. Dabei können das Ursprungsland im präferenziellen Sinne vom Ursprungsland im nichtpräferenziellen Sinne für ein und dieselbe Ware voneinander abweichen. Beide Ursprungsbegriffe haben nichts mit Qualitätsmerkmalen (Made in .... etc.) zu tun.

Ursprungsnachweis: Wenn ein Ursprungsnachweis für eine Ware gefordert wird, ist zu unterscheiden zwischen den Nachweisen für den nichtpräferenziellen Ursprung (z.B. Ursprungszeugnis nach Anhang 12 der ZK-DVO) und für den präferenziellen Ursprung (z.B. EUR. 1 oder Ursprungserklärung auf der Rechnung). Hilfsweise können teilweise Präferenzursprungsnachweise für den nichtpräferenziellen Bereich anerkannt werden, umgekehrt geht es jedoch nicht.

Ursprungsregeln: Die Ursprungsregeln legen fest, unter welchen Bedingungen ein Erzeugnis seinen Ursprung in dem jeweiligen Land erhält. Man unterscheidet dabei die Ursprungsbegründung durch vollständiges Gewinnen oder Herstellen bzw. durch ausreichendes Be- oder Verarbeiten. Welche Be- oder Verarbeitungen als ausreichend anzusehen sind, ist für den präferenziellen Bereich verbindlich in den jeweiligen Verarbeitungslisten festgeschrieben.

Verbindliche Zolltarifauskunft (VZTA): Bescheinigung der Zollverwaltung für eine bestimmte Ware über deren achtstellige Unterposition der Kombinierten Nomenklatur oder deren elfstellige Codenummer des Elektronischen Zolltarifs. VZTA werden gebührenfrei erteilt. Den Zollbehörden entstandene Auslagen für besondere Maßnahmen wie Analysen und Sachverständigengutachten können dem Antragsteller in Rechnung gestellt werden. Die Auskünfte sind maximal 6 Jahre gültig. Die VZTA bindet alle Zollbehörden der EG gegenüber dem Berechtigten hinsichtlich der zolltariflichen Einreihung der Ware. Der Antrag auf Erteilung einer VZTA (Vordruck 0307 mit ausführlicher Ausfüllanleitung auch über die Zuständigkeiten im Internet zu finden unter: www.zoll.de > Vorschriften und Vordrucke > Formularcenter > Zölle) ist bei der zuständigen Zolltechnischen Prüfungs- und Lehranstalt zu stellen.

Vorlieferungen: Unter Vorlieferungen werden Vormaterialien verstanden, die in einem Betrieb zu einem Erzeugnis be- oder verarbeitet werden sollen. Wird der ordnungsgemäße Nachweis (Dokumentationsprinzip) erbracht, dass die Vorlieferungen bereits Präferenzursprungswaren der EG oder gegebenenfalls eines Partnerlandes sind, werden sie als Vormaterial mit Ursprung (VmU) betrachtet. Liegen keine Nachweise vor, aus welchen Gründen auch immer, gelten die Vorlieferungen automatisch als Vormaterialien ohne Ursprung (VoU).

Vormaterial: Jegliche Zutaten, Rohstoffe, Komponenten oder Teile usw., die beim Herstellen eines Erzeugnisses verwendet werden. Man unterscheidet dabei Vormaterial mit Ursprung (**VmU**) und Vormaterial ohne Ursprung (**VoU**).

Ware: Vormaterialien als auch Erzeugnisse.

Warenverkehrsbescheinigung EUR. 1: Dokument zum Nachweis der Präferenzursprungseigenschaft einer Ware und damit zur Erlangung einer Zollpräferenz (Präferenznachweis).

Warenverzeichnis für die Außenhandelsstatistik: Das Verzeichnis dient der Klassifizierung der Waren für die Statistik des Warenverkehrs mit den Mitgliedstaaten der Europäischen Gemeinschaft (Intrahandel) und den Drittländern (Extrahandel). Es entspricht in den Kapiteln 1 bis 97 vollständig der Kombinierten Nomenklatur, die wiederum auf dem Harmonisierten System basierend von der Kommission der Europäischen Gemeinschaften erstellt wurde. Das Warenverzeichnis wird jährlich vom Statistischen Bundesamt herausgegeben und ist u.a. im Buchhandel erhältlich (z.B. Ausgabe 2005: ISBN: 3-8246-0719-0, Preis: 33,00 €). Insbesondere auch durch das alphabetische Stichwortverzeichnis ist es ein wertvolles Hilfsmittel, um die HS-Position einer Ware festzustellen.

Warenzusammenstellung: Warenzusammenstellungen im Sinne der Allgemeinen Vorschrift 3 b zum Harmonisierten System sind solche Zusammenstellungen, die aus mindestens zwei verschiedenen Waren bestehen, für deren Einreihung unterschiedliche Positionen in Betracht kommen, aus Waren bestehen, die zur Befriedigung eines speziellen Bedarfs oder zur Ausübung einer bestimmten Tätigkeit zusammengestellt worden sind und so aufgemacht sind, dass sie sich ohne vorheriges Umpacken zur direkten Abgabe an den Verbraucher eignen (z.B. Frisier-Necessaires, bestehend aus einer Haarschneidemaschine, einem Kamm, einer Bürste und einer Schere in einer gemeinsamen Verpackung). In jedem Ursprungsprotokoll ist eine besondere Regelung hinsichtlich des Präferenzursprungs dieser Zusammenstellungen enthalten.

Wechsel: Im Außenhandel als wichtiges Dokument in Gebrauch. Der Wechsel hat den Vorteil, dass er – neben der Kaufpreisforderung des Exporteurs – als eigenständige Forderung gegen den Importeur geltend gemacht und durchgesetzt werden kann, sofern der Importeur die Tratte des Exporteurs „akzeptiert" hat (siehe auch oben: Akzept). Wechsel können im Wege der Forfaitierung (siehe dort) auch diskontiert werden, sodass der Exporteur den Exporterlös beschleunigt erhält.

WTO: (World Trade Organisation, ehemals GATT) Welthandelsorganisation, der zurzeit 145 Staaten der Welt angehören. Ziele: Abbau von Handelshemmnissen wie Zölle, Dumpingmaßnahmen, Exportsubventionen und nichttarifären Handelshemmnissen.

Zahlungsbedingung: Wesentliche vertragliche Absprache zwischen Im- und Exporteur. Unterschieden werden „reine Bedingungen" (Vorkasse, Zahlung bei Lieferung oder Zahlung nach Lieferung) und „dokumentäre Zahlungsbedingungen" wie: Lieferung nur, wenn der Importeur durch seine Bank ein Dokumentenakkreditiv (siehe dort) oder Dokumenteninkasso (siehe dort) eröffnen lässt.

Zahlungsgarantie: Typische und häufigste Form der Bankgarantie (siehe unter: Garantie).

Zollanmeldung: Eine Handlung, mit der eine Person in der vorgeschriebenen Form und nach den vorgeschriebenen Bestimmungen die Absicht bekundet, eine Ware in ein bestimmtes Zollverfahren überführen zu lassen.

Zölle: Abgaben, die aufgrund des Elektronischen Zolltarifs auf in die EG eingeführte Waren erhoben werden. Die heutigen Zölle werden zum Schutz der Wirtschaft gegen Auslandswettbewerb erhoben (Schutzzölle). Die Zölle fließen grundsätzlich in voller Höhe der EG zu. Die Verwaltung der Zölle in der Bundesrepublik Deutschland obliegt der Bundeszollverwaltung. Mittelbehörden sind die Oberfinanzdirektionen, örtliche Behörden sind die Hauptzollämter mit ihren Zollämtern und Abfertigungsstellen.

Zollrechtliche Bestimmung einer Ware: Überführung in ein Zollverfahren; Verbringung in eine Freizone oder ein Freilager; Wiederausfuhr aus dem Zollgebiet der Gemeinschaft; Vernichtung oder Zerstörung.

Zollrechtlicher Status: Status einer Ware als Gemeinschaftsware oder Nichtgemeinschaftsware. Aus diesem Status kann nicht automatisch auf die Ursprungseigenschaft einer Ware geschlossen werden.

Zollschuld: Verpflichtung einer Person, die für eine bestimmte Ware im geltenden Gemeinschaftsrecht vorgesehene Einfuhrzollschuld zu entrichten.

Zolltarif: Der Gemeinsame Zolltarif der EG umfasst u.a. die Kombinierte Nomenklatur, die Regelzollsätze, die Zollpräferenzmaßnahmen aufgrund von Abkommen und die Zollpräferenzmaßnahmen, die von der EG einseitig zugunsten bestimmter Länder, Ländergruppen oder Gebiete erlassen worden sind.

Zollverfahren: Zollrechtlich freier Verkehr, Versandverfahren, Zolllagerverfahren, aktive Veredelung, Umwandlungsverfahren, vorübergehende Verwendung, passive Veredelung, Ausfuhrverfahren.

Zollwert: Wert, der gemäß dem Übereinkommen zur Durchführung des Art. VII des Allgemeinen Zoll- und Handelsabkommens 1994 (WTO-Übereinkommen über den Zollwert) festgelegt wird. Das ist grundsätzlich der Wert der eingeführten Waren frei EG-Grenze. Dazu wird grundsätzlich vom Rechnungspreis, der gegebenenfalls berichtigt wird (z.B. um Transportkosten, Versicherungskosten etc.), ausgegangen.

Zubehör, Ersatzteile und Werkzeuge: Zubehör, Ersatzteile und Werkzeuge, die mit Geräten, Maschinen oder Fahrzeugen geliefert werden, werden mit diesen zusammen als Einheit angesehen, wenn sie als Bestandteil der Normalausrüstung in deren Preis enthalten sind oder nicht gesondert in Rechnung gestellt werden.

5. Außenhandelsbegriffe deutsch-englisch

Deutsch	Englisch
A	
ablehnen	reject, refuse
Akkreditiv	letter of credit
unwiderrufliches ~	irrevocable ~
übertragbares ~	transferable ~
bestätigtes ~	confirmed ~
Akzept	acceptance
akzeptieren	accept
Alleinvertreter	sole agent
amtlicher Wechselkurs	official rates of exchange
Anforderung	requirement
anmeldende Bank	notifying bank
Annahme	acceptance
anwendbares Recht	applicable law
Arbitrage	arbitrage
Auftraggeber	principal
ausdrücklich	express(ed)
ausdrücklich oder stillschweigend	express or implied
Ausfuhr	export
Ausfuhrabgaben	export duties
Ausfuhrlizenz	export licence
ausschließen	exclude
Aussteller	drawer
Aval	guarantee
B	
Bank	bank
übersendende ~	remitting ~
vorzeigende ~	presenting ~
bestätigende ~	confirming ~
Bankscheck	bank cheque
Bankspesen	bank charges
beanspruchen	claim
Beanstandung	objection
Be- oder Verarbeitung	working or processing
Befrachter	shipper

Beförderer	carrier
Beförderung	carriage
begleichen	discharge
Begriffsbestimmungen	definitions of terms
Begriffsauslegungen	interpretation of terms
benachrichtigen	notify
benannt	nominated
Beschwerdebrief	letter of complaint
Besitz, Eigentum	possession, property
bestätigtes Akkreditiv	confirmed letter of credit
Bestellung	order
die Beteiligten	the parties hereto
betreffend	with respect to; regarding
bevollmächtigt sein	to be authorised
bevollmächtigter Vertreter	authorised representative
Bezogener	drawee
Bezugnahme	reference
Bordkonnossement	shipped B/L
Bürge	guarantor

C

Charterer	charter party
Codenummer	commodity code
Container	container

D

Datum der (Vertrags-)Erfüllung	date of delivery
Devisengenehmigung	currency exchange permission
Dokumentenakkreditiv	letter of credit
Dokumenteninkasso	documentary collection

E

Eigentümer der Güter	owner of the goods
Eigentum	ownership
Eigentumsrecht, Rechtsanspruch	title
~ an der Ware	title in the goods
Waren, über die dem Verkäufer ein Sicherungsrecht zusteht	goods, in which title remains vested in the seller
Eigentumsrechte an Waren erhalten	acquire title in goods
Anteil am Miteigentum	proportion of title

Eigentumsvorbehalt	retention of title
Eignung	fitness
Einfuhr	import
Einfuhrabgaben	import duties
Einfuhrlizenz	import licence
Eingangsdatum	date of presentation
Einheitliche Richtlinien	uniform rules
Einschränkung	limitation
Einverständnis	approval
entsprechend	accordingly, in accordance
entziehen	deprive
jemanden ein Recht entziehen	to deprive s.o. of a right
herauslegende Bank	issuing bank
Empfänger	beneficiary
Empfangsanzeige	advice of receipt
Empfangsbestätigung	acknowledgement of receipt
Erfüllung	fulfilment
Erhalt	receipt
ersetzen	replace
erstatten	refund
Exporteur	exporter
Exportfirma	export firm
Extrakosten	extra charges
Exportvertrag	export-contract

F

Fabrikant	manufacturer
Forderung	claim
Fracht bezahlt	freight paid
Frachtbrief	consignment note, bill of lading
Frachtvertrag	freight contract, contract of carriage

G

Garantie	guarantee
Gebrauchstauglichkeit	merchantability
Gefahrübergang	transfer of risk
gegründet nach dem Recht des ... (Landes)	organised under ... law
gekreuzter Scheck	crossed cheque
geltendes Recht	applicable law

geltende Gesetzesgrundlagen	applicable statutory provision
geltende Tarife	rates in force
gemäß	pursuant to
Gericht	court
Gerichtsbarkeit	jurisdiction
ausschließliche ~	exclusive ~
nicht ausschließliche ~	non- exclusive ~
Gerichtsstand	place of jurisdiction
~ ist Köln.	~ shall be Cologne.
Gerichtsverfahren	court proceedings
Geschäftsverbindung	business relationship
gesetzlich	statutory
gesetzliche Änderung	change of legal provision; change of law
gewährleisten	warrant
Gewährleistungen	warranties
Ausschluss von ~	exclusion of ~
der Verkäufer übernimmt keine ~	the seller grants no ~
Großhändler	wholesaler
Gutschreiben	to credit an account
Gutschrift	payment

H

Hafengebühren	port fees
Hafenordnung	port regulations
Handelsadressbuch	trade directory
Handelsagent	commercial agent
Handelskammer	Chamber of Commerce
Handelswechsel	commercial bill, trade bill
Herstellungskosten	costs of manufacture
hinsichtlich	with reference to
Hinweis	reference

I

ICC-Schiedsverfahrensordnung	ICC-Rules of Arbitration
Import	import
Indossant	endorser
Inhaber	holder
insbesondere	in particular
Instandhaltung	maintenance
Internationale Handelskammer	International Chamber of Commerce (ICC)

K

Käufer	purchaser; buyer; customer
Kaufpreis	purchase price
Kaufvertrag	sales contract, contract of sale, sales agreement
Konnossement	bill of lading
Konsignatar	consignee
Konsularische Bescheinigung	consular certificate
Konsulatsfaktura	consular invoice
kontrollieren	check
Kosten	expense
auf ~ des Verkäufers	at the seller's ~
Kreditauskunft	credit information
Kunde	customer; client

L

Ladungskosten	loading charges
Ladekosten	cost of lading
Lager	warehouse
Lagerschein	warehouse receipt
Lieferbedingungen	terms of delivery, delivery terms
Liefergarantie	performance bond
Lieferung	supply (Auslieferung); delivery (Warenversand)
~ der genannten Güter	delivery of the said goods
~ gegen Entgelt	supply made against payment
~ ging verspätet ein	delivery was late
~ wurde verzögert durch	delivery was delayed by
~ aller Arten	supplies of all kinds
bei ~	upon delivery
Lieferort	place of delivery
Lieferschein	delivery note, bill of delivery
Lieferzeit	delivery time
Luftfrachtbrief	air consignment note

M

Makler	broker
Materialfehler	defects in material
Menge	quantity

Minderung	reduction
eine ~ beanspruchen	to claim a ~
Mitteilung	notice
Muster (Warenprobe)	sample, specimen

N

Nachweis, Beleg, Beweis	evidence

O

Orderscheck	order cheque
ordnungsgemäßer Geschäftsgang	ordinary course of business

P

Preis; Kaufpreis	price
Anteil des Kaufpreises	portion of the price
Preisverzeichnis	price list
Proforma Rechnung	proforma invoice

Q

Qualität	quality
Quittung	receipt

R

Rechnungswert	invoice value
Recht	right; law
auf ein ~ verzichten	waive a right
Recht ausüben	to exercise a right
Es gilt deutsches Recht.	German law shall apply.
Rechtsbehelf	remedy
Rechtsnachfolger	permitted assign
Rechtswahl	choice of law
Register	registry
registriert	registered
Regress	recourse
reines Konnossement	clean Bill of Lading
Richter	judge
Rüge/Beanstandung eines Mangels	notice of defect
Rückgabe	return
Rücktritt	rescission
~ vom Vertrag	~ of the agreement

S

Sachgefahr	risk in the goods
Schadensanzeige	notice of loss
~ erstatten	to give notice of loss
Schadensersatz	damages
~ einfordern	to claim ~
auf ~ klagen	to claim for ~
Schiedsklausel	arbitration
Schiedsgericht	court of arbitration
schiedsgerichtlich	by arbitration
Schiedsrichter	arbitrator
Schiedsverfahrensordnung	rules of arbitration
schriftlich bestätigt	confirmed in writing
schriftliche Zustimmung	written approval
Sendung (Waren)	consignment, shipment
Sichtwechsel	sight bill
(Firmen-)Sitz	registered office
Solawechsel	promissory note
Spezifikation	specification
anwendbaren ~en entsprechen	conform to applicable specifications
Steuern	taxes
Streitigkeit	dispute
Streitigkeiten zwischen Parteien	disputes among parties

T

Teilverschiffung	partial shipments
Tochtergesellschaft	subsidiary; affiliate
Transportversicherung	transport insurance
Tratte	draft

U

Übereinstimmung	conformance
in ~ mit einer zugesicherten Eigenschaft	in ~ with the relevant specification
übergeben; aushändigen	hand over
übergehen (auf)	pass (to)
bis das Eigentumsrecht auf den Käufer übergegangen ist	until the titel of goods has passed to the buyer
Umstände	circumstances
den gegebenen ~ angemessen	equitable under the ~

UN-Kaufrecht	UN Convention on the International Sale of Goods
uneingeschränktes Recht	absolute authority
Unternehmen	corporation; company
Unternehmensbeteiligung	subsidiary; affiliate
Unternehmensgruppe	group
Unterschrift	signature
Untersuchungs- und Rügeobliegenheiten	duty to inspection and objection
unwiderrufliches Akkreditiv	irrevocable letter of credit
Ursprung	origin
Ursprungsland	country of origin
Ursprungsnachweis	document of origin
Ursprungsregel	origin rule
Ursprungseigenschaft aufgrund von ~ erworben	to acquire originating status by the application of rules of origin
Ursprungszeugnis	certificate of origin

V

Verantwortung, Risiko	risk
auf ~ des Verkäufers	at the seller's ~
Verarbeitungsfehler	defects in workmanship
veräußern	dispose
verbindlich	binding
vereinbart (übereinstimmend)	agreed upon
Vereinbarung	agreement
Verfahren (gerichtlich)	proceedings
verfügen über	dispose of
Verfügung	disposal
zur ~ stellen	to place sth. at the ~
Verfügung (gerichtlich; einstweilig)	injunction
vorläufigen Rechtsschutz von Gerichten in Anspruch nehmen	to seek court ~
Verkäufer	seller; vendor
Verkäufergruppe	seller's group
Verkaufsfaktura	sale invoice
Verkaufskontrakt	contract of sale
Verlangen	request; demand
auf Wunsch/Verlangen des Käufers	upon the buyer's request
auf Anforderung/Verlangen	on demand

vermerken	record
Beanstandungen ~	record ~
Verpflichtung	obligation
Verschiffungsdokument	shipping documents
versichern	insure
Versicherung	insurance
Versicherungspolice	insurance policy
Versicherungszertifikat	insurance certificate
Vertrag	contract; agreement
Vertragspflichten verletzen	breach a contract
Dieser ~ unterliegt in allen seinen Bestandteilen dem deutschen Recht.	This agreement shall be governed by and construed in accordance with German law.
vertragliche Bestimmung	provision (of an agreement)
vertragliche Vereinbarung	contractual agreement
vertragliche Verpflichtungen	contractual obligation
Vertragsbestimmung, -verpflichtung, -klausel	stipulation
Vertragslaufzeit	period of the contract
Vertragspartei	party
Vertrags(ab)schluss	conclusion of the contract
Zeitpunkt des Vertragsschlusses	date of contractual agreement
Vertreter (Stellvertreter)	agent
Vertretungsbefugter	agency
vorbehalten (sich das Recht vorbehalten)	reserve the right
(bei) Vorlage	at sight
vorläufiger Rechtsschutz	interlocutory injunction

W

Wechsel	bill of exchange; draft
Wechselkursschwankungen	foreign exchange fluctuations
Weiterleitung	transmission
Werbehaushalt	advertising budget
Werktag	business day
wirtschaftliche Einheit	commercial entity

Z

zahlbar an Order	payable to order
zahlbar bei Sicht	payable at sight

zahlbar in bar	payable cash
Zahlungsanweisung	order to pay, money order
Zahlungsbedingungen	terms of payment
Zahlungsgarantie	payment bond
Zahlungsort	place of payment
Zahlungsstundung	deferred of payment
Zahlungstermin	date of/for payment
Zahlungsverzug	default (in payment)
Zeitpunkt der Lieferung	date of delivery
Zollverfahren	customs procedure
ein ~ beenden	to discharge a ~
in Zusammenhang mit	in conjunction with
zustimmen	agree with
Zweck	purpose

Sachregister

A

Abgaben 81
abstraktes Zahlungsversprechen 107
Abweichung zwischen Angebot und Annahme 35
ab Werk 90
Allgemeine Geschäftsbedingungen
– Auslegungshilfen 79
Allgemeinen Liefer- oder Einkaufsbedingungen 52
Angemessenheit der Nachfrist 56
anglo-amerikanische Vertragspraxis 43
Annahmeerklärung 35
Anzahlung 106
Anzahlungsgarantie 106
Arten von Zahlungsbedingungen 104
Aufforderung 33
aufschiebende Bedingung 63
ausschließliche Gerichtsstände 129
Ausschluss der Mängelhaftung 52
Ausschluss des UN-Kaufrechts 125
Außenhandelsgeschäfte 26

B

Beförderer 75
Beförderungskauf 100
Begriffe und Erläuterungen 42
Begriffsdefinitionen und Interpretation 43
Bezahlung gegen einfache Rechnung 109

C

CFR-Klausel 98
Charges 81
CIF-Klausel 98
CISG 28
C-Klauseln 84
commencement and termination 44

D

definitions 43
delivery 80
Dissens 35
D-Klauseln 84
dokumentäre Zahlungsbedingung 111
Dokumente gegen Akkreditiv 106
Dokumente gegen Akzept 108, 113
Dokumenteninkasso 107

E

eigene Lieferbedingung 99
Eigentumsvorbehalt 61
Einigung 36
Einleitung 40
E-Klausel 84
englisches Recht 34
Erfüllungsort 73
erweiterter Eigentumsvorbehalt 66
EXW 90

F

FAS-Klausel 95
FCA-Klausel 92
Festlegung der Geltung deutschen Rechts 116
Festpreis 45
FIATA Bill of Lading 94
F-Klauseln 84
FOB-Klausel 96
Form des Kaufvertrags 37
forum non conveniens 129
Frachtführer 94
französisches Recht 34
free carrier 92
Frei an Bord 96
Frei Frachtführer 92
Frei Längsseite Schiff 95
Freizeichnung nach AGB 54
Frist 48

G

Gefahr 74
Gefahrtragung 70

Gefahrtragungsklausel 70
Gefahrübergang 72, 81
Gegenleistungsgefahr 70
Geltung deutschen Rechts 116
Gerichtsstand 127
Gerichtsstandvereinbarung 128
Grundsatz der Preisbestimmbarkeit 46

H

Herausgabeanspruch 67

I

Incoterms 79, 84
- C-Gruppe 85, 88
- D-Gruppe 85, 90
- E-Gruppe 85, 88
- F-Gruppe 85, 88
- Gefahr- und Kostentragung 88
- Incoterms® 2010 Regeln 84 ff.

internationale Warenkaufverträge 28
Irrtum 46

K

kaufmännisches Bestätigungsschreiben 26
Kaufpreis 45
Kaufsache 45
Kaufvertrag 25
Kaufvertragsparteien 45
Klauseln des Kaufvertrags 39
Kostenübergang 81
Kosten und Fracht 98
Kostenverteilung 81

L

Leistungsgefahr 70
Lieferbedingung 77, 99
Lieferbedingung gemäß UN-Kaufrecht 99
Lieferverpflichtung 80
Lieferverpflichtungen des Verkäufers 81

M

Mangelfolgeschaden 59
mangelfreie Ware 51
Mängelhaftung 50
Mängelrüge 48
Minderung 57
Mindestbestandteile 45
Minimalschutz 54

N

Nacherfüllung 55
Nachfrist 56

O

offenes Zahlungsziel 110

P

Präambel 40
Preisgefahr 70, 103
Preisgleitklausel 45, 46
Preisliste 46
Preisvereinbarungen 45
Probleme beim Vertragsschluss 25
Probleme des Eigentumsvorbehalts 63
Prozessrisiko 128
Prüfungspflicht 54

R

Recht des Exporteurs 28
Recht eines Geschäftspartners 31
Rechte des Vorbehaltsverkäufers 67
Rechtsbehelfe nach UN-Kaufrecht 59
Rechtsmängel 51
Rechtswahl 28, 116
Risiken 34
Rückgabeanspruch 67
Rücktritt 56
Rügefrist 48
Rügepflicht 48

S

Sachmangel 52
Schadensersatz 59
Schadensersatzanspruch 57
Schiedsklausel 131
Schiedsspruch 132
Schiedsverfahren 27, 128

Schiedsvertrag 132
schuldrechtlicher Kauf 63
Schweigen 36
Schweigen einer Vertragspartei 26
Spediteur 75, 94
Speditionsformulare 94
Speditionsvertrag 94
Sprachrisiko 27
stillschweigend 63

T

Transportdokumente
– Konnossement 94
– Luftfrachtbriefe 95
– Seefrachtbriefe 95
Transport, multimodal 96
Transportweg 76

U

Übergabe 71
Überschrift 41
übliche Gepflogenheiten 35
UNCITRAL 27
UN-Kaufrecht 28, 75, 99, 125
Untergang 71

V

vereinbarter Zeitpunkt der Übergabe 71
Vereinbarung eines Gerichtsstands 127
Vereinbarung eines Zahlungsortes 111
verlängerter Eigentumsvorbehalt 66
Verschlechterung 71
Versendungskauf 73, 75
verspätete Kaufpreiszahlung 103
vertragliche Änderung des Gefahrübergangs 72
vertragliche Gerichtsstandsvereinbarung 129
Vertragsangebot 32
Vertragsannahme 34
Vertragsgemäßheit nach UN-Kaufrecht 54
Vertragsmuster 11
Vertragsmusterklauseln 39
Vertragsparteien 41
Vertragsschluss 32, 35
Vertragssprache 27
Vertreter der Vertragsparteien 41
Vertretungsmacht 41
vollständiger Ausschluss 54
Vorauszahlung der Ware 105
Vorbehaltsverkäufer 67
Vorbereitungsphase 26
Vorfinanzierung 105
Vorkasse 105

W

Warenabnahme 45
Warenbestellung 45
Warenkauf 30
Warenlieferung 77
Wegfalls der Geschäftsgrundlage 46
Wirkung des Gefahrübergangs 75

Z

Zahlungsabwicklung 27
Zahlungsbedingung 102, 110
Zahlungsort 111

Teil 5: CDROM-Inhalt

Mustervertrag deutsch

Mustervertrag englisch

UN-Kaufrecht

EGBGB (Auszug)

BGB (Auszug)

ROM-I-Verordnung (Auszug)

HGB (Auszug)

ZPO (Auszug)

Glossar

Außenhandelsbegriffe deutsch-englisch

Adressen